Vengaza
para víctimas

HOLLY JACKSON

Venganza para víctimas

CROSS BOOKS

CROSSBOOKS, 2022
infoinfantilyjuvenil@planeta.es
www.planetadelibrosjuvenil.com
www.planetadelibros.com
Editado por Editorial Planeta, S. A.

Título original: *As Good as Dead*
© del texto: Holly Jackson, 2021
© de la traducción: María Cárcamo, 2022
© de la ilustración de la página 127: Priscilla Coleman
© Editorial Planeta, S. A., 2021
Avda. Diagonal, 662-664, 08034 Barcelona
Publicado originalmente por Egmont UK Limited, The Yellor Building, 1
Nicholas Road, London, W11 4AN

Primera edición: abril de 2022
Cuarta impresión: octubre de 2023
ISBN: 978-84-08-25436-2
Depósito legal: B. 4.614-2022
Impreso en España

Este es para todos vosotros.
Gracias por estar conmigo hasta el final.

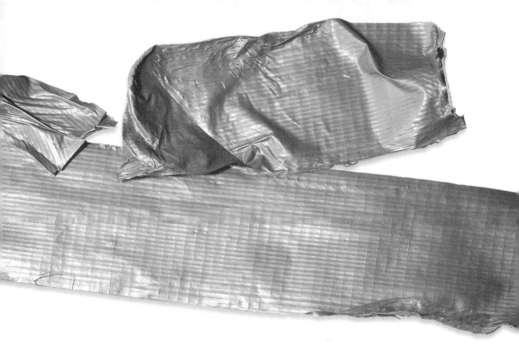

Primera parte

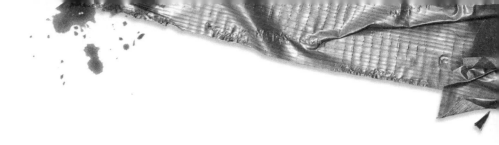

Uno

Ojos sin vida. Eso es lo que se dice, ¿no? Vacíos, vidriosos, vacuos. Los ojos sin vida se habían convertido en unos compañeros constantes que la seguían a todas partes, apenas a un parpadeo de distancia. Se escondían en lo más profundo de su mente y la escoltaban durante sus sueños. Eran los de él, el momento exacto en el que pasó de estar vivo a dejar de estarlo. Los percibía en el vistazo más rápido y en las sombras más oscuras; y, a veces, también en el espejo, en su propia cara.

Y Pip los estaba viendo ahora mismo, mientras la atravesaban. Unos ojos sin vida en la cabeza de una paloma muerta en el camino de entrada a su casa. Vidriosos y vacíos, excepto por su reflejo poniéndose de rodillas. No para tocarla, sino para acercarse lo suficiente.

—¿Estás lista, Pipsicola? —preguntó su padre a su espalda.

Ella se estremeció cuando la puerta de casa se cerró con un golpe violento, escondiendo la detonación de una pistola en su eco. La otra compañera de Pip.

—S-Sí —dijo, levantándose y recomponiendo la voz. «Respira. Respira hondo»—. Mira. —Señaló—. Una paloma muerta.

Él se agachó para verla. Se le arrugó la piel negra alrededor de los ojos entornados, y también el traje de tres piezas a la altura de las rodillas. Luego puso una expresión que ella conocía muy bien; estaba a punto de decir algo ingenioso y ridículo, como:

—¿Esto es lo que vamos a cenar? —soltó.

Sí. Justo en el clavo. Últimamente, casi todo lo que salía de su boca eran bromas; como si estos días se estuviera esforzando especialmente para hacerla reír. Pip cedió y le sonrió.

—Pero solo si de acompañamiento hay puré de ratata —le siguió el juego, apartándose por fin de la mirada vacía de la paloma y poniéndose su mochila cobriza sobre un hombro.

—¡Ja! —Su padre le dio una palmadita en la espalda, sonriente—. Qué morbosa que es mi niña...

Otra vez se le mudó el gesto en cuanto fue consciente de lo que había dicho y de los diferentes significados que tenían esas palabras. Pip no podía escapar de la muerte, ni siquiera en esa mañana de finales de agosto en un momento de relax con su padre. Parecía que era lo único para lo que vivía.

Su padre zanjó la incomodidad del momento, siempre fugaz, y le hizo un gesto con la cabeza para que entrara en el coche.

—Vamos, no puedes llegar tarde a la reunión.

—Sí —contestó Pip.

Abrió la puerta del coche y se acomodó en su asiento sin saber muy bien qué más decir. A medida que el coche avanzaba, su mente se iba quedando atrás, con la paloma.

La alcanzó cuando pararon en la estación de tren de Little Kilton. Estaba concurrida y el sol se reflejaba en las hileras de coches.

Su padre suspiró.

—El comemierda del Porsche me ha vuelto a quitar el sitio.

Comemierda: otro término que Pip se arrepintió enseguida de haberle enseñado.

Los únicos huecos libres estaban en el otro extremo, cerca de la valla, donde no llegaban las cámaras. El lugar favorito de Howie Bowers. Un fajo de dinero en un bolsillo y una pequeña bolsa de papel en el otro. Sin que Pip pudiera evitarlo, el clic del cinturón se convirtió en los pasos de Stanley Forbes sobre el hormigón, detrás de ella. De pronto, se hizo de noche. Howie no está en la cárcel, sino aquí, bajo el brillo naranja de las farolas, con los ojos entre tinieblas. Stanley lo alcanza y le da el precio que ha de pagar por su vida, por su secreto. Y se gira hacia Pip, con los ojos sin vida y con seis agujeros en su cuerpo, escupiendo sangre sobre su camiseta y hasta el suelo; sangre que, sin saber cómo, ahora está en sus manos. Tiene las palmas cubiertas y...

—¿Vienes, Pipsicola? —Su padre estaba aguantándole la puerta.

—Sí —respondió ella, secándose las manos en sus pantalones más elegantes.

El tren a Londres Marylebone estaba igual de concurrido que la estación. Los pasajeros de pie, chocando hombro con hombro y disculpándose con sonrisas incómodas cada vez. Había demasiadas manos en la barra de metal, así que Pip se agarró al brazo flexionado de su padre para mantener el equilibrio. Ojalá hubiera funcionado.

Vio a Charlie Green dos veces en el tren. La primera por detrás de la cabeza de un hombre, antes de que la moviera para leer mejor el periódico. La segunda era un hombre esperando en el andén con una pistola en la mano. Pero en cuanto cogió el carrito, su cara se transformó y perdió cualquier parecido con Charlie, y la pistola solo era un paraguas.

Habían pasado cuatro meses y la policía aún no lo había encontrado. Su mujer, Flora, se había entregado en una comisaría de Hastings hacía ocho semanas. Parece que se separaron en algún momento de la huida. Ella no sabía dónde estaba su marido, pero, según los rumores de internet, había conseguido llegar a Francia. Aun así, Pip lo buscaba. No porque quisiera que lo pillaran, sino porque necesitaba que lo encontraran. Y esa diferencia era esencial, la razón por la cual las cosas no volverían jamás a la normalidad.

Su padre la miró.

—¿Estás nerviosa por la reunión? —le preguntó por encima del chirrido del freno del tren al entrar en Marylebone—. Todo irá bien. Solo tienes que escuchar a Roger, ¿vale? Es un abogado excelente, sabe de lo que habla.

Roger Turner era un compañero de bufete de su padre; un hacha en casos de difamación, por lo visto. Lo encontraron unos minutos más tarde, esperando fuera del viejo edificio de ladrillo rojo en el que habían reservado la sala para la reunión.

—Hola de nuevo, Pip —dijo Roger extendiéndole una mano. Ella comprobó rápidamente que las suyas no estuvieran llenas de sangre antes de estrechársela—. ¿Qué tal el fin de semana, Victor?

—Bien, gracias, Roger. Y hoy tengo sobras para comer, así que todo apunta a que será un lunes estupendo.

—Pues vamos a ir entrando, entonces. ¿Estás lista? —Roger le preguntó a Pip mientras miraba el reloj; llevaba un maletín brillante en la otra mano.

Pip asintió. Notaba de nuevo las palmas mojadas, pero era sudor. Solo sudor.

—Todo irá bien, cariño —le dijo su padre colocándole bien el cuello de la camisa.

—Sí, he hecho miles de mediaciones. —Roger sonrió echándose hacia atrás el pelo grisáceo—. No tienes que preocuparte por nada.

—Llámame cuando acabéis. —El padre de Pip se inclinó

para darle un beso en la cabeza—. Nos vemos en casa esta noche. Roger, a ti te veo luego en la oficina.

—Sí, hasta luego, Victor. Después de ti, Pip.

Estaban en la sala de reuniones 4E, en la última planta. Pip pidió que subieran por la escalera porque, si su corazón se aceleraba por eso, no lo haría por nada más. Así era como lo racionalizaba, por eso salía a correr cada vez que notaba presión en el pecho. Corría hasta que apareciera un dolor diferente.

Llegaron a la última planta, el viejo Roger iba varios pasos por detrás de ella. En el pasillo, frente a la sala 4E, había un hombre con un traje muy elegante que sonrió cuando los vio.

—Tú debes de ser Pippa Fitz-Amobi —dijo. Otra mano que apretar, otra comprobación de que no hubiera sangre en las suyas—. Y tú, su abogado, Roger Turner. Soy Hassan Bashir, vuestro mediador independiente.

Hassan sonrió, levantándose las gafas con un dedo. Parecía amable y tan entusiasmado que casi daba saltitos. Pip no quería arruinarle el día, pero iba a hacerlo, sin ninguna duda.

—Encantada de conocerte —dijo carraspeando.

—Lo mismo digo. —Para sorpresa de Pip, le chocó la mano—. La otra parte ya está en la sala, listos para dar comienzo a la reunión. A no ser que tengáis alguna pregunta antes. —Miró a Roger—. Creo que deberíamos ir empezando.

—Sí, perfecto.

El abogado dio un paso adelante mientras Hassan sujetaba la puerta de la sala 4E. Dentro había silencio. Roger entró y le hizo a Hassan un gesto de agradecimiento con la cabeza. Y luego pasó Pip. Inspiró, estiró los hombros y expulsó el aire entre los dientes apretados.

Lista.

Lo primero que vio al entrar en la sala fue su cara. Sentado al otro lado de una mesa muy larga, con los pómulos alineados con la boca y el pelo rubio despeinado hacia atrás. Levantó la mirada y la miró con un brillo algo oscuro y malévolo en los ojos.

Max Hastings.

Dos

Los pies de Pip dejaron de moverse. Ella no les había dado la orden, fue como algo primitivo, una certeza tácita de que dar un solo paso más sería estar demasiado cerca de él.

—Por aquí, Pip —dijo Roger sacando una silla justo en frente de Max, haciéndole un gesto para que se sentara.

Junto al chico, frente a Roger, estaba Christopher Epps, el mismo abogado que lo había representado en el juicio. La última vez que Pip había estado cara a cara con este hombre había sido en el estrado; llevaba ese mismo traje mientras él la acosaba con su voz cortante. Pip también lo odiaba a él, pero ese sentimiento había desaparecido y ahora estaba incluido en el desprecio que sentía por la persona sentada enfrente de ella. Solo los separaba el ancho de la mesa.

—Bueno, hola a todos —dijo Hassan muy alegre mientras se sentaba en su silla: en el extremo de la mesa, entre las dos partes—. Vamos a obviar las presentaciones. Mi papel como mediador es ayudaros a conseguir un acuerdo aceptable para ambas partes. Mi único interés es que todo el mundo quede contento, ¿de acuerdo?

Evidentemente, Hassan no había analizado con detenimiento la sala.

—El objetivo de la mediación es, básicamente, evitar una litigación. Un juicio es demasiado engorroso y muy caro para todas las personas involucradas, por eso siempre es mejor intentar conseguir un acuerdo antes de presentar una demanda.

Sonrió, primero hacia el lado de Pip, luego hacia el de Max. La misma sonrisa para todos.

—Si no conseguimos llegar a un acuerdo, el señor Hastings y su abogado tienen la intención de denunciar a la señorita Fitz-Amobi por un tuit y una entrada de un blog, ambos publicados el 3 de mayo de este año, que, según afirman, consistía en un archivo de audio con una declaración difamatoria. —Hassan miró sus notas—. El señor Epps, en nombre del denunciante, el señor Hastings, afirma que dicha declaración tuvo efectos muy graves en su cliente, tanto en términos de salud mental como de daños irreparables a su reputación. Esto ha provocado, por consiguiente, complicaciones financieras por las que pide una compensación.

Pip cerró los puños sobre sus piernas, con los nudillos sobresaliéndole de la piel como la columna vertebral de un animal prehistórico. No sabía si iba a ser capaz de escuchar todo eso. Joder, cuánto le iba a costar. Pero respiró y lo intentó, por su padre y por Roger, y por el pobre Hassan.

Max tenía enfrente la irritante botellita de agua, por supuesto. De plástico azul oscuro con una boquilla de goma. No era la primera vez que Pip lo veía con ella. Resulta que, en un pueblo tan pequeño como Little Kilton, las rutas para correr tendían a converger. Pip había llegado a pensar que Max se cruzaba con ella a propósito. Y siempre con la puñetera botella azul.

Max la vio mirar la botella. Él la cogió, apretó para sacar la boquilla y le dio un sorbo largo y escandaloso, sin apartar la vista de ella ni un segundo.

Hassan se aflojó un poco la corbata.

—Señor Epps, si le parece, puede empezar con su alegato inicial.

—Por supuesto —dijo este, revolviendo sus papeles, y con una voz tan cortante como la recordaba Pip—. Mi cliente ha sufrido muchísimo desde la afirmación difamatoria que la señorita Fitz-Amobi publicó la noche del 3 de mayo, en gran parte debido a que la señorita Fitz-Amobi tiene una gran presencia en internet, con más de trescientos mil seguidores en aquel momento. Mi cliente tiene una educación de nivel superior en una universidad de renombre, lo que lo convierte en un candidato muy atractivo para empleos de alto rango.

Max volvió a dar un sorbo de agua, como si lo hiciera para enfatizar la observación.

—Sin embargo, en estos últimos meses, al señor Hastings le ha costado mucho encontrar un trabajo al nivel de lo que se merece. Esto está directamente relacionado con los daños a su reputación infligidos por las difamaciones de la señorita Fitz-Amobi. Como consecuencia, mi cliente se ve obligado a vivir con sus padres, porque no logra encontrar un puesto apropiado y, por lo tanto, no puede permitirse un alquiler en Londres.

«Jo, pobre violador en serie», pensó Pip, pronunciando esas palabras con los ojos.

—Pero mi cliente no ha sido el único afectado —continuó Epps—. Sus padres, el señor y la señora Hastings, también han sufrido este estrés y han tenido que salir del país para quedarse una temporada en su segunda vivienda, en Florencia. La misma noche que la señorita Fitz-Amobi publicó la declaración difamatoria, alguien atacó su casa y escribió en la fachada: «VIOLADOR TE COGERÉ».

—Señor Epps —interrumpió Roger—. Espero que no esté sugiriendo que mi clienta tuvo algo que ver con ese vandalismo. La policía ni siquiera se planteó que estuviera relacionada.

—En absoluto, señor Turner. —Epps hizo un gesto con la cabeza—. Solo lo he mencionado porque se puede suponer que hay una conexión entre las declaraciones de la señorita Fitz-Amobi y el vandalismo, ya que tuvo lugar en las horas que siguieron a dicha publicación. A causa de ello, la familia Hastings no se siente segura en su propia casa y han tenido que colocar cámaras de seguridad en la puerta. Espero que esto sirva para explicar no solo las dificultades económicas que ha sufrido el señor Hastings, sino también el extremo dolor y sufrimiento de él y de su familia con motivo de las malvadas declaraciones de la señorita Fitz-Amobi.

—¿Malvadas? —intervino Pip, notando cómo se le calentaban las mejillas—. Lo llamé violador, cosa que es, así que...

—Señor Turner —ladró Epps levantando la voz—. Le sugiero que aconseje a su clienta que no abra la boca y que le recuerde que, si hace alguna declaración difamatoria, podría clasificarse como calumnia.

Hassan levantó las manos.

—Sí, sí. Vamos a respirar todos. Señorita Fitz-Amobi, su parte tendrá la oportunidad de hablar más tarde. —Se volvió a aflojar la corbata.

—Tranquila, Pip, yo me encargo —le dijo Roger en voz baja.

—Le recordaré a la señorita Fitz-Amobi —dijo Epps sin mirarla a ella, sino a Roger— que hace cuatro meses mi cliente se enfrentó a un juicio en los tribunales de Crown y fue declarado inocente de todos los cargos. Y esa prueba demuestra que su declaración del 3 de mayo fue, en efecto, difamatoria.

—Dicho todo esto —intervino Roger, revolviendo él también sus papeles—, una declaración solo puede ser difamatoria si se presenta como un hecho. El tuit de mi clienta dice lo siguiente: «Última actualización del juicio de Max Hastings. Me da igual lo que crea el jurado, es culpable». —Carraspeó—. La frase «Me da igual» hace que la declaración que la sigue sea subjetiva, una opinión, no un hecho...

—¡No me venga con esas! —interrumpió Epps—. ¿Pretende recurrir al privilegio de opinión? ¿En serio? ¡Por favor! La declaración se realizó claramente como un hecho, y el archivo de audio se presentó como auténtico.

—Es que lo es —dijo Pip—. ¿Quiere oírlo?

—Pip, por favor...

—Señor Turner...

—Es evidente que está manipulado. —Max habló por primera vez, exasperadamente tranquilo, cruzando los brazos. Miraba fijamente al mediador—. Yo ni siquiera hablo así.

—¿Así cómo? ¿Cómo un violador? —lo espetó Pip.

—SEÑOR TURNER...

—Pip...

—¡Bueno! —Hassan se puso de pie—. Vamos a calmarnos un poco. Todos tendremos oportunidad de hablar. Recuerden que estamos aquí para que todos queden contentos con el resultado. Señor Epps, ¿podría explicarnos cuáles son los daños que su cliente busca compensar?

Epps inclinó la cabeza y sacó una hoja del final del montón.

—En cuanto a los perjuicios especiales, teniendo en cuenta que mi cliente debería haber estado trabajando estos últimos cuatro meses con un salario mensual de alguien con su posición, es decir, al menos tres mil libras, la pérdida económica sería de doce mil libras.

Max volvió a beber de su botella y el agua le bajó por la garganta. A Pip le habría encantado agarrar la puta botella y estampársela en la cara. Si va a haber sangre en sus manos, que sea de él.

—Por supuesto, al dolor y la angustia mental que mi cliente y su familia han sufrido no se le puede poner un precio. Sin embargo, creemos que una cantidad de ocho mil libras sería adecuada, aumentando el total a veinte mil libras esterlinas.

—Eso es ridículo —dijo Roger negando con la cabeza—. Mi clienta tiene dieciocho años.

—No he terminado, señor Turner. —Epps sonrió con ironía y se lamió un dedo para pasar la hoja—. Aun así, mi cliente opina que el sufrimiento continuo está relacionado con que la declaración difamatoria no se ha retractado y nadie le ha pedido disculpas, algo que, para él, tendría más valor que cualquier cantidad de dinero.

—La señorita Fitz-Amobi eliminó la publicación hace meses, cuando enviaron la primera carta de demanda —aclaró Roger.

—Señor Turner, por favor —respondió Epps. Como Pip tuviera que escucharlo decir «por favor» así una vez más, igual también le daba una hostia a él—. Borrar el tuit no mitiga los daños a su reputación. Por eso, nuestra propuesta es la siguiente: que la señorita Fitz-Amobi publique un comunicado, en la misma cuenta pública, en el que se retracte de la declaración difamatoria inicial y se disculpe por cualquier daño que sus palabras puedan haberle causado a mi cliente. Además, y este es el punto más importante, así que presten mucha atención, en este comunicado deberá admitir que manipuló el archivo de audio en cuestión y que mi cliente nunca dijo esas palabras.

—Y una mierda.

—Pip...

—Señorita Fitz-Amobi —suplicó Hassan, peleándose con su corbata como si cada vez la tuviera más apretada.

—Ignoraré el arrebato de su clienta, señor Turner —dijo

Epps—. Si se cumplen estas peticiones, aplicaremos un descuento, por así decirlo, a la cantidad por daños, dejándolos en diez mil libras.

—Bueno, es un buen comienzo. —Hassan asintió en un intento de volver a recuperar el control—. Señor Turner, ¿le gustaría responder a la propuesta?

—Gracias, señor Bashir —dijo Roger, tomando la palabra—. La suma sigue siendo demasiado alta. Supone usted mucho con respecto al posible estado de empleabilidad de su cliente. A mí no me parece un candidato especialmente destacable, sobre todo, tal como está el mercado laboral. Mi clienta solo tiene dieciocho años. Sus únicos ingresos son los que recibe por la publicidad en su podcast de crímenes reales, y empieza la universidad en unas semanas, momento en el que contraerá una gran deuda para pagarse los estudios. Teniendo todo esto en cuenta, la petición no es razonable.

—Está bien. Siete mil —dijo Epps entornando los ojos.

—Cinco mil —propuso Roger.

Epps miró rápidamente a Max, que asintió sin ganas, encorvándose en la silla.

—De acuerdo, nos parece bien —aceptó Epps—, junto con la retracción y la disculpa.

—Estupendo, parece que estamos avanzando. —Hassan sonrió con cautela—. Señor Turner, señorita Fitz-Amobi, ¿podrían dar su opinión sobre las condiciones?

—Bueno —empezó a decir Roger—, creo que...

—No hay trato —lo cortó Pip alejando la silla de la mesa, haciendo chirriar las patas contra el suelo pulido.

—Pip. —Roger se giró antes de que ella se pusiera de pie—. ¿Por qué no lo hablamos y...?

—No pienso retractarme ni decir que el audio estaba manipulado, porque es mentira. Es un violador. Prefiero morirme antes que pedirle disculpas. —Le enseñó los dientes a

Max mientras la ira le trepaba por la espalda, cubriéndole toda la piel.

—¡SEÑOR TURNER! ¡Controle a su clienta, por favor! —Epps descargó un golpe sobre la mesa.

Hassan dio una palmada, sin saber muy qué hacer.

Pip se puso de pie.

—Esto es lo que pasa, Max —pronunció su nombre escupiendo, como si fuera incapaz de retenerlo en la lengua—. Yo tengo la mejor defensa: la verdad. Así que, adelante, pon una demanda si te atreves. Nos veremos en los tribunales. Y ya sabes cómo funciona, ¿no? Para demostrar si lo que dije es verdad, tendremos que repetir el juicio por las violaciones. Con los mismos testigos, los mismos testimonios de las víctimas, las mismas pruebas. No habrá cargos criminales, pero al menos todo el mundo sabrá lo que eres. Un violador.

—Señorita Fitz-Amobi.

—Pip...

Colocó las manos sobre la mesa y se inclinó hacia delante, perforando a Max con una mirada ardiente. Ojalá pudiera prenderle fuego, quemarle la cara bajo la atenta mirada de ella.

—¿De verdad te ves capaz de conseguirlo una segunda vez? ¿Convencer a otro jurado de doce personas de que no eres un monstruo?

Él le devolvió la mirada.

—Se te ha ido la olla —se burló.

—Puede ser. Yo que tú tendría mucho miedo.

—¡Bueno! —Hassan se puso de pie dando una palmada—. A lo mejor deberíamos hacer un descanso y tomarnos un té con unas pastas.

—Yo me voy —dijo Pip, colocándose la mochila sobre el hombro y abriendo la puerta con tanta fuerza que chocó con la pared.

—Señorita Fitz-Amobi, por favor, vuelva. —La voz desesperada de Hassan la siguió hasta el pasillo. También unos pasos. Pip se dio la vuelta. Solo era Roger metiendo los papeles en el maletín.

—Pip —dijo con la respiración entrecortada—. Creo que deberíamos...

—No voy a negociar con él.

—¡Esperen un momento! —El ladrido de Epps inundó el pasillo a medida que intentaba alcanzarlos apresuradamente—. Solo será un minuto, por favor —dijo recolocándose el pelo gris—. No vamos a presentar la demanda hasta dentro de un mes o así, ¿de acuerdo? Evitar el juicio es lo mejor para todos. Tómense unas semanas para pensarlo, cuando las cosas estén un poco más calmadas. —Miró a Pip.

—No necesito pensar nada —aseguró ella.

—Por favor... —Epps rebuscó en el bolsillo de la chaqueta y sacó dos tarjetas de visita de color mármol—. Ahí está mi número de teléfono —dijo, dándole una a Roger y otra a ella—. Piénselo y, si cambia de opinión, llámeme a cualquier hora.

—No lo haré —dijo cogiendo la tarjeta a regañadientes y metiéndosela en el bolsillo.

Christopher Epps la analizó durante unos instantes, con las cejas bajas, casi con preocupación. Pip le sostuvo la mirada, apartarla sería dejarlo ganar.

—Y, si me permite un consejo —añadió Epps—, puede aceptarlo o no, pero he visto a mucha gente metida en una espiral de autodestrucción. He representado a muchos, de hecho. Al final, solo conseguirá hacerles daño a todos los que la rodean, y a sí misma. No podrá evitarlo. Le recomiendo que recapacite antes de perderlo todo.

—Gracias por el consejo imparcial, señor Epps —siseó Pip—. Pero parece que me ha subestimado. Estaría dispuesta a perderlo todo y a destruirme si eso significara que también le destrozo la vida a su cliente. Creo que es justo. Que tenga un buen día.

Le lanzó una sonrisa dulce y ácida y se dio la vuelta. Aceleró el paso. El ruido de los zapatos iba al mismo ritmo que los latidos de su corazón. Y ahí, justo detrás de los latidos, bajo las capas de músculos y tendones, estaban los seis disparos.

Tres

Él la pilló mirándolo: la caída de su pelo, el hoyuelo de su barbilla, en el que cabía su dedo; sus ojos oscuros y la llama de la nueva vela otoñal con olor a canela de su madre, que bailaba en sus pupilas. En cierto modo, sus ojos siembre brillaban, centellaban, como si alguien los iluminara desde dentro. Ravi Singh era todo lo contrario a unos ojos sin vida. El antídoto. Pip tenía que recordárselo a sí misma de vez en cuando. Por eso lo contemplaba, absorbiéndolo sin dejarse nada.

—Oye, pervertida. —Ravi sonrió al otro lado del sofá—. ¿Qué estás mirando?

—Nada. —Pip se encogió de hombros, sin dejar de observarlo.

—¿Qué significa exactamente pervertida? —La vocecilla de Josh salió de la alfombra, donde estaba sentado jugando con sus Lego—. Alguien me dijo eso en el *Fortnite*. ¿Es peor que...? Bueno, la palabra que empieza por jota.

Pip soltó una carcajada mientras veía cómo Ravi ponía cara de pánico, con los labios apretados y las cejas a punto de desaparecerle bajo el pelo. Miró hacia atrás, a la cocina, donde los padres de Pip estaban recogiendo la cena que él les había preparado.

—Eh, no, no es tan malo —explicó lo más tranquilo que pudo—. Pero igual es mejor que no lo digas, ¿vale? Y menos delante de tu madre.

—Pero ¿qué hacen los pervertidos? —Josh se quedó mirando a Ravi y, durante una milésima de segundo, Pip se preguntó si su hermano lo estaba haciendo a propósito y disfrutaba viendo al pobre chico morirse de vergüenza en el sofá.

—Pues... —Se quedó callado—. Miran a la gente, pero de una forma que da un poco de mal rollo.

—Ah. —Josh asintió, conforme con la explicación—. ¿Como el tío que vigila nuestra casa?

—Sí. Espera..., no —dijo Ravi—. No hay ningún pervertido por aquí. —Miró a Pip en busca de ayuda.

—Estás solo, chaval. —Pip le susurró con una mueca burlona—. Te has cavado tu propia tumba.

—Gracias, Pippus Maximus.

—Ahora que lo mencionas, ¿podemos olvidar ese nuevo mote? —dijo, tirándole un cojín—. No me gusta. ¿Podemos volver a Sargentita? Ese sí que me mola.

—Yo la llamo Hippo Pippo. —Otra vez Josh—. También lo odia.

—Pero es que te queda muy bien —dijo Ravi, dándole golpecitos en las costillas con los dedos de los pies—. Eres la cantidad máxima de Pipidad posible. La Ultra-Pip. Este fin de semana te presentaré a mi familia como Pippus Maximus.

Ella puso los ojos en blanco y le devolvió el golpe con los dedos de los pies. Le dio en un sitio que lo hizo chillar.

—Pero si ya ha visto muchas veces a tu familia. —Josh los miró confuso.

Daba la impresión de que estuviera pasando por una nueva fase preadolescente en la que sentía una necesidad imperiosa de intervenir en absolutamente todas las conversaciones de la casa. Ayer hasta opinó sobre tampones.

—Esta vez estará todo el clan, Josh. Da mucho más miedo. Primos, e incluso... tías —dijo dramáticamente, moviendo los dedos para darle un toque malévolo a la palabra.

—No me asustas —dijo Pip—. Estoy muy bien preparada. Solo tengo que leer mi hoja de Excel un par de veces y todo irá bien.

—Además, también es... Espera. —Ravi se calló de pronto, con las cejas casi tapándole los ojos—.¿Has dicho hoja de Excel?

—S-sí. —Se retorció en el sofá y notó que las mejillas se le calentaban cada vez más. No tenía intención de contárselo. El pasatiempo favorito de Ravi era meterse con ella, así que no había necesidad de darle más munición—. No es nada.

—Ya, claro. ¿Qué hoja de Excel? —Se puso recto en el sofá. Si su sonrisa hubiera sido más grande, le habría partido la cara en dos.

—Ninguna. —Ella se cruzó de brazos.

Él se tiró sobre ella antes de que pudiera defenderse, y le pilló justo el lugar donde más cosquillas tenía: la unión del cuello y el hombro.

—¡Para! —Pip se rio. No podía evitarlo—. Ravi, ya basta. Me duele la cabeza.

—Pues cuéntame lo de la hoja de Excel —dijo, negándose a apartarse.

—Está bien. —Empezó a toser, casi sin respiración, y por fin Ravi la dejó en paz—. He hecho una hoja de Excel en la que he ido anotando todas las cosas que me has ido contando de tu familia. Detalles tontos, para acordarme. Así, cuando los conozca, puede que les caiga bien, no sé. —No quería mirarlo a la cara, porque sabía qué expresión se iba a encontrar.

—¿Qué tipo de detalles? —preguntó él, esforzándose por aguantar la risa.

—Pues no sé, cosas como... Por ejemplo, a tu tía Priya, la hermana más pequeña de tu madre, también le gustan los documentales de crímenes reales, así que ese podría ser un buen tema de conversación. Y a tu prima Deeva le encanta correr y hacer ejercicio, si mal no recuerdo. —Pip se abrazó las rodillas—. Ah, y tu tía Zara no me va a soportar, haga lo que haga, así que intentaré no llevarme demasiado chasco.

—Es verdad. —Ravi se rio—. Odia a todo el mundo.

—Ya, me lo dijiste.

Él se quedó mirándola durante un momento, con la risa asomándole a la cara.

—No me puedo creer que hayas tomado apuntes en secreto. —Y, con un movimiento rápido, Ravi se levantó, metió los brazos por debajo de los de ella y la alzó. La balanceó mientras ella protestaba, diciendo—: Tras esa fachada de chica dura, hemos encontrado a un pequeño y adorable bicho raro.

—Pip no es adorable. —La opinión obligada de Josh.

Ravi la soltó de nuevo en el sofá.

—Es verdad —admitió estirándose—. Tengo que irme. Aquí nadie tiene que despertarse a las asco en punto mañana para sus prácticas de abogacía, pero es muy probable que mi novia vaya a necesitar un buen letrado algún día, así que... —Le guiñó un ojo. Lo mismo que hizo cuando ella le contó cómo había ido la mediación.

Todavía era la primera semana de prácticas, pero Pip ya notaba que le encantaba, a pesar de las quejas por tener que madrugar. Para su primer día, le regaló una camiseta con el lema: «Cargando abogado...».

—Bueno, adiós, Joshua —se despidió dándole un golpecito con el pie—. Mi ser humano favorito.

—¿En serio? —Él le sonrió—. ¿Y qué pasa con Pip?

—Es la segunda, pero por poco —dijo Ravi, girándose hacia ella.

Le dio un beso en la frente, dejando su aliento sobre su pelo y, cuando Josh no miraba, bajó para presionar sus labios contra los de ella.

—Os he oído —dijo el chico.

—Voy a despedirme de tus padres —informó Ravi, pero entonces se paró, se giró y volvió para susurrarle a Pip al oído—: Y a decirle a tu madre que, sintiéndolo mucho, eres tú el motivo por el que tu hermano de diez años ahora cree que hay un pervertido observando vuestra casa y que yo no tengo nada que ver.

Pip le apretó el codo, una de sus formas secretas de decir «Te quiero», y se rio en silencio mientras él se alejaba.

Esta vez, Pip mantuvo la sonrisa hasta un poco después de que Ravi se marchara. Pero cuando subió y estuvo a solas en su habitación, se dio cuenta de que la alegría se había marchado sin despedirse. Y nunca sabía cómo hacer que volviera.

El dolor de cabeza empezaba a golpearle la sien. Tenía los ojos fijos en la ventana, en la oscuridad del exterior. Las nubes se juntaban en una única forma oscura. La noche. Pip miró la hora en el teléfono. Acababan de dar las nueve. Los demás no tardarían mucho en acostarse, en entregarse al sueño. Todos menos ella. Un solitario par de ojos en una ciudad durmiente, rogándole a la noche que pasase rápido.

Se había prometido a sí misma que no lo volvería a hacer. La última vez fue la última. Se lo repetía mentalmente como un mantra. Pero por mucho que intentara convencerse ahora, incluso con los puños cerrados sobre la sien para intentar calmar el dolor, sabía que no había nada que hacer, que perdería. Siempre perdía. Y estaba cansada, muy cansada, de luchar contra eso.

Pip fue hacia la puerta de su habitación y la cerró con cuidado, por si acaso pasaba alguien. Su familia no podía saberlo. Ni Ravi. Sobre todo Ravi.

Dejó su iPhone sobre el escritorio, entre el cuaderno y los auriculares negros. Abrió el cajón de la derecha, el segundo empezando por abajo. Empezó a sacar todo lo que había dentro: el bote de chinchetas, el hilo rojo, unos viejos auriculares blancos, un bote de pegamento.

Quitó el paquete de folios A4 y llegó al falso fondo que había hecho con cartón blanco. Metió la punta de un dedo en uno de los lados y presionó para que se levantara.

Escondidos debajo estaban los teléfonos de prepago. Los seis, ordenados en una fila recta. Seis móviles que compró con dinero en efectivo, cada uno en una tienda diferente, con una gorra ensombreciéndole la cara mientras pagaba.

Los terminales la miraban fijamente.

Solo una vez más y se acabó, prometió.

Pip metió la mano y sacó el teléfono del extremo izquierdo, un viejo Nokia gris. Dejó pulsado el botón de encender con los dedos temblando por la presión. Había un sonido familiar escondido tras los latidos de su corazón. La pantalla se iluminó con una luz verdosa, dándole la bienvenida. En el menú, Pip seleccionó los mensajes, y el único contacto que tenía guardado en la memoria. El mismo que en todos los demás.

Apretó las teclas con los pulgares. El número siete para que saliera la P.

«¿Puedo pasarme ahora?», escribió. Hizo clic en enviar con una última promesa a sí misma: esta era la última vez, de verdad.

Esperó mirando la pantalla vacía bajo su mensaje. Deseaba que apareciera la respuesta y estaba concentrada únicamente en eso, no en el creciente sonido del interior de su pecho. Pero, ahora que había pensado en ello, no podía dejar de hacerlo; no podía dejar de escucharlo. Aguantó la respiración y deseó aún con más fuerza.

Funcionó.

«Sí», contestó él.

Cuatro

Era una carrera entre los latidos de su corazón y el golpeteo de las deportivas contra la acera. Su cuerpo cobraba vida con el sonido, desde el pecho hasta los pies, solo amortiguado por la cancelación de ruido de los auriculares. Pero Pip no podía mentirse y pensar que uno estaba provocando el otro. Solo llevaba cuatro minutos corriendo y ya había llegado a la esquina de Beacon Close. El corazón se había adelantado a los pies.

Les dijo a sus padres que iba a salir a hacer ejercicio, como siempre —se puso las mallas de color azul oscuro y una camiseta deportiva blanca—, así que, al menos, ir corriendo hasta allí hacía que en sus palabras hubiera un resquicio de honestidad. Resquicios y fragmentos era lo único que podía esperar. A veces, correr era suficiente, pero esa noche no. No, en ese momento solo había una cosa que podía ayudarla.

Pip bajó el ritmo al acercarse al número trece y se puso los auriculares alrededor del cuello. Se quedó quieta durante un momento para comprobar si de verdad era necesario. Si daba otro paso, no habría vuelta atrás.

Caminó hacia la casa adosada y pasó junto al impoluto BMW blanco aparcado en diagonal. Frente a la puerta rojo oscuro, Pip colocó los dedos por encima del timbre, pero cerró el puño y golpeó la madera. No estaba permitido llamar al timbre, hacía mucho ruido y los vecinos podían enterarse.

Pip llamó otra vez, hasta que, tras el cristal mate, apareció una figura que se hacía cada vez más grande. Escuchó cómo se desenganchaba la cadena y la puerta se abrió hacia dentro, mostrando la cara de Luke Eaton en la rendija. A oscuras, con los tatuajes del cuello y del lateral de la cara, parecía que se le había caído la piel y que había tiras de carne creciendo de nuevo, formando una red.

Abrió lo justo para que ella cupiera.

—Venga, rápido —dijo bruscamente, dándose la vuelta hacia el pasillo—. Dentro de poco viene otra persona.

Pip cerró la puerta al entrar y lo siguió hasta la pequeña cocina. Luke llevaba las mismas bermudas oscuras que el día que Pip lo conoció, cuando vino a hablar con Nat da Silva sobre Jamie Reynolds. Menos mal que ella se había largado; la casa estaba vacía, solo estaban ellos dos.

Luke se agachó para abrir uno de los armarios de la cocina.

—¿No dijiste la última vez que no vendrías más?

—Sí que lo dije, sí —respondió Pip con un tono de voz plano, tocándose las uñas—. Es solo que necesito dormir.

Luke revolvió en el interior del armario y sacó una bolsa de papel. La abrió y le enseñó a Pip lo que había dentro.

—Son pastillas de dos miligramos —dijo agitando la bolsa—. Por eso no hay tantas.

—Vale —aceptó ella mirando a Luke. Deseó no haberlo hecho.

Siempre tendía a estudiar la fisiología de su cara, en busca de similitudes con Stanley Forbes. Charlie Green creyó que los dos podían ser el Niño Brunswick, después de descartar a todos los demás hombres de Little Kilton. Pero Luke fue el camino erróneo, el hombre incorrecto, por suerte para él, porque aún seguía vivo. Pip nunca había visto su sangre, nunca cargó con ella como con la de Stanley. Ahora estaba en sus manos, la sensación de las costillas rotas bajo los dedos. El líquido viscoso derramándose sobre el suelo de linóleo.

No, era solo sudor y temblor.

Pip se llevó las manos a la cintura de las mallas y sacó un fajo de dinero, que contó delante de Luke hasta que este asintió. Se lo dio y él extendió la mano en la que tenía la bolsa de papel.

Entonces se quedó paralizado con una mirada distinta en los ojos. Una que parecía aproximarse peligrosamente a la compasión.

—Oye —dijo, volviéndose a agachar al armario para coger otra bolsa más pequeña—. Si tienes problemas, tengo algo más fuerte que el Xanax. Te dejará completamente ida. —Levantó la bolsa y la agitó, llena con blísteres de pastillas verde claro.

Pip las miró y se mordió el labio.

—¿Más fuerte? —preguntó.

—Ya te digo.

—¿Q-qué es? —preguntó con los ojos paralizados.

—Esto —Luke lo volvió a agitar— es Rohypnol. Te deja KO en un momento.

A Pip se le cerró el estómago.

—No, gracias. —Bajó la mirada—. Ya he tenido experiencias con eso.

Lo que quería decir es que se lo habían sacado del estómago cuando Becca Bell se lo había echado en la bebida hacía diez meses. Eran las pastillas que su hermana, Andie, vendía a Max Hastings antes de morir.

—Como quieras —dijo, guardándose la bolsita—. La oferta sigue en pie. Aunque es más caro, obviamente.

—Obviamente —repitió ella, con la mente en otro sitio.

Se giró hacia la puerta y se marchó. Luke Eaton no era dado a despedirse, ni a saludar, en realidad. Aunque a lo mejor debería darse la vuelta, decirle que esta vez sí que era la última y que no volvería a verla nunca más. ¿Cómo, si no, iba a cumplirlo? Pero su mente volvió a ella con otro pensamiento. Se giró para volver a la cocina, y de su boca salieron otras palabras.

—Luke —dijo, más borde de lo que pretendía—. Las pastillas esas... El Rohypnol... ¿Se las vendes a alguien del pueblo?

Él se quedó callado.

—Es Max Hastings, ¿verdad? ¿Te las compra él? Un chaval alto, con el pelo rubio, un poco largo, que habla con mucha educación. ¿Es él quien te compra estas pastillas?

No respondió.

—¿Es Max? —insistió Pip. Se le quebró la voz.

Luke endureció la mirada, dejando la compasión a un lado.

—Ya conoces las reglas. No respondo preguntas. Ni las formulo ni las contesto. —Sonrió ligeramente—. Las reglas también se te aplican a ti. Ya sé que te crees especial, pero no lo eres. Hasta la próxima.

Pip aplastó la bolsa entre sus manos mientras salía de la casa. Se le ocurrió dar un portazo al salir, porque sentía mucha rabia, pero se lo pensó mejor. Ahora el corazón le latía aún más rápido, golpeando contra su pecho, llenándole la cabeza del sonido de costillas rompiéndose. Y esos ojos sin vida que se escondían justo allí, en las sombras que dibujaban las farolas de la calle. Si Pip parpadeaba, también la esperaban en la oscuridad.

¿Le compraba Max a Luke esas pastillas? Antes se las pillaba a Andie Bell, que las conseguía de Howie Bowers. Pero Luke era el proveedor de Howie, y era el único que quedaba cuando desaparecieron los dos eslabones inferiores de la cadena. Si Max seguía comprando, debía ser a Luke, era lo que más sentido tenía. ¿Se iba a cruzar con él en la puerta de su casa como cada vez que salía a correr? ¿Max aún drogaba a las chicas? ¿Seguía arruinando vidas como las de Nat da Silva y Andie Bell? Ese pensamiento hizo que se le retorciera el estómago y, ay, Dios, iba a vomitar, allí, en medio de la calle.

Se inclinó hacia delante e intentó respirar, con la bolsa agitándose en sus manos temblorosas. No podía esperar. Se echó a un lado, bajo el resguardo de los árboles. Metió la mano en la bolsa de papel y sacó una de las bolsitas transparentes. Le costaba abrirla, porque tenía las manos cubiertas de sangre.

Sudor. Solo era sudor.

Sacó una de las pastillas alargadas, diferente de las que había tomado antes. En un lado había tres rayas marcadas, la palabra «Xanax» y un dos. Al menos no eran falsas, ni estaban cortadas. Un perro ladró desde algún lugar cercano. «Date prisa.» Pip partió la pastilla por la línea del medio y se puso una de las mitades entre los labios. Tenía la boca llena de saliva, así que se la tragó sin beber nada.

Se colocó la bolsa de papel bajo el brazo justo cuando un pequeño terrier blanco y la persona que lo paseaba doblaron la esquina. Era Gail Yardley, que vivía al final de su calle.

—Ah, Pip —dijo relajando los hombros—. Qué sorpresa. —La miró de arriba abajo—. Juraría que te acabo de ver hace un segundo a la puerta de tu casa, imagino que volviendo de correr. Supongo que la cabeza me la está jugando.

—Nos pasa todos —dijo Pip, relajando la expresión.

—Sí, bueno. —Gail se rio incómoda—. No te entretengo más. —Se apartó y el perro se quedó olisqueando las deportivas de Pip hasta que la correa se tensó y se fue trotando tras su dueña.

Pip dobló la misma esquina de la que había salido Gail, con la garganta por donde había bajado la pastilla totalmente seca. Y ahí estaba, esa otra sensación: culpa. No se podía creer que lo hubiera hecho otra vez. «La última —se aseguró mientras caminaba hacia su casa—. Esta es la última vez. Se acabó.»

Al menos esa noche conseguiría dormir algo. No debería tardar en sentirlo. La calma innatural, como un cálido escudo sobre su piel, cada vez más delgada, y el alivio cuando los músculos de la mandíbula por fin se relajaban. Sí, esa noche dormiría. Tenía que hacerlo.

El doctor le puso un tratamiento de Valium justo después de la primera vez que ocurrió. Cuando vio la muerte y la sostuvo entre sus brazos. Pero se lo quitó al poco tiempo, incluso aunque ella le rogó que no lo hiciera. Todavía se acordaba perfectamente de lo que le dijo, palabra por palabra:

«Tienes que encontrar tu propia estrategia para superar el estrés postraumático. A la larga, esta medicación solo hace que te sea más complicado recuperarte. No las necesitas, Pippa, puedes hacerlo».

Cuánto se equivocó. Sí que las necesitaba, tanto como dormir. Esta era su estrategia. Y, al mismo tiempo, lo sabía. Era consciente de que el médico tenía razón y de que solo estaba empeorando las cosas.

«El tratamiento más efectivo es la terapia con un especialista, así que vamos a seguir con las sesiones semanales.»

Lo había intentado, de verdad. Y, después de ocho sesiones, le dijo a todo el mundo que se encontraba mucho mejor. Estaba bien. Una mentira lo bastante practicada, puesto que todo el mundo la creía. Incluso Ravi. Pensaba que, si tenía que ir a una sola sesión más, se moriría. ¿Cómo podía hablar de ello? Era algo imposible que escapaba del lenguaje o el sentido común.

Por otro lado, podría decir que, en el fondo de su corazón, no creía que Stanley Forbes mereciera morir. Que su vida era valiosa y que ella hizo todo lo que pudo para traerlo de vuelta. Lo que hizo de niño, lo que le obligaron a hacer, no era imperdonable. Estaba aprendiendo, intentando mejorar día tras día, Pip lo creía con cada fibra de su ser. Eso y la culpa insoportable de que ella fue la que condujo a su asesino hasta él.

Aun así, al mismo tiempo, creía todo lo contrario. Y esto venía de un lugar aún más profundo. De su alma, quizá, si creyera en esas cosas. Aunque fuera solo un niño, Stanley era el motivo por el que la hermana de Charlie Green había sido asesinada. Pip se había planteado alguna vez ese dilema: si alguien cogiera a Joshua y lo llevara a un asesino para que sufriera la muerte más horrible que alguien pueda imaginar, ¿se pasaría dos décadas buscando, reclamando justicia y persiguiéndolo hasta matarlo? La respuesta era que sí. Sabía que lo haría, sin dudarlo ni un segundo. Acabaría con la persona que hubiera secuestrado a su hermano, tardara lo que tardase. Charlie tenía razón: eran iguales. Había una conexión entre ellos, una... similitud.

Por eso no podía hablar del tema. Ni con un profesional, ni con nadie. Porque era imposible, incompatible. La había partido en dos y no había forma de volver a unir las mitades. Era insostenible. Iba más allá del sentido común. Nadie podía entenderla, excepto... él, quizá. Dudó un poco cuando llegó al camino de la entrada, y se quedó mirando la casa que la esperaba al final.

Charlie Green. Por eso necesitaba que lo encontraran, no que lo cogieran. Él la había ayudado, le había abierto los ojos con respecto al bien y al mal y a quién decidía lo que significaban esas palabras. Puede que... si conseguía hablar con él, lo entendería. Era el único capaz de hacerlo. Había tenido que encontrar la forma de vivir con lo que había hecho, y a lo mejor podía enseñarle a Pip a sobrellevarlo. Enseñarle una forma de arreglarlo todo, de volver a unir las partes. Pero también tenía pensamientos encontrados respecto a esto. Tenía todo el sentido y ninguno al mismo tiempo

Escuchó un rumor en los árboles frente a su casa.

Se le cortó la respiración mientras se daba la vuelta para mirar, intentando darle forma de persona a la oscuridad y transformar el viento en una voz. ¿Había alguien escondido entre los árboles, observándola? ¿Siguiéndola? ¿Eran troncos o piernas? ¿Charlie? ¿Era él?

Forzó la vista intentando dibujar las hojas individuales y sus ramas esqueléticas

«No, no puede haber nadie ahí, no seas estúpida.» Solo era otra de las cosas que ahora vivían en su cabeza. Asustada por todo. Enfadada con todo. No era real y tenía que aprender a discernirlo otra vez. Lo de sus manos era sudor, no sangre. Caminó hacia su casa y miró solo una vez hacia atrás. «La pastilla se lo llevará pronto», se dijo. Junto con todo lo demás.

¿Cómo determinan los forenses la hora de la muerte en un caso de homicidio?

Lo más importante que hay que tener en cuenta es que la hora de la muerte solo puede ser un rango estimado; un forense no puede dar una hora concreta, como vemos a veces en películas y series de televisión. Para determinar la franja estimada hay tres factores principales, y algunas de estas pruebas se realizan en la misma escena del crimen, lo antes posible tras encontrar a la víctima. Como norma general, cuanto antes se halle el cadáver, más precisa será la estimación.[1]

1. *Rigor mortis*

Inmediatamente después de la muerte, todos los músculos del cuerpo se relajan. Luego, al cabo de unas dos horas, el cuerpo empieza a ponerse rígido debido a una acumulación de ácido en el tejido muscular.[2] Esto se conoce como *rigor mortis*. Comienza en los músculos de la mandíbula y el cuello, y continúa bajando por las extremidades. El *rigor mortis* se completa, normalmente, en unas 6-12 horas, y empieza a desaparecer aproximadamente a las 15-36 horas del deceso.[3] Como más o menos se conocen los tiempos de este proceso, puede ser muy útil para estimar la hora de la muerte. Sin embargo, hay otros factores que pueden influir en el comienzo y en los tiempos, como la temperatura. El calor aumentará la tasa del rigor, mientras que el frío lo ralentizará.[4]

2. *Livor mortis*

También conocido como lividez, el *livor mortis* es la acumulación posicional de la sangre a causa de la gravedad y de la pérdida de presión sanguínea.[5] La piel se coloreará con un tono rojo/morado en las zonas en las que se ha acumulado internamente la sangre.[6] El *livor mortis* empieza a desarrollarse unas 2-4 horas tras la muerte, se vuelve no fijo entre las 8-12 horas y fijo unas 12 horas después del deceso.[7] Que sea no fijo implica que la piel puede blanquearse, es decir, si, cuando hay lividez, y se presiona un punto, el color desaparece. Más o menos como cuando tú te aprietas la piel.[8] Pero este proceso puede verse afectado por factores como la temperatura y el cambio de posición.

3. *Algor mortis*

El *algor mortis* hace referencia a la temperatura del cuerpo. Después de la muerte, el cadáver empieza a enfriarse hasta que se equilibra con la temperatura ambiente del lugar en el que se haya descubierto.[9] Normalmente, el cuerpo perderá unos 0,8 grados por hora, hasta alcanzar la temperatura ambiente.[10] En la escena del crimen, además de las observaciones del rigor y la lividez, lo más probable es que un examinador médico también tome la temperatura interna del cuerpo y la compare con la ambiente, para así calcular aproximadamente cuándo asesinaron a la víctima.[11]

Aunque estos procesos no nos pueden indicar el minuto exacto en el que ha fallecido una persona, son los factores principales de los que se sirve un forense para estimar la hora aproximada de la muerte.

Cinco

La muerte le devolvía la mirada. La real, no la visión limpia e idealizada que se tiene; la piel violácea y con cicatrices de un cadáver y la marca de un cinturón demasiado apretado que llevaba en el momento de fallecer, inquietante y blanquecina de por vida. Era casi gracioso, en cierto modo, pensó Pip mientras deslizaba hacia abajo la página en su portátil. Si pensabas en ello durante mucho tiempo, podías volverte loco. Todos terminaremos así en algún momento, como estas imágenes *post mortem* en una web mal maquetada sobre la descomposición de los cuerpos y la hora de la muerte.

Tenía el brazo apoyado en el cuaderno, que iba llenando con sus garabatos. Un subrayado por aquí, partes destacadas por allá. Y entonces añadió otra frase debajo, levantando la mirada a la pantalla mientras escribía: «Si el cuerpo está caliente y rígido, la muerte tuvo lugar entre tres y ocho horas antes».

—¿Eso son cadáveres?

La voz atravesó las almohadillas de sus auriculares con cancelación de ruido: no había escuchado a nadie entrar. Pip se estremeció y le dio un vuelco el corazón. Se bajó los auriculares al cuello y el sonido volvió a aparecer de pronto. Escuchó un suspiro familiar detrás de ella. Esos cascos lo bloqueaban prácticamente todo, por eso Josh siempre se los quitaba para jugar al FIFA, para poder «cancelar el ruido de mamá». Pip se inclinó para cambiar de pestaña en el navegador, pero ninguna de las que tenía abiertas era mejor.

—¿Pip? —La voz de su madre se tensó.

Ella giró la silla, entornando demasiado los ojos para esconder la culpa. Su madre estaba de pie, a su espalda, con una mano sobre la cadera. Tenía el pelo rubio descontrolado, con mechones envueltos en papel de aluminio, como una Medusa metálica. Era día de mechas. Eran mucho más frecuentes ahora que las raíces empezaban a aparecer grises. Todavía llevaba puestos los guantes de látex con manchas de tinte en los dedos.

—¿Y bien? —insistió.

—Sí, son cadáveres —admitió Pip.

—¿Y se puede saber, querida hija, por qué estás mirando fotos de cadáveres a las ocho de la mañana de un viernes?

¿En serio eran las ocho de la mañana? Pip llevaba despierta desde las cinco.

—Me dijiste que me buscara una afición. —Se encogió de hombros.

—Pip —soltó tajante, aunque la ligera torcedura de su boca dejaba ver una chispa de diversión.

—Es para el nuevo caso —admitió ella, volviendo a girarse hacia la pantalla—. Ya sabes, el de la mujer anónima a la que encontraron hace nueve años a las afueras de Cambridge. Voy a investigarlo para el podcast cuando vaya a la universidad. Intentaré averiguar quién era y destapar a su asesino. Ya he programado algunas entrevistas para los próximos meses. Es una investigación relevante, lo prometo —dijo levantando las manos.

—¿Otra temporada del podcast?

La madre de Pip arqueó una ceja, preocupada. ¿Cómo era posible que un gesto tan pequeño dijera tantas cosas? De algún modo había conseguido meter cuatro meses de preocupación e incomodidad en esa fina línea de pelo.

—Bueno, de alguna forma tendré que financiar el estilo

de vida al que me he acostumbrado. Ya sabes, los caros juicios por difamación, honorarios de abogados... —ironizó Pip. «Y benzodiacepinas ilegales y sin receta», pensó. Pero esos no eran los motivos reales. Ni mucho menos.

—Muy graciosa. —Su madre relajó la ceja—. Pero... ten cuidado. Tómate un descanso cuando lo necesites, y ya sabes que siempre estoy aquí para hablar si... —Se acercó para apoyar la mano en el hombro de su hija, olvidándose de los guantes llenos de tinte hasta el último segundo. Se quedó quieta, con la mano planeando a un centímetro de Pip. Esta, de algún modo, podía sentir el calor de la mano de su madre. Era agradable, como un pequeño escudo sobre su piel.

—Sí. —Fue lo único que se le ocurrió decir.

—Y vamos a intentar mantener al mínimo las imágenes gráficas de cuerpos sin vida, ¿vale? —Señaló la pantalla con la cabeza—. Hay un niño de diez años en casa.

—Ay, lo siento —se disculpó Pip—. Había olvidado la nueva habilidad adquirida de Josh de ver a través de las paredes. Culpa mía.

—Lo digo en serio. Está por todas partes —insistió su madre, bajando la voz hasta que no fue más que un susurro, mirando hacia atrás—. No sé cómo lo hace. Ayer me escuchó decir «joder», pero juraría que estaba en el otro extremo de la casa. ¿Por qué está morado?

—¿Qué? —preguntó Pip confusa hasta que siguió la mirada de su madre hacia la pantalla del ordenador—. Ah. Se llama lividez. Es lo que le pasa a la sangre cuando te mueres. Se acumula en... ¿De verdad lo quieres saber?

—Pues no, cariño. Estaba fingiendo interés.

—Ya me parecía.

Su madre fue hacia la puerta, con el papel de aluminio de la cabeza haciendo ruido mientras andaba. Se quedó parada en el umbral.

—Josh va hoy andando al colegio. Sam y su madre llegarán enseguida a recogerlo. ¿Qué te parece si, cuando se vaya, preparo un buen desayuno para las dos? —Sonrió esperanzada—. Tortitas, o algo así.

Pip sintió la boca seca y la lengua como un cuerpo extraño que crecía cada vez más y se le pegaba al cielo de la boca. Antes le encantaban sus tortitas: gruesas y con tanto sirope que casi se te pegaban los labios. Ahora mismo, solo pensar en ellas le daba náuseas, pero consiguió poner una sonrisa como la de su madre.

—Estaría muy bien. Gracias, mamá.

—Perfecto. —Los ojos de la mujer se arrugaron y brillaron cuando la sonrisa los alcanzó. Una sonrisa demasiado grande.

La culpa le revolvió el estómago. Su familia estaba en una pantomima forzada, esforzándose el doble con ella porque ella apenas podía intentarlo.

—Estará listo en una hora, más o menos. —La madre de Pip se señaló el pelo—. Y no esperes encontrarte a tu madre demacrada en el desayuno, porque verás a toda una rubia explosiva.

—Estoy ansiosa —dijo Pip, haciendo un esfuerzo—. Espero que el café de la explosiva sea un poco menos flojucho que el de la demacrada.

Su madre puso los ojos en blanco y salió de la habitación, rajando entre dientes de Pip y de su padre y de su café intenso que en realidad sabe a mier...

—¡Lo he oído! —La voz de Josh resonó por toda la casa.

Pip resopló mientras acariciaba la almohadilla de los auriculares, que aún llevaba colgados del cuello. Subió un dedo por el suave plástico de la diadema hasta la parte en la que cambiaba la textura: una pegatina rugosa que envolvía todo el ancho. Era de *Asesinato para principiantes*, con el logo del podcast. Ravi las encargó para regalárselas cuando publicó el último episodio de la segunda temporada, el más complicado de grabar hasta la fecha. La historia de lo que ocurrió en aquella vieja granja abandonada, ahora quemada hasta los cimientos, el sendero de sangre en la hierba que habían tenido que limpiar con la manguera.

«Qué triste», decían los comentarios.

«No sé por qué está tan afectada, lo estaba pidiendo a gritos», opinaban otros.

Pip había contado la historia, pero nunca reveló lo más importante de todo: que la había dejado rota.

Se volvió a colocar los auriculares sobre las orejas y bloqueó el mundo. No escuchaba nada, solamente el zumbido del interior de su cabeza. Cerró los ojos y fingió que no había pasado, ni futuro. Solo esto: ausencia. Era un consuelo, flotar libre y sin ataduras, pero su cabeza nunca pasaba demasiado tiempo en silencio.

Y los auriculares tampoco. Escuchó un pitido muy agudo. Le dio la vuelta al teléfono para comprobar la notificación. Era un email del formulario de su página web. Otra vez ese mensaje: «¿Quién te buscará cuando seas tú la que desaparezca?», de anónimo987654321@gmail.com. Otra dirección de correo diferente, pero exactamente el mismo texto. Pip los recibía de forma esporádica desde hacía meses, junto con otros coloridos mensajes de los trols. Al menos este era más poético y reflexivo que las amenazas directas de violación.

«¿Quién te buscará cuando seas tú la que desaparezca?»

Pip se quedó quieta, mirando fijamente la pregunta. En todo ese tiempo, nunca se había planteado contestarla.

¿Quién la buscaría? Le gustaría pensar que Ravi. Sus padres. Cara Ward y Naomi. Connor y Jamie Reynolds. Nat da Silva. ¿El inspector Hawkins? Era su trabajo, al fin y al cabo. A lo mejor ellos. O quizá nadie.

«Para», se dijo, bloqueando el paso hacia ese callejón oscuro y peligroso. ¿Igual otra pastilla la ayudaba? Miró el segundo cajón por abajo, donde escondía el alijo, junto a los teléfonos de prepago, bajo el falso fondo. Pero no, ya se notaba un poco cansada, temblorosa. Y eran para dormir. Solo para dormir.

Además, tenía un plan. Pip Fitz-Amobi siempre tenía un plan, ya fuera recomponerse apresuradamente o hacerlo de forma lenta y agonizante, como había sucedido últimamente.

Esta persona, esta versión de quien había sido, era solo temporal. Porque tenía un plan para recomponerse. Para recuperar su vida normal. Y estaba trabajando en ello.

La primera tarea dolorosa que tuvo que hacer fue mirar en su interior, encontrar las líneas defectuosas y la causa, el porqué. Y, cuando lo averiguó, se dio cuenta de lo evidente que había sido todo, desde el principio. Se trataba de lo que había hecho ese último año. Eso era.

Los dos casos relacionados que se habían convertido en su vida, en su significado. Y ninguno de los dos había salido como a ella le habría gustado. Ambos mal. Retorcidos. No fueron limpios, ni claros. Había habido demasiadas zonas grises, demasiada ambigüedad, y habían perdido absolutamente todo el sentido.

Elliot Ward pasaría en prisión el resto de su vida, pero ¿de verdad era un hombre malo? ¿Un monstruo? Pip no lo creía. Él no era el peligro. Hizo algo terrible, varias cosas horripilantes, pero lo creyó cuando dijo que muchas las hizo por amor a sus hijas. No todo estuvo mal y, por supuesto, tampoco bien, simplemente... ocurrió. Ahora flotaba sin control en mitad de la nada.

¿Y Max Hastings? Pip no veía ninguna zona gris: él era blanco y negro, claro como el agua. Él sí suponía un peligro, que se había hecho más grande que las sombras y que se había acomodado tras una sonrisa cara y encantadora. Pip se agarraba a esto como si se fuera a caer del mundo si se soltaba. Pero no tenía sentido, porque Max había ganado; nunca vería una celda por dentro. Los tonos blanco y negro se difuminaron de nuevo en gris.

A Becca Bell todavía le quedaban catorce meses de condena. Pip le escribió una carta después del juicio de Max y, en su respuesta, Becca le preguntó si quería ir a visitarla. Y la respuesta fue afirmativa. Ya había ido tres veces, y hablaban por teléfono todos los jueves a las cuatro de la tarde. Ayer se pasaron los veinte minutos charlando sobre queso. Becca parecía estar bien, puede que incluso casi feliz, pero ¿se lo merecía? ¿Tenía que estar encerrada, apartada del resto del mundo? No. Ella era una buena persona a la que lanzaron al fuego, a la peor de las circunstancias. Probablemente cualquiera habría hecho lo que hizo ella si se ejerce presión en el lugar correcto, en el talón de Aquiles particular de cada uno. Y si Pip era capaz de ver eso, después de lo que ella y Becca habían pasado, ¿por qué nadie más podía?

Y luego, por supuesto, llegó el nudo más grande en su pecho: Stanley Forbes y Charlie Green. Pip no podía pensar en ellos demasiado tiempo o se desmoronaba, se partía en pedazos. ¿Cómo era posible que ambas posturas estuvieran mal y bien al mismo tiempo? Una contradicción imposible que nunca resolvería. Era su perdición, su error fatal, la colina en la que moriría y se desintegraría.

Si esa era la causa —las ambigüedades, las contradicciones, las zonas grises que se expandían y se tragaban cualquier resquicio de sentido—, ¿qué podía hacer Pip para rectificarlo? ¿Cómo sería capaz de curarse de los efectos secundarios?

Solo había una forma, y era simple hasta la exasperación:

necesitaba un nuevo caso. Y no uno cualquiera: un caso construido únicamente desde el blanco y negro. Nada de grises, nada de giros retorcidos. Líneas directas e infranqueables entre el bien y el mal, lo correcto y lo incorrecto. Dos lados y un camino claro que los atraviese para que ella lo pueda recorrer. Con eso bastaría. Eso la recompondría, devolvería el orden a su vida. Salvaría su alma, si creyera en esas cosas. Aceptaría todo lo que pudiera hacer para volver a la normalidad. Porque aún era posible.

Solo tenía que encontrar el caso adecuado.

Y ahí estaba: una mujer anónima de entre veinte y veinticinco años a la que encontraron desnuda y mutilada a las afueras de Cambridge. Nadie la buscó cuando desapareció. Nunca la reclamaron, por lo que jamás desapareció. No podía estar más claro: esta mujer necesitaba que se hiciera justicia por las cosas que le sucedieron. Y el hombre que las hizo solo podía ser un monstruo. No había grises, ni contradicciones, ni confusión. Pip podría resolver este caso, salvar a Anónima. Pero lo más importante era que Anónima la salvaría a ella.

Un caso más bastaría para solucionarlo todo.

Solo uno más.

Seis

Pip no las vio hasta que no las tuvo delante. Puede que nunca las hubiera detectado si no se hubiera parado a atarse los cordones de las deportivas. Levantó el pie y miró hacia abajo. ¿Qué...?

Había unas líneas borrosas que subían por el camino de entrada a la casa de los Amobi, dibujadas con tiza blanca, ocupando un poco la acera. Estaban tan borrosas que a lo mejor ni siquiera eran de tiza, igual eran marcas de sal de la lluvia.

Pip se frotó los ojos. Los tenía secos y le picaban de haberse pasado toda la noche mirando al techo. Aunque la cena con la familia de Ravi había ido muy bien y le dolía la cara de tanto sonreír, no fue capaz de conciliar el sueño. Había solo un sitio donde encontrarlo: en el cajón prohibido, el segundo desde abajo.

Se apartó los puños de los ojos y parpadeó, con la mirada igual de borrosa que antes. Como no podía confiar en sus ojos, se agachó para pasar un dedo por la línea más cercana y lo levantó hacia el sol para analizarlo. Era tiza, sin duda, también al tacto. Y no parecía que las líneas fueran naturales. Eran demasiado rectas, demasiado intencionadas.

Pip inclinó la cabeza para mirarlas desde otro ángulo. Distinguía cinco figuras diferentes: un patrón repetido de líneas cruzadas. ¿Podían ser... pájaros? Pájaros dibujados por niños, emes aplastadas en un cielo de algodón de azúcar. No, imposible, había demasiadas líneas. ¿Algún tipo de cruz? Podía parecer una cruz, sí, y el palo más largo se dividía en dos abajo del todo.

Un momento... Pasó por encima para mirarlas desde el otro lado. También podían representar a personas. Esas eran las piernas, el tronco cruzado por los brazos abiertos. La línea pequeña de arriba era el cuello. Pero no había nada más, no tenían cabeza.

Se levantó. Podía ser una cruz con dos patas o una persona sin cabeza. Ninguna de las dos era particularmente reconfortante. Pip no creía que Josh tuviera tiza en casa. Además, no le gustaba mucho dibujar. Debía de haberlo hecho alguno de los hijos de los vecinos, un crío con una imaginación un poco mórbida. Pero bueno, ¿quién era ella para criticar eso?

Pip fue mirando mientras caminaba por Martinsend Way. No había líneas de tiza en ninguna de las demás casas, ni en la acera. Nada fuera de lo normal para un domingo por la mañana en Little Kilton. Solo un trozo de cinta americana sobre el cartel blanco y negro con el nombre de la calle, en el que ahora ponía: «Martinsend Wav».

Pip se fue olvidando de las figuras a medida que se adentraba en High Street y dio por hecho que las habían hecho los niños de los Yardley, que vivían seis casas más abajo. De todos modos, ya veía a Ravi delante de ella, acercándose a la cafetería desde el otro extremo.

Parecía cansado —en plan normal—, tenía el pelo alborotado y el sol brillaba sobre sus gafas nuevas. Descubrió durante el verano que era ligeramente miope y se quejó todo lo que pudo y más en aquel momento. De todas formas, a veces incluso se olvidaba de ponérselas.

Todavía no la había visto, estaba inmerso en su propio mundo.

—¡Oye! —gritó ella a unos metros, sobresaltándolo.

Él hizo pucheros, muy exagerado.

—Trátame bien —dijo—. Estoy delicado esta mañana.

Por supuesto, las resacas de Ravi eran las peores que se hayan visto. Rozaba la muerte.

Se encontraron en la puerta de la cafetería y Pip metió la mano en el recodo del brazo de su novio.

—¿A qué viene esto de «¡Oye!»? —Arrugó la frente—. Yo tengo todo un despliegue de motes halagadores para ti, ¿y lo mejor que se te ocurre a ti es «oye»?

—Bueno —dijo Pip—, alguien muy viejo y sabio me reveló que no tengo absolutamente nada de chispa, así que...

—Creo que querías decir alguien muy sabio y muy guapo.

—¿Seguro?

—Por cierto. —Hizo una pausa para rascarse la nariz con la manga—. Creo que la cena fue bastante bien.

—¿En serio? —dijo Pip cautelosa. Ella también lo creía, pero últimamente no terminaba de confiar en sí misma.

Él se rio al ver su cara de preocupación.

—Estuviste muy bien. Caíste genial a todos. De verdad. Rahul incluso me ha mandado un mensaje esta mañana para decirme lo guay que eres. Y —Ravi bajó la voz— creo que te ganaste hasta a la tía Zara.

—¡Venga ya!

—¡Sí! —Sonrió—. Frunció el ceño como un veinte por ciento menos de lo normal, creo que podemos considerarlo un éxito.

—No me lo puedo creer —dijo Pip, empujando la puerta de la cafetería y haciendo sonar la campanita sobre el umbral—. Hola, Jackie —saludó a la dueña del café, que estaba reponiendo los sándwiches.

—Hola, cielo —dijo ella echando un vistazo hacia atrás. Casi se le cae un bocadillo de beicon y queso brie—. Hola, Ravi.

—Buenos días —contestó él con una voz densa, hasta que se aclaró la garganta.

Jackie dejó de colocar los sándwiches y se giró hacia ellos.

—Creo que está en la parte de atrás, peleándose con la tostadora. Un momento. —Se apartó del mostrador y gritó—: ¡Cara!

Lo primero que vio Pip fue el moño balanceándose sobre la cabeza de su amiga mientras salía de la cocina por la puerta de empleados, secándose las manos en el delantal verde.

—Nada, sigue cascado —le dijo a Jackie mirando fijamente una mancha seca en el delantal—. De momento, lo mejor que podemos ofrecer ahora mismo son paninis templados... —Por fin levantó la vista, miró a Pip y sonrió—. La adorable señorita F. A. Cuánto tiempo sin verte.

—Me viste ayer —respondió Pip, dándose cuenta demasiado tarde del movimiento de cejas de Cara.

Debería haber hecho eso primero, antes de hablar. Habían establecido esa norma hace tiempo.

Jackie sonrió, como si pudiera leer la conversación acelerada entre sus miradas.

—Bueno, chicas, si ha pasado todo un día, seguramente tendréis muchas cosas de las que poneros al tanto, ¿no? —Se giró hacia Cara—. Puedes empezar tu descanso antes.

—Ay, Jackie —dijo ella con una reverencia demasiado exagerada—. Eres demasiado buena conmigo.

—Ya lo sé. —Estale hizo un gesto con la mano para que saliera—. Soy una santa. Pip, Ravi, ¿qué os pongo?

Ella pidió un café cargado; ya se había tomado dos antes de salir de casa y movía rápido los dedos, nerviosa, pero ¿cómo iba a aguantar todo el día si no?

Ravi apretó los labios mirando hacia el techo, como si esta fuera la decisión más difícil de su vida.

—La verdad —dijo—, creo que me tienta bastante uno de esos paninis templados.

Pip puso los ojos en blanco. Ravi debía de haberse olvidado de que se estaba muriendo de la resaca. No tenía absolutamente ninguna fuerza de voluntad cuando había sándwiches delante.

Pip se sentó en la mesa más alejada. Cara se acomodó a su lado, pegando su hombro al de su amiga. Cara nunca había entendido muy bien el concepto de espacio personal, pero en ese momento Pip lo agradecía. Ella ni siquiera debería seguir en Little Kilton. Sus abuelos habían considerado vender la casa a final de curso, pero cambiaron de opinión y de planes: Naomi encontró un trabajo cerca de Slough y Cara decidió tomarse un año sabático para viajar, y trabajaba en la cafetería para ganar un poco de dinero. Parecía que sacar a las hermanas Ward de Little Kilton era más complicado que dejarlas allí, así que sus abuelos volvieron a Great Abington y ellas se quedaron en el pueblo. Al menos hasta el próximo año. Ahora sería Cara la que se quedaría abandonada cuando Pip se fuera a Cambridge en unas semanas.

Pip no se podía creer que eso fuera a ocurrir de verdad, que Little Kilton la dejara marchar.

Le dio un empujón a Cara.

—¿Qué tal Steph? —le preguntó.

Steph: la nueva novia. Aunque, en realidad, solo llevaban un par de meses saliendo, así que quizá Pip no debería pensar en ella como la nueva nada. El mundo continuaba, por mucho que ella no pudiera. No obstante, a Pip le caía genial. Le hacía bien a Cara, se la veía feliz.

—Bien. Está entrenando para un triatlón o algo así, porque está como una cabra. Bueno, calla, que tú te pondrás de su parte, ¿no, señorita Corremucho?

—Así es. —Pip asintió—. Sin duda, soy del equipo de Steph. Sería la leche en un apocalipsis zombi.

—Yo también —opinó Cara

Pip le hizo una mueca.

—Morirías en la primera media hora de cualquier tipo de apocalipsis, no mientas.

En ese momento llegó Ravi y dejó una bandeja con los cafés y su sándwich. Ya le había dado un bocado enorme de camino, cómo no.

—Ay. —Cara bajó la voz—. Esta mañana ha habido dramón aquí.

—¿Qué ha pasado? —preguntó Ravi entre mordiscos.

—Ha habido un momento de mucho jaleo, y se ha formado cola. Yo era la que estaba tomando las comandas y, entonces... —bajó la voz hasta un susurro— entró Max Hastings.

A Pip se le tensaron los hombros y la mandíbula. ¿Por qué estaba en todas partes? ¿Por qué nunca conseguía apartarse de él?

—Ya —dijo Cara al leer la cara de su amiga—. Y, evidentemente, yo no pensaba servirle, así que le dije a Jackie que iba a limpiar el vaporizador de la leche y que se encargara ella de los clientes. Le tomó nota a Max y luego entró otra persona. —Hizo una pausa dramática—. Jason Bell.

—Anda, ¿en serio? —dijo Ravi.

—Sí. Se puso detrás de Max en la cola. Y, aunque yo intentaba esconderme de ellos, vi perfectamente que no le quitaba ojo.

—Comprensible —intervino Pip.

Jason Bell tenía tantos motivos como ella para odiar a Max Hastings. Independientemente del veredicto del juicio, Max había drogado y violado a su hija pequeña, Becca. Y, por muy horripilante y abominable que sonara, fue incluso peor. Las acciones de Max desencadenaron la muerte de Andie Bell. Podría decirse que fueron incluso la causa directa. Todo lo apuntaba, si lo pensabas bien: Becca, traumatizada, viendo morir a su hermana y luego encubriéndolo. La muerte de Sal

Singh, el supuesto asesino de Andie. El apartamento secreto de Elliot Ward, donde vivía aquella pobre mujer. El proyecto de Pip. Su perro, *Barney*, enterrado en el jardín. Howie Bowers en la cárcel, susurrando comentarios sobre el Niño Brunswick.

Charlie Green llegando al pueblo. Layla Mead. La desaparición de Jamie Reynolds. Stanley Forbes asesinado y su sangre en las manos de Pip. Todo estaba relacionado con Max Hastings. El origen. Su piedra angular. Y puede que la de Jason Bell.

—Claro —dijo Cara—, pero no me esperaba lo que pasó después. Jackie le dio a Max su bebida y, cuando este se dio la vuelta para marcharse, Jason le propinó un golpe con el codo y le derramó todo el café sobre la camiseta.

—¡No! —Ravi miraba fijamente a Cara.

—¡Ya! —El susurro se convirtió en un siseo emocionado—. Y luego Max le dijo: «Eh, ten cuidado», y lo empujó. Y Jason agarró a Max por la camiseta y le dijo: «Apártate de mi camino», o algo así. En fin, la cosa es que Jackie ya se había puesto entre los dos, y entonces otro cliente acompañó a Max a la puerta y, por lo visto, este iba diciendo: «Tendrás noticias de mi abogado», o algo por el estilo.

—Típico de Max —murmuró Pip entre dientes.

Le dio un escalofrío. Ahora que sabía que él también había estado aquí, el ambiente era diferente. Sofocante. Frío. Corrompido. Little Kilton no era lo bastante grande para los dos.

—Naomi también se está planteando qué hacer con respecto a Max —continuó Cara, en voz tan baja que ni siquiera podía decirse que estuviera susurrando—. No sabe si ir a la policía y contarles lo que pasó la noche de Fin de Año de 2012. Lo del atropello del que se largaron. Aunque ella se metería en líos, dice que, al menos, Max también, porque era él el que conducía. A lo mejor es la forma de encarcelarlo, aunque sea poco tiempo, para que no siga haciendo daño. Y que termine toda esta ridiculez de la demand...

—No. —Pip la interrumpió—. Naomi no puede ir a la policía. No saldrá bien. Solo se perjudicará a sí misma, a él no le pasará nada. Max volvería a ganar.

—Pero al menos se sabría la verdad, y Naomi...

—La verdad no importa —afirmó Pip, clavándose las uñas en los muslos.

La Pip del año pasado no reconocería a la actual. Aquella chica con los ojos llenos de vida y su proyecto del instituto, que se aferraba ingenuamente a la verdad, envolviéndose con ella como si fuera una manta. Pero la que estaba aquí sentada era una persona diferente y sabía mucho más. La verdad la había quemado demasiadas veces; no podía confiar en ella.

—Dile que no lo haga, Cara. Ella no fue la responsable del atropello, y no quería dejarlo allí, la obligaron. Dile que prometo que lo pillaré. No sé cómo, pero lo haré. Max recibirá exactamente lo que se merece.

Ravi pasó un brazo sobre los hombros de Pip y apretó con cariño.

—O, no sé, igual en vez de en tramas vengativas, podríamos centrar nuestra energía en que nos vamos a la universidad dentro de unas semanas —comentó alegremente—. Ni siquiera has elegido juego de sábanas nuevo. Me han dicho que eso es un hito muy importante.

Pip sabía que Ravi y Cara acababan de mirarse.

—Estoy bien —aseguró.

Cara parecía estar a punto de decir algo más, pero se le fue la mirada hacia el sonido de la campanita sobre la puerta de la cafetería. Pip se giró también. Si era Max Hastings, no sabía de lo que era capaz de hacer, podría...

—Ah, hola, chicos —dijo una voz que Pip conocía muy bien. Connor Reynolds. Sonrió y lo saludó. Pero no estaba solo, iba con Jamie, que cerró la puerta con otro tintineo. Vio a Pip un segundo después y en su cara se dibujó una sonrisa que le arrugó la nariz, aún más pecosa después del verano. Y ella lo sabía bien; se pasó toda la semana que estuvo desaparecido estudiando fotos de su cara, buscando las respuestas en sus ojos.

—Qué alegría veros por aquí —comentó Jamie, adelantando a Connor. Le puso fugazmente la mano en el hombro a Pip—. ¿Cómo estáis? ¿Os traigo algo de beber?

A veces, veía esa mirada en los ojos de Jamie, poseídos por la muerte de Stanley y los papeles que ambos tuvieron en ella. Un peso que siempre compartirían. Pero él no estuvo presente cuando ocurrió, no tenía sangre en sus manos. No del mismo modo.

—¿Por qué aparece todo el circo al completo cada vez que estoy trabajando? —dijo Cara—. ¿Os pensáis que me siento sola o algo así?

—No, tía. —Connor le movió el moño—. Creemos que necesitas practicar.

—Connor Reynolds, te juro por Dios que como pidas hoy uno de esos *macchiatos* helados con especias, te mataré bien muerto.

—Cara. —Jackie la llamó con entusiasmo desde detrás del mostrador—. Recuerda la primera lección: no amenazamos de muerte a los clientes.

—¿Ni cuando piden lo más complicado solo para tocarte las narices? —Cara se levantó mirando a Connor de reojo sin ningún disimulo.

—No, en ningún caso.

Cara gruñó, llamando a Connor «pija hortera» entre dientes mientras volvía al mostrador.

—Marchando un *machiato* helado con especias —dijo con el más falso de los entusiasmos.

—Hecho con amor, espero. —Connor se rio.

Cara lo fulminó con la mirada.

—Más bien con rencor.

—Bueno, mientras no lleve un escupitajo.

—Nat me ha contado lo de la reunión de mediación —dijo Jamie mientras se sentaba en el sitio que había dejado libre Cara.

Pip asintió.

—Fue... memorable.

—No me puedo creer que vaya a denunciarte. —Jamie cerró los puños con fuerza—. Es... No es justo. Ya has sufrido bastante.

Ella se encogió de hombros.

—Irá bien, me las apañaré.

Todo apuntaba siempre a Max Hastings; estaba en cada lado, en cada ángulo, presionándola. Aplastándola. Llenándole la cabeza con el sonido de las costillas de Stanley rompiéndose. Se secó la sangre de las manos y cambió de tema.

—¿Qué tal las prácticas en la ambulancia?

—Bastante bien. —Asintió y sonrió—. La verdad es que lo estoy disfrutando mucho. ¿Quién se habría imaginado que me alegraría de trabajar duro?

—Yo creo que la lamentable ética laboral de Pip puede ser contagiosa —bromeó Ravi—. Deberías apartarte, por tu propia seguridad.

La campana volvió a sonar y, por cómo se le iluminaron los ojos a Jamie, Pip supo exactamente quién acababa de entrar. Nat da Silva estaba de pie en la puerta, con el pelo plateado recogido en una pequeña coleta, aunque gran parte de los mechones habían decidido tomarse un descanso de la goma y le caían sobre el cuello.

La cara de la chica también se iluminó mientras sondeaba la sala remangándose la camisa de cuadros.

—¡Pip! —Nat se fue directa hacia ella. Se agachó y la envolvió entre sus largos brazos. Olía a verano—. No sabía que estarías aquí. ¿Qué tal?

—Bien —dijo Pip con la mejilla pegada a la de Nat, que tenía la piel fría y fresca por la brisa de la calle—. ¿Y tú?

—Estamos muy bien, ¿a que sí?

Nat se incorporó y se fue hacia Jamie. Él se levantó para ofrecerle su silla y sacó otra para él. Se chocaron y ella apoyó una mano contra el pecho de su novio.

—Hola, tú —dijo dándole un beso rápido.

—Hola, tú a ti también —respondió Jamie con las mejillas aún más rojas de lo normal.

Pip no pudo evitar sonreír al verlos juntos. Era..., ¿cómo describirlo?..., bonito, imaginó. Era puro, algo bueno que nadie podía arrebatarle; los conoció a todos en sus peores momentos y los ha visto avanzar. Tanto solos como juntos. Forman parte de su vida, y viceversa.

«A veces sí que pasan cosas buenas en este pueblo», se recordó Pip mirando a Ravi y encontrando su mano bajo la mesa. La mirada brillante de Jamie y la sonrisa intensa de Nat. Connor y Cara peleándose por un café especiado. Esto era lo que quería, ¿no? Solo esto. Una vida normal. Gente que se pudiera contar con los dedos de la mano, que se preocuparan por ti tanto como tú por ellos. Los que te buscarían si desaparecieras.

¿Podía guardar este sentimiento y vivir en él un tiempo? ¿Llenarse de algo bueno e ignorar la mancha de sangre en sus manos, dejar de pensar en el sonido de esa taza golpeando contra la mesa o en esos ojos sin vida que la esperan en la oscuridad de un parpadeo?

Demasiado tarde.

Siete

Pip no veía nada, le escocían los rabillos de los ojos por el sudor. Igual se había esforzado demasiado. Demasiado rápido. Como si estuviera huyendo en lugar de corriendo sin más.

Al menos no había visto a Max. Lo buscó, por delante y por detrás, pero no apareció. Las calles eran suyas.

Se bajó los auriculares al cuello y fue andando a casa, recuperando el aliento al pasar por la vivienda vacía de al lado. Giró hacia el camino de entrada y se paró. Se frotó los ojos.

Ahí seguían esas figuras de tiza. Cinco pequeñas personitas hechas con líneas, sin cabeza. Pero... No, no podía ser. El día anterior había llovido mucho, y estaba segura de que no estaban ahí cuando había salido a correr. Podría jurarlo. Y había algo más.

Se agachó para mirar más de cerca. Se habían movido. El domingo por la mañana las vio en la intersección entre el camino de la entrada y la acera. Ahora habían subido unos centímetros. Hacia la mampostería, más cerca de la casa.

Pip estaba segura: esos dibujos eran nuevos. Los habían hecho durante la hora que había pasado corriendo. Cerró los ojos para aguzar el oído, escuchando el ruido blanco de los árboles danzando con el viento, el silbido agudo de un pájaro y el rugido de una máquina cortacésped en alguna de las casas cercanas. Pero no se oían los chillidos de los hijos de los vecinos. Ni pío.

Abrió los ojos y, en efecto, no se las había imaginado. Cinco pequeñas figuras. Decidió preguntarle a su madre si sabía qué eran. A lo mejor no se trataba de personas sin cabeza, igual era algo totalmente inocente y su mente retorcida las estaba convirtiendo en algo siniestro.

Se enderezó. Le dolían los gemelos y notaba un pinchazo en el tobillo izquierdo. Estiró las piernas y continuó caminando.

Pero solo dio dos pasos.

El corazón se le aceleró y le golpeaba contra las costillas.

Había un bulto gris un poco más arriba del camino. Cerca de la puerta de la casa. Un bulto gris con plumas. Supo lo que era incluso antes de acercarse. Otra paloma muerta. Pip caminó despacio, con pasos cautelosos y silenciosos, como si no quisiera despertarla y devolverla a la vida. Los dedos le hervían de adrenalina conforme se inclinaba hacia la paloma, esperando verse reflejada en sus vidriosos ojos sin vida. Pero no se vio. Porque no tenía ojos sin vida.

No tenía cabeza.

Un corte limpio en el cuello y muy poca sangre.

Pip se quedó mirándola. Luego a la casa, y otra vez a la paloma decapitada. Recordó la mañana del lunes, repasó toda la semana, ordenando los recuerdos. Ahí estaba ella, saliendo por la puerta con su traje elegante, parándose al ver al animal muerto, fijándose en sus ojos, pensando en Stanley.

Había sido ahí. Justo ahí. Dos palomas muertas exactamente en el mismo sitio. Y esas extrañas figuras de tiza con brazos y piernas, pero sin cabeza. No podía ser una coincidencia, ¿verdad? Pip no creía en eso ni en sus mejores momentos.

—¡Mamá! —gritó abriendo de un empujón la puerta de la casa—. ¡Mamá! —Su voz rebotó por el pasillo, el eco la imitó.

—¡Hola, cariño! —respondió esta, asomándose por la puerta de la cocina con un cuchillo en la mano—. ¡No estoy llorando, lo prometo! ¡Son las malditas cebollas!

—Mamá, hay una paloma muerta en la entrada —dijo Pip en voz baja.

—¿Otra? —A su madre se le descompuso la cara—. Por el amor de Dios. Y, por supuesto, tu padre vuelve a estar fuera, así que voy a tener que encargarme yo. —Suspiró—. Bueno, voy a poner el estofado al fuego y ahora voy.

—N-no. —Pip tartamudeó—. No lo entiendes, mamá. La paloma está exactamente en el mismo sitio que la de la semana pasada. Como si alguien las estuviera poniendo ahí a propósito. —Mientras lo decía, se daba cuenta de lo ridículo que sonaba.

—No digas tonterías. —Su madre hizo un gesto con la mano—. Será uno de los gatos del barrio, eso es todo.

—¿Un gato? —Pip negó con la cabeza—. Te digo que está exactamente en el mismo sit...

—Bueno, seguramente sea su nuevo sitio favorito para cazar. Los Williams tienen un gato atigrado muy grande. A veces lo veo por nuestro jardín. Y caga en mis arriates. —Hizo como que lo apuñalaba con el cuchillo.

—Esta no tiene cabeza.

—¿Cómo?

—La paloma.

Su madre se puso seria.

—¿Qué quieres que te diga? Los gatos son asquerosos. ¿No te acuerdas del que tuvimos antes de adoptar a *Barney*, cuando eras pequeña?

—¿*Calcetines*? —dijo Pip.

—Sí. Era un asesino despiadado. Traía bichos muertos a casa prácticamente todos los días. Ratones, pájaros. A veces hasta conejos bastante grandes. Les arrancaba la cabeza a mordiscos y los dejaba en algún sitio para que yo los encontrara. Seguía los rastros de tripas. Era como una película de terror.

—¿De qué estáis hablando? —Josh gritó desde la escalera.

—¡De nada! —contestó la madre de Pip—. ¡Métete en tus asuntos!

—Pero... —Ella suspiró—. ¿Te importa venir a echar un vistazo?

—Estoy haciendo la cena, hija.

—Solo van a ser dos segundos. —Pip inclinó la cabeza—. ¿Por favor?

—Está bien. —Su madre retrocedió para dejar el cuchillo a un lado—. Pero sin hacer ruido, que no quiero que el señor Metomentodo se entere.

—¿Quién es el señor Metomentodo? —La voz de Josh las siguió hasta la puerta.

—Voy a comprarle al enano este unos tapones para los oídos, te lo juro —susurró la madre de Pip mientras bajaban al camino—. Vale, ya la veo. Una paloma decapitada, tal como me la había imaginado. Gracias por el avance.

—No es solo eso. —Pip la agarró del brazo y la guio por el camino. Señaló al suelo—. Mira esos dibujos con tiza. Hace un par de días estaban más cerca de la acera. La lluvia los borró, pero los han vuelto a hacer. No estaban aquí cuando salí a correr.

La madre de Pip se puso de rodillas en el suelo y entornó los ojos.

—Los ves, ¿verdad? —le preguntó ella, con la duda revolviéndole el estómago, fría y pesada.

—Eh, sí, supongo —contestó la mujer, entornando aún más los ojos—. Hay algunas líneas borrosas.

—Sí, eso es —dijo Pip aliviada—. Y ¿qué te parecen?

Su madre se acercó un poco más e inclinó la cabeza para mirarlas desde otro ángulo.

—No lo sé, a lo mejor es una marca de las ruedas de mi coche o algo así. Ayer pasé por una obra, seguramente habría polvo o tiza.

—No, mira mejor —le pidió Pip, cada vez más irritada. Ella también entornó los ojos; no podían ser simples marcas de neumáticos, ¿verdad?

—No lo sé, hija, a lo mejor es polvo de las juntas del mortero.

—¿De las... qué?

—Las líneas entre los ladrillos. —Su madre sopló y una de las figuras casi desapareció. Se puso de pie y se pasó las manos por la falda para alisar las arrugas.

Pip volvió a insistir.

—¿De verdad que no ves figuras humanas? Cinco. Bueno, ahora cuatro, muchas gracias. ¿Como si las hubiera dibujado alguien?

La madre de Pip negó con la cabeza.

—A mí no me lo parecen —respondió—. No tienen ca...

—¿Cabezas? —Pip la interrumpió—. Exacto.

—Ay, cariño. —Su madre la miró con preocupación y la ceja volvió a subir—. No tienen importancia. Estoy segura de que es una marca de las ruedas, o del coche del cartero. —Volvió a analizar las figuras—. Y, si las ha dibujado alguien, probablemente haya sido uno de los hijos de los Yardley. El mediano parece un poco... Bueno, ya me entiendes. —Hizo una mueca.

Lo que su madre decía tenía sentido. Seguro que solo había sido un gato. Y unas marcas de neumáticos o el dibujo inocente del hijo de los vecinos. ¿Por qué su mente se empeñaba en considerar que podían tener relación con ella? Sintió cómo la vergüenza se deslizaba bajo su piel por haberse planteado que alguien hubiera podido hacer ambas cosas a propósito. Y, lo que es aún peor, que las hubiera hecho exclusivamente para ella. ¿Por qué pensaba eso? Porque ahora todo le daba miedo, respondió el otro lado del cerebro. Tenía instinto de lucha o huida, sentía el peligro presionándola cuando, en realidad, no existía; escuchaba disparos en cualquier sonido, si así lo quería; le daba miedo la noche, pero no la oscuridad, hasta la aterraba mirar sus propias manos. Estaba rota.

—¿Te pasa algo, Pip? —Su madre se había olvidado de las figuras y estaba mirándola a ella—. ¿Has dormido bien esta noche?

No había dormido casi nada.

—Muy bien —dijo ella.

—Es que estás pálida, por eso te pregunto. —La ceja subió aún más.

—Siempre estoy pálida.

—También has adelgazado un poco...

—Mamá.

—Era solo un comentario, cariño. Ven. —Se agarró al brazo de Pip y la fue llevando hasta la casa—. Voy a seguir con la cena, y voy a hacer tiramisú de postre. Tu favorito.

—Pero si es martes.

—¿Y? —Su madre sonrió—. Mi pequeña se va a la universidad en unas semanas, tendré que aprovechar el tiempo que me queda para mimarla.

Pip le apretó el brazo a su madre.

—Gracias.

—Enseguida me encargo de esa paloma, no te preocupes —le prometió, cerrando la puerta tras ellas.

—No me preocupa la paloma —dijo Pip, aunque su madre ya se había ido a la cocina. La escuchó mover los utensilios y rajar de las «cebollas de fuerza industrial»—. No me preocupa la paloma —repitió en voz baja, solo para sí misma.

Le preocupaba quién podía haberla dejado allí. Y le preocupaba pensar eso.

Subió la escalera y vio a Josh sentado en los escalones de arriba, con las manos apoyadas en la barbilla.

—¿Qué paloma? —preguntó mientras su hermana le apoyaba la mano sobre la cabeza y pasaba por su lado.

—En serio —murmuró ella—, igual debería dejártelos más a menudo—. Señaló los auriculares que le rodeaban el cuello—. Te los voy a pegar a la cabeza.

Pip entró en su habitación y apoyó la espalda en la puerta para cerrarla. Se desató la funda del teléfono del brazo y la dejó caer al suelo. Se quitó el top. La tela se le había pegado a la piel sudorosa y se le enredó en los auriculares. Salieron las dos cosas juntas, apiladas ahora sobre la moqueta. Sí, debería darse una ducha antes de cenar. Y... miró al escritorio, al segundo cajón empezando por abajo. Igual debería tomarse una para relajarse y regular su ritmo cardiaco, alejar la sangre de sus manos y las cosas sin cabeza de su mente. Su madre empezaba a sospechar que algo no iba bien. Pip tenía que actuar normal durante la cena. Como antes.

Un gato y marcas de neumáticos. Tenía sentido, mucho sentido. ¿Qué le pasaba? ¿Por qué necesitaba que fuera algo malo, como si ansiara tener problemas? Aguantó la respiración. Solo un caso más. «Salva a Anónima y a ti misma.» Era todo lo que necesitaba para no volver a estar así: desubicada dentro de su propia cabeza. Tenía un plan. «Cíñete al plan.»

Pip miró rápidamente el teléfono. Un mensaje de Ravi: «¿Sería muy raro poner *nuggets* de pollo en una *pizza*?».

Y un email de Roger Turner: «Hola, Pip: Deberíamos hablar algún día de esta semana, ¿has tenido oportunidad de pensar en la oferta de la mediación? Un saludo. Roger Turner».

Pip respiró hondo. Le daba un poco de pena Roger, pero la respuesta seguía siendo la misma. Por encima de su cadáver. ¿Cuál era la forma más profesional de decir eso?

Estaba a punto de abrir el email cuando entró una notificación nueva. Otro mensaje que le llegaba a APPpodcast@gmail.com. En la previsualización se podía leer: «¿Quién te buscará...» y Pip supo exactamente lo que diría el resto del texto. Otra vez.

Abrió el mensaje anónimo para eliminarlo. ¿Había alguna forma de bloquearlo y mandarlo directamente a *spam*? El mensaje se abrió y Pip movió el dedo sobre el icono de la papelera.

Pero sus ojos, fijos en una palabra, la detuvieron a tiempo.

Parpadeó.

Leyó el mensaje entero.

¿Quién te buscará cuando seas tú la que desaparezca?

P.D.: Recuerda matar siempre dos pájaros de un tiro.

Se le cayó el teléfono de las manos.

Ocho

El ruido sordo del teléfono cayendo sobre la moqueta fue el disparo de un arma directo a su pecho. Y se repitió cinco veces, hasta que su corazón lo atrapó y cargó con él.

Se quedó quieta durante un instante, ajena a todo excepto a la violencia que corría bajo su piel. Fuertes disparos atronadores y huesos rompiéndose, el sonido de la sangre corriendo entre sus dedos y un grito: el suyo. Las palabras quebrándose por los bordes mientras se lanzaban dando vueltas en su cabeza: «Charlie, por favor, no lo hagas. Te lo ruego».

Las paredes color crema de su dormitorio se resquebrajaron, mostrando listones de madera quemados y ennegrecidos, derrumbándose unos sobre otros. La granja abandonada había resucitado en su dormitorio y estaba llenando sus pulmones de humo. Pip cerró los ojos y se repitió que estaba aquí y ahora, no allí y en aquel momento. Pero no podía hacerlo. Sola no. Necesitaba ayuda.

Se tambaleó entre las llamas, con el brazo hacia arriba para protegerse los ojos. Llegó al escritorio y, con los dedos temblando, encontró el segundo cajón de la derecha. Lo abrió del todo, por completo, y lo tiró al suelo ardiente. El hilo rojo rodó lejos de ella, los papeles salieron volando, las chinchetas se esparcieron por el suelo, enredadas en el cable de los auriculares blancos. El doble fondo que escondía sus secretos se destapó, y los seis teléfonos de prepago saltaron por los aires. Lo último en caer fue la pequeña bolsa transparente.

Pip la abrió con los dedos temblorosos. ¿Cómo podían quedar ya tan pocas? Sacó una pastilla y se la tragó sin agua, lo que provocó que se le saltaran las lágrimas.

Estaba aquí y ahora. No allí y en aquel momento. Aquí y ahora.

No era sangre, solo sudor. ¿Ves? Sécate en las mallas.

No allí y en aquel momento.

Aquí y ahora.

Pero ¿aquí y ahora era mejor? Se quedó mirando el teléfono, abandonado en el suelo, al otro lado de la habitación. «Matar dos pájaros de un tiro.» Dos palomas muertas en la entrada de su casa, una de ellas con ojos sin vida; la otra, sin ojos. No era una coincidencia, ¿verdad? A lo mejor no había sido un gato. Quizá alguien las hubiera puesto allí, junto a las figuras de tiza, dibujadas cada vez más y más cerca. La misma persona que estaba desesperada porque Pip respondiera esa pregunta: «¿Quién te buscará cuando seas tú la que desaparezca?». Alguien que sabía dónde vivía. ¿Un acosador?

Había estado buscando problemas, y los problemas la habían encontrado.

«No, no, basta.» Lo estaba volviendo a hacer, estaba desvariando demasiado, buscando el peligro donde tal vez no lo hubiera. «Matar dos pájaros de un tiro.» Era un dicho muy común. Llevaba mucho tiempo recibiendo esa pregunta anónima y, de momento, no le había pasado nada, ¿verdad? Estaba ahí, no había desaparecido.

Gateó por el suelo y le dio la vuelta al móvil, que reconoció su cara y se desbloqueó. Pip entró en la aplicación del correo e hizo clic en la barra de búsqueda. Escribió «¿Quién te buscará cuando seas tú la que desaparezca? | Anónimo».

Once emails, doce incluyendo el que acababa de recibir. Todos de cuentas diferentes, todos formulando la misma pregunta. Pip deslizó hacia arriba. El primero lo recibió el 11 de mayo. Al principio estaban más espaciados, pero cada vez eran más seguidos; entre los dos últimos solo mediaban cuatro días. ¿11 de mayo? Pip negó con la cabeza; no podía ser. Estaba casi segura de que el primero lo había recibido antes, más o menos cuando desapareció Jamie Reynolds y ella empezó a buscarlo. Por eso la pregunta se le quedó grabada.

Espera. Puede que ese hubiera sido en Twitter. Pulsó en el icono azul de la aplicación y fue a la búsqueda avanzada. Volvió a escribir la pregunta en el campo de búsqueda «esta frase exacta», y la arroba del podcast en la sección «de estas cuentas».

Hizo clic en la lupa. Sus ojos se movían al ritmo del círculo de carga de la página.

La pantalla se llenó de resultados: le habían enviado quince tuits diferentes. El más reciente hacía tan solo siete minutos, con la misma posdata que el email. Y, al final de la página, estaba el primero de todos: «¿Quién te buscará cuando seas tú la que desaparezca?», enviado el domingo 29 de abril como respuesta al tuit de Pip anunciando la segunda temporada de *Asesinato para principiantes*: la desaparición de Jamie Reynolds. Ahí estaba. Así había empezado todo. Hacía más de cuatro meses.

Ahora parecía muy lejano. Jamie solo llevaba en paradero desconocido un día. Stanley Forbes estaba vivo, sin seis agujeros en el pecho; Pip habló con él ese mismo día. Charlie Green era solo su nuevo vecino. No había habido sangre en sus manos, y el sueño no siempre le llegaba con facilidad, pero siempre hacía acto de presencia, al fin y al cabo. Max estaba en pleno juicio y Pip creía, en lo más profundo de su ser, que pagaría por lo que había hecho. Hubo tantos comienzos en aquella bonita mañana de abril... Comienzos que la habían llevado hasta aquí. Los primeros pasos de un camino que se había puesto en su contra, retorciéndose una y otra vez hasta que solo iba hacia abajo. Pero ¿empezó algo más aquel día? ¿Algo que llevaba cuatro meses creciendo y hasta ahora no había asomado la cabeza?

«¿Quién te buscará cuando seas tú la que desaparezca?»

Pip se levantó, de vuelta otra vez en su habitación. La granja abandonada ya estaba encerrada en lo más profundo de su mente. Se sentó en la cama. La pregunta, las figuras de tiza, las dos palomas muertas..., ¿podían estar conectadas? ¿Sería todo eso por ella? Era muy poco convincente, pero ¿había pasado algo más? ¿Algo que a ella le pareciera raro en su momento, pero que su mente no le hubiese dado más importancia? Estaba aquella carta que había recibido hacía unas semanas. Bueno, ni siquiera era una carta. Era solo un sobre en el que ponía «Pippa Fitz-Amobi» con tinta negra. No tenía ni dirección ni sello, así que pensó que alguien la había metido por la rendija de la puerta. Pero, cuando la abrió —con su padre a su lado preguntándole si eran fotos de Ravi desnudo—, no había nada dentro. Estaba vacío. Lo puso en el contenedor de reciclaje y no volvió a pensar en ello. La carta misteriosa cayó en el olvido tan pronto como recibió otra: la demanda de Max Hastings y su abogado. ¿Estaba aquel sobre relacionado con todo esto?

Y ahora que lo estaba pensando, puede que hubiera algo más antes. El día del funeral de Stanley Forbes. Cuando terminó la ceremonia y Pip volvió al coche, encontró un pequeño ramo de rosas enganchado en el espejo retrovisor. Pero habían arrancado todas las flores y el suelo estaba lleno de pétalos ojos. Un ramo de tallos y espinas. En aquel momento, Pip pensó que había sido alguno de los manifestantes que se encontraban en el funeral, que no se dispersaron hasta que no llegó la policía. Pero tal vez no se hubiese tratado de ningún manifestante, ni del padre de Ant, ni de Mary Scythe, ni de Leslie. Puede que hubiera sido un regalo de la misma persona que quería saber quién la buscaría si desapareciera.

De ser así —si todos estos incidentes estaban relacionados—, esto llevaba semanas pasando. Incluso meses. Y no se había dado cuenta. Pero puede que hubiera un motivo. Tal vez se estuviera esforzando demasiado en darle significado a todo a causa del segundo pájaro. Pip no confiaba en sí misma ni en su miedo.

Solo había una cosa clara: si todo esto lo estaba haciendo la misma persona —desde las flores muertas hasta las palomas decapitadas—, estaba yendo a más. Tanto en gravedad como en frecuencia. Pip tenía que rastrearlo de alguna forma, reunir todos los datos y ver si había alguna conexión, si de verdad tenía un acosador o si se estaba volviendo loca definitivamente. Una hoja de Excel, pensó, imaginándose la cara de Ravi con una sonrisa. Eso la ayudaría a verlo todo perfectamente expuesto y a averiguar si era real o si estaba solo en la oscuridad de su cabeza. Y, en caso de que fuese real, adónde la llevaba y cuál era el final del juego.

Pip volvió al escritorio, pasando de puntillas sobre las cosas esparcidas por el suelo. Luego lo recogería. Abrió el portátil, hizo doble clic en Google Chrome y se abrió una pestaña vacía. Escribió «acosador» en la barra de búsqueda, pulsó intro y deslizó hacia abajo la página de resultados. Denunciar a un acosador en la página web del gobierno, una entrada de Wikipedia, una web sobre tipos de acosadores, un «Dentro de la mente de un acosador», blogs de psicología y estadísticas de crímenes. Pip clicó en el primer resultado y empezó a leerlo entero, abriendo el cuaderno por una página en blanco.

Escribió: «¿Quién te buscará cuando seas tú la que desaparezca?». Lo subrayó tres veces. No pudo evitar sentir la rabia que escondía esa pregunta tan siniestra. Había pensado algunas veces en desaparecer, huir y dejar a esa Pip atrás. O desvanecerse dentro de su propia cabeza, en esos extraños momentos en los que su mente estaba tranquila, en una ausencia en la que podía flotar, libre. Pero ¿qué significaba de verdad desaparecer? ¿Cómo definirlo?

A veces la gente vuelve después de haber desaparecido. Jamie Reynolds era un ejemplo, e Isla Jordan, la joven a la que Elliot Ward había mantenido cautiva durante cinco años pensando que era otra persona. Habían desaparecido. Pero entonces, la mente de Pip volvió al principio, a Andie Bell, a Sal Singh, a las víctimas de Scott Brunswick, *el Monstruo de Margate*, a Anónima, a todos los podcasts y documentales de crímenes reales en los que se había perdido alguna vez. Y, en la mayoría de los casos, desaparecer significaba morir.

—¡Pip, a cenar!

—¡Ya bajo!

Nombre del archivo:

📄 Posibles incidentes perpetrados por el acosador.xlsx

Fecha	Días desde el último incidente	Tipo	Incidente	Escala de gravedad
29/04/2018	n/c	Online	Tuit: ¿Quién te buscará cuando seas tú la que desaparezca?	1
11/05/2018	12	Online	Email y tuit (misma pregunta)	2
20/05/2018	9	Offline	Flores muertas en el coche	4
04/06/2018	15	Online	Email y tuit (misma pregunta)	2
25/06/2018	10	Online	Tuit (misma pregunta)	1
06/07/2018	11	Online	Email y tuit (misma pregunta)	2
15/07/2018	9	Online	Tuit (misma pregunta)	1
22/07/2018	7	Online	Tuit: (misma pregunta)	1
29/07/2018	7	Online	Email y tuit (misma pregunta)	2
02/08/2018	4	Offline	Sobre vacío por la rendija de la puerta dirigido a mí	4
07/08/2018	5	Online	Email y tuit (misma pregunta)	2
12/08/2018	5	Online	Email y tuit (misma pregunta)	2
17/08/2018	5	Online	Email (misma pregunta)	1
22/08/2018	5	Online	Email y tuit (misma pregunta)	2
27/08/2018	5	Offline	Paloma muerta en la entrada (con cabeza)	7
27/08/2018	0	Online	Email y tuit (misma pregunta)	3
31/08/2018	4	Online	Email y tuit (misma pregunta)	2
02/09/2018	2	Offline	5 figuras de tiza dibujadas en la entrada (¿personas sin cabeza?)	5
04/09/2018	2	Offline	5 figuras de tiza en la entrada, más cerca de la casa	6
04/09/2018	0	Offline	Paloma muerta en la entrada (decapitada)	8
04/09/2018	0	Online	Email y tuit (misma pregunta) con una posdata: «Recuerda matar siempre dos pájaros de un tiro».	5

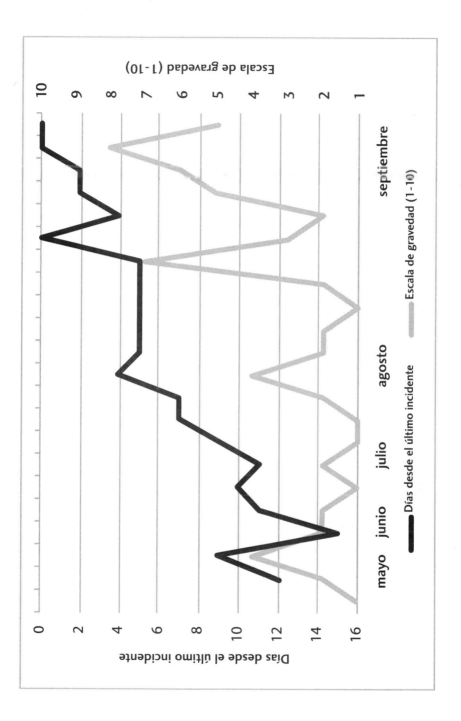

Escala de gravedad (1-10)

Días desde el último incidente

mayo junio julio agosto septiembre

━━ Días desde el último incidente ━━ Escala de gravedad (1-10)

Nueve

Tenía algo pegado en el zapato. Chocaba contra la acera con cada paso, desequilibrándola.

Pip bajó el ritmo, primero al trote, y luego empezó a caminar, hasta que se paró del todo, secándose la frente con la manga. Levantó la pierna para ver qué tenía en la suela. Era un trozo arrugado de cinta americana. El acabado plateado se había ensuciado y ahora era gris oscuro. Pip debía de haber pasado por encima en algún momento de la ruta y se le debía de haber enganchado sin darse cuenta.

Agarró el trozo de cinta con los dedos y lo despegó de la deportiva. Se liberó, dejando una marca blanca de pegamento, que todavía sentía cuando retomó la marcha y empezó a correr otra vez.

—Genial —se dijo, intentando volver a acompasar la respiración. «Inspira, paso, dos, tres, expira, paso, dos, tres.»

Estaba haciendo la ruta más larga, por Lodge Wood. Larga. Rápida. Si se agotaba igual no le hacía falta tomar ninguna pastilla para dormir. Este plan nunca funcionaba, jamás lo había hecho y, probablemente, nunca lo haría, y cada vez se creía menos sus propias mentiras. Las dos últimas noches habían sido las peores en mucho tiempo. La duda la mantenía despierta, la irritante idea de que pudiera haber alguien vigilándola. Alguien que incluso podía estar contando los días hasta su desaparición. «No, basta.» Había salido a correr para apartarse de esos pensamientos. Pip se esforzó aún más, fuera de control, doblando demasiado rápido la esquina.

Y ahí estaba él.

Al otro lado de la carretera. Con la botella de agua azul en la mano.

Max Hastings.

Y, en cuanto lo vio, él la vio a ella. Sus miradas se encontraron, solo los separaba el ancho de la carretera conforme se iban acercando.

Max ralentizó el paso y se apartó el pelo de la cara. ¿Por qué iba más despacio? ¿No debería él también querer que este momento acabara cuanto antes? Pip aceleró aún más. Le dolía el tobillo, y sus pasos desacompasados se convirtieron en música, una percusión caótica que llenaba la calle desconocida, acompañando el aullido agudo del viento entre los árboles. ¿O venía de su cabeza?

Notó una presión en el pecho cuando su corazón se hizo más grande en su jaula, desdoblándose bajo su piel, llenándola de rojo ira hasta que le llegó a los ojos. Lo miró acercarse y, de pronto, todo se puso rojo y la escena ganaba velocidad ante ella. Algo toma el control, la agarra por la muñeca y tira de ella hacia el otro lado de la carretera, guiándola. Y ya no tiene miedo, solo está furiosa. Roja. Y esto está bien, tiene que ser así, lo sabe.

Cruza la carretera en seis zancadas. Él se encuentra a apenas unos metros cuando se para y se queda mirándola.

—¿Qué estás hac...? —empieza a hablar. Ella no le deja terminar.

Pip acorta el espacio entre ellos y golpea a Max con el codo en la cara. Escucha un crac, pero esta vez no son las costillas de Stanley, sino la nariz de Max. El sonido es el mismo, es lo único que sabe. Max se inclina hacia delante y grita con las manos en la cara. Pero todavía no ha terminado. Pip aleja la mano y lo golpea de nuevo, estampándole el puño en la mandíbula marcada. La sangre le resbala entre los dedos y hasta la palma de la mano. Justo donde tiene que estar.

Y todavía no ha terminado. Se acerca un camión. Nunca pasan camiones por esta calle tan pequeña, no caben. Pero este ya casi está aquí, es su oportunidad. Pip agarra a Max, retorciendo la mano entre la tela de la camiseta manchada de sudor. Y, en ese momento, él abre los ojos, aterrado, y los dos lo saben: lo ha vencido. Suena la bocina del camión, pero Max no tiene nada que hacer. Pip lo lanza a la carretera, frente al vehículo, demasiado grande, y explota, llenándola de sangre roja mientras ella se queda ahí de pie, mirando.

Pasó un coche, esta vez en la vida real, y el sonido la devuelve a la tierra. El rojo desaparece de sus ojos y Pip vuelve en sí. Aquí y ahora. Corriendo por esta calle. Max está ahí, al otro lado, y ella, aquí. Pip miró hacia abajo y parpadeó, intentado despojarse de la violencia del interior de su cabeza. Si había algo de lo que asustarse, era de eso.

Miró otra vez a Max mientras recuperaba el ritmo. La botella de agua se balanceaba a su lado. Se acercaba el momento en el que se cruzarían, se solaparían. Seguían corriendo el uno hacia el otro y, entonces, ocurrió. El cruce. La milésima de segundo de coincidencia pasó y siguieron alejándose, dándose la espalda.

Al final de la calle, Pip miró hacia atrás. Max había desaparecido y ella podía respirar un poco mejor sin sus pasos agobiándola.

Estaba empeorando. Era capaz de salirse de sí misma y darse cuenta. Los ataques de pánico, las pastillas, la rabia tan intensa que podría hacer arder el mundo. Se estaba alejando cada vez más de esa vida normal que tan desesperadamente ansiaba recuperar. De Ravi, de su familia, de sus amigos. Pero todo iría bien, porque tenía un plan para conseguirlo. Para arreglarlo todo. Salvar a Anónima, salvarse a sí misma.

No obstante, podía haber un nuevo obstáculo. Se dio cuenta al dar la vuelta al final de Martinsend Way, pasando por la farola rota, su marca habitual para bajar el ritmo y volver andando a casa. Si era verdad que tenía un acosador, fuera quien fuese, e independientemente de lo que quisiera hacerle —solo asustarla, o hacerla desaparecer de verdad—, estaba también en su camino. O a lo mejor era Pip la que se estaba metiendo en el de esa supuesta persona. ¿Cómo lo había llamado Epps? Una espiral de autodestrucción. A lo mejor no había ningún acosador. Tal vez solo fuera ella y un desbordamiento de violencia que llegaba desde aquel lugar oscuro de su cabeza que encontraba el peligro únicamente porque lo estaba buscando.

Y entonces pasó por encima, en la acera entre la casa de los Yardley y de los Williams, la suya aún a lo lejos. Lo vio como una imagen borrosa con el rabillo del ojo, unas líneas blancas y una mancha más grande de tiza, pero tuvo que dar un paso atrás para fijarse en lo que era. Ocupando todo el ancho de la acera, borrado por sus propias deportivas, había cinco palabras muy grandes escritas con tiza:

UNA CHICA MUERTA QUE CAMINA

Pip miró a su alrededor. Estaba sola en la calle y el vecindario estaba muy tranquilo, era la hora de cenar. Se giró para analizar las palabras bajo sus pies. «Una chica muerta que camina.» Acababa de pasar por encima. ¿Iba por ella? No estaba en su entrada, pero sí en su ruta. Sintió algo en el estómago, un instinto. Era un mensaje para ella, lo sabía.

Ella era la chica muerta.

«No, no seas ridícula.» Ni siquiera estaba en su entrada, sino en una calle pública. Podría haberlo escrito cualquiera. Cualquiera. Además, ¿por qué hacía caso a sus instintos? Ponían sangre en sus manos y una pistola en su corazón y peligro en las sombras cuando no había nada. Pero una parte de sí misma sentía que tampoco podía ignorarlo. Estaba dividida en dos. Entre Stanley y Charlie, entre tener un acosador e inventárselo. Pip sacó el teléfono de la funda que llevaba en el brazo, se estiró y sacó una foto de las palabras, con las deportivas plateadas en la parte de abajo del encuadre. Pruebas, por si acaso. No había inmortalizado las figuras de tiza, las ruedas del coche de su padre las había borrado el otro día. Pero ahora tenía una foto, un dato más para la hoja de Excel. Por si acaso. Los datos eran claros y neutrales. Y, si de verdad esto era un mensaje para ella, le daría una puntuación muy alta. Puede que un ocho, o un nueve. Podría considerarse, incluso, una amenaza directa.

Y, con eso, Pip se sintió más cerca de esta persona desconocida, que podía existir o no, y creyó conocerla un poco mejor. Estaban de acuerdo en una cosa: desaparecer significaba morir. Al menos ya habían dejado eso claro.

Delante de ella vio un coche girar hacia su casa. Ravi. Su otra piedra angular. Pip pasó por encima de las palabras escritas en la acera y aceleró el ritmo. Un paso tras otro en dirección a casa. Y no pudo evitar ser lo que esas palabras querían que fuera: una chica muerta que camina. Pero, si se daba prisa, estaría corriendo.

—¡Hola! —La voz de Ravi la encontró cuando giró hacia la entrada, bajándose los auriculares al cuello. Él salió del coche—. Mira quién es: mi novia la deportista. —Sonrió y flexionó el brazo, gritando: «¡Deporte, deporte, deporte!», hasta que ella se puso a su lado—. ¿Estás bien? —le preguntó, pasándole la mano por la cintura—. ¿Una buena carrera?

—Bueno, he visto a Max Hastings, así que... no.

Ravi apretó los dientes.

—¿Te lo has vuelto a encontrar? Supongo que sigue vivo —dijo intentando quitarle hierro al asunto.

—Por poco. —Pip se encogió de hombros con miedo de que Ravi pudiera ver el interior de su cabeza, toda las cosas violentas que giraban sin parar allí dentro.

Pero debería poder verlas; era la persona que mejor la conocía. Y, si la quería, significaba que no era tan mala. ¿Verdad?

—Oye, ¿qué pasa? —dijo.

Mierda. Se había dado cuenta. Pero eso era bueno, se recordó, no debería guardarle secretos. Era su persona. Bueno, excepto los más vergonzantes, los que vivían en su escritorio, en el segundo cajón empezando por abajo.

—He encontrado esto en mi ruta, aquí cerca. —Sacó el teléfono y le enseñó la foto a Ravi—. Alguien ha escrito eso en la acera con tiza.

—«Una chica muerta que camina» —murmuró. Y, al escucharlo en la voz de otra persona, cambió su significado. La hizo verlo de otro modo. Como una prueba de que existía fuera de su cabeza—. ¿Crees que va dirigido a ti? ¿Que está relacionado con las palomas? —preguntó.

—Estaba justo en el sitio en el que normalmente empiezo a andar para enfriarme antes de entrar en casa —respondió ella—. Si hay alguien vigilándome, sabría eso.

Pero ¿por qué la iba a vigilar alguien? Le pareció aún más ridículo cuando lo dijo en voz alta.

Ravi negó con la cabeza.

—Esto no me gusta nada.

—Tranquilo, seguramente no tenga que ver conmigo. Lo siento —dijo Pip—. Me estoy comportando como una loca.

—No, para nada —dijo él con voz grave—. No sabemos seguro si tienes o no un acosador, pero, en mi opinión, esto apunta a que sí. Lo digo en serio. Y sé lo que vas a decir, pero creo que deberías ir a la policía.

—¿Qu...? ¿Y qué van a hacer, Ravi? Nada, como siempre.

—Sentía cómo la rabia aumentaba de nuevo. «No, con él no, contrólate.» Respiró y se la tragó—. Y menos cuando ni siquiera tengo pruebas.

—Si es la misma persona que te manda los emails, la misma que dibujó con tiza las figuras en tu entrada y dejó las palomas, te está amenazando —indicó, abriendo los ojos para que ella supiera que lo decía en serio—. Puede ser peligroso. —Hizo una pausa—. Puede ser Max. —Otra pausa—. O Charlie Green.

No era Charlie. Era imposible que fuera Charlie. Pero Pip sí había pensado en Max; había sido la cara que se le había venido a la cabeza nada más leer esas palabras. ¿Quién si no iba a conocer tan bien su ruta? Y, si Max la odiaba tanto como ella a él, pues...

—Ya lo sé —admitió ella—. Pero a lo mejor no está relacionado y, si lo está, puede que solo sea una broma.

Sus instintos le decían que eso no era verdad. Lo único que quería era eliminar la preocupación de los ojos de Ravi, recuperar su sonrisa. Y no le apetecía volver a la comisaría. Lo que fuera menos eso.

—Supongo que todo depende —opinó Ravi.

—¿De qué?

—De si simplemente encontró los pájaros muertos o... los mató. La diferencia es enorme.

—Ya lo sé.

Pip soltó aire con la esperanza de que Ravi siguiera hablando en voz baja, por si acaso Josh conseguía enterarse de algo. Tenía una nueva sensación ahora que su novio y su instinto estaban en el mismo bando. No quería que esto fuera real. Prefería la otra opción: estar viendo un patrón donde no había ninguno, que su cerebro estuviese demasiado afinado para encontrar el peligro, porque, pronto, todo se arreglaría. Salvar a Anónima para salvarse a sí misma.

—No deberíamos arriesgarnos. —Ravi le acarició la clavícula con el pulgar—. En un par de semanas te vas a la universidad, y creo que todo irá bien y nos olvidaremos de esto. Pero si no es así, si esta persona es peligrosa, no puedes enfrentarte a ella tú sola. Tienes que denunciarlo. Mañana.

—Pero no puedo...

—Eres Pippa Fitz-Amobi. —Ravi sonrió mientras le apartaba un mechón de los ojos—. No hay nada que no puedas hacer. Ni siquiera morderte la lengua y pedirle ayuda al inspector Hawkins.

Pip gruñó, agachó la cabeza y la volvió a subir, haciendo un círculo con el cuello.

—Esa es la actitud —dijo Ravi, dándole golpecitos en la espalda—. Bien hecho. ¿Me enseñas dónde está escrita la frase con tiza? Quiero verla.

—Vale.

Pip se dio la vuelta para guiarlo, alejándose de la casa y tomándolo de la mano, con los dedos encajados en los huecos de sus nudillos. Sujetándolo. Mano a mano: el chico del hoyuelo en la barbilla y una chica muerta que camina.

Nombre del archivo:

 Foto una chica muerta que camina.jpg

Diez

Pip odiaba ese sitio. A medida que se acercaba a la entrada y empezaba a ver la sala de espera de paredes azules, sentía cómo su piel lo rechazaba, se desprendía de sus músculos y le rogaba que retrocediera. Que diera marcha atrás. La voz de su cabeza hacía lo mismo. Era un lugar malo. Un lugar muy muy malo. No debería estar aquí.

Pero se lo había prometido a Ravi, y sus promesas aún significaban algo para ella. Sobre todo las que le hacía a él.

Y por eso estaba en la comisaría de Amersham. El escudo de la Policía del Valle del Támesis la deslumbraba, cubierto por una fina capa de suciedad que había llevado el viento. Las puertas automáticas se abrieron y se tragaron a Pip.

Pasó por las colas obligatorias de detección de metales frente a la recepción. Había un hombre y una mujer sentados al fondo, balanceándose ligeramente, como si la comisaría estuviera en el mar. Evidentemente, estaban borrachos, a las once de la mañana. Pip había tenido que tomarse un Xanax para calmar los nervios, así que ¿quién era ella para juzgarlos?

Entonces se acercó al mostrador y escuchó al hombre borracho susurrar un cariñoso «Que te jodan», repetido inmediatamente por la voz ronca de la mujer. Se lo decían el uno al otro, no a Pip, aunque podía haber sido a ella perfectamente: todo lo que había en el interior de este edificio era hostil. Un mal recuerdo, un «Que te jodan» de las bombillas parpadeantes y de los chirridos del suelo pulido bajo sus pies. Había sonado exactamente igual hacía meses, cuando había venido a pedirle a Hawkins que buscara a Jamie Reynolds para no tener que hacerlo ella. O más bien a rogárselo. Qué diferente habría sido todo si hubiera dicho que sí.

En cuanto llegó al mostrador, Eliza, la agente de detención, salió de la oficina con un imponente:

—¡Ya está bien! —dirigido a los borrachos.

Levantó la mirada y se sobresaltó al ver a Pip. A ella no le extrañó, seguro que tenía unas pintas horribles. La cara de Eliza se suavizó y apareció una sonrisa piadosa mientras se arreglaba el pelo grisáceo.

—Pip, cielo, no te había visto.

—Lo siento —dijo ella en voz baja.

Pero Eliza sí la había visto. Y ahora ella también. No aquí y ahora, en la recepción con la pareja borracha detrás, sino aquella noche, en las profundidades de la comisaría. Eliza tenía esa misma expresión de lástima mientras ayudaba a Pip a despegarse la ropa empapada de sangre. Unas manos enguantadas la iban metiendo en bolsas transparentes. La camiseta. El sujetador. Las manchas rosáceas de la muerte de Stanley cubrían toda la piel de Pip mientras ella estaba allí, de pie, desnuda y temblando, delante de esa mujer. Un momento que las unió para siempre, colgando como un fantasma en las comisuras de la sonrisa de Eliza.

—¿Pip? —La agente había entornado los ojos—. Te he preguntado que en qué puedo ayudarte.

—Ah. —Ella carraspeó—. Vengo a verlo. Otra vez. ¿Está aquí?

Eliza exhaló. ¿O suspiró?

—Sí —dijo—. Voy a buscarlo. Siéntate, por favor. —Le señaló la primera fila de asientos metálicos antes de desaparecer en la oficina.

Pip no se iba a sentar; eso sería rendirse. Este lugar era perverso y no podía permitir que la atrapase.

Tardó menos de lo que esperaba en escucharlo: el fuerte zumbido al abrirse la puerta de atrás, y el inspector Hawkins cruzándola, con unos pantalones vaqueros y una camisa blanca.

—Pip —gritó, aunque no habría hecho falta, ella ya lo estaba siguiendo hasta la peor parte de la comisaría.

La puerta se cerró con pestillo tras ellos.

Hawkins miró hacia atrás con un movimiento de cabeza que bien pudo haber sido un asentimiento. Otra vez ese pasillo, pasada la sala de interrogatorios 1, el mismo camino que había recorrido entonces, tras haberse puesto una muda nueva y sin sangre. Nunca llegó a saber de quién era. Aquella vez también había seguido a Hawkins hacia una estancia pequeña a la derecha, junto a un hombre que no le había dicho su nombre, o que Pip no lo había escuchado. Pero recordó cómo la agarraba Hawkins por la muñeca, para ayudarla a presionar todos los dedos en el tampón de la tinta y luego en cada hueco de la cuadrícula de papel, dejando los dibujos de sus huellas como laberintos sin fin, hechos únicamente para atraparte. «Solo es para descartarte. Para eliminarte.» Eso es lo que había dicho Hawkins entonces. Y lo único que Pip recordaba haber dicho era: «Estoy bien». Era imposible que alguien la creyera.

—¿Pip? —La voz de Hawkins la trajo de vuelta al presente, a este cuerpo mucho más pesado.

El inspector se había parado y sujetaba el picaporte de la sala de interrogatorios 3.

—Gracias —dijo, pasando bajo el arco que formaba su brazo estirado para entrar en la sala.

Allí tampoco pensaba sentarse, por si acaso, pero sí que se quitó la mochila de los hombros y la soltó sobre la mesa.

Hawkins cruzó los brazos y se apoyó en la pared.

—Sabes que te llamaré cuando ocurra, ¿verdad? —dijo este.

—¿El qué? —Pip entornó los ojos.

—Charlie Green —respondió él—. Todavía no tenemos más información sobre su paradero, pero, cuando lo capturemos, te avisaré. No tienes que venir a preguntar.

—No vengo... No vengo por eso.

—¿No? —dijo, elevando el tono en forma de pregunta.

—Es por otra cosa que creo que debería contarle... o más bien denunciarle. —Pip se movió incómoda y se bajó las mangas para cubrirse las muñecas, para no dejar nada expuesto. Allí no.

—¿Quieres denunciar algo? ¿El qué? ¿Qué ha pasado?

Hawkins cambió de expresión. Su cara estaba llena de líneas rectas, desde las cejas levantadas hasta los labios apretados.

—Es... un posible acosador —explicó Pip.

La última palabra se le quedó atravesada en la garganta. Solo se lo estaba imaginando, pero le parecía escuchar el clic resonando por la sala, rebotando en las paredes y en la mesa de metal.

—¿Un acosador? —repitió Hawkins.

No sabía cómo, pero ahora el clic también se había metido en su garganta. Volvió a cambiar de expresión. Otras líneas y otra curva en la boca.

—Eso es —confirmó Pip, haciendo suyo el clic—. Creo.

—De acuerdo. —Hawkins también parecía inseguro. Se pasó una mano por el pelo gris para ganar algo de tiempo—. Bueno, para que podamos investigarlo, tiene que haberse producido...

—Un patrón de dos o más comportamientos —lo interrumpió ella—. Lo sé. He hecho mis propias investigaciones. Y se han producido más de dos, de hecho. Tanto online como... en la vida real.

Hawkins tosió con una mano sobre la boca. Se apartó de

la pared y cruzó la sala deslizando los zapatos sobre el suelo, que siseaban como si tuvieran un mensaje secreto solo para Pip. Se apoyó sobre la mesa metálica y cruzó las piernas.

—Está bien. ¿Cuáles han sido los incidentes? —preguntó.

—Aquí están —expuso ella cogiendo su mochila. Hawkins la miraba atentamente mientras la abría y revolvía en el interior. Apartó los auriculares y sacó unos folios doblados—. He hecho una hoja de Excel con todos los posibles incidentes. Y una gráfica. Ah, y también hay una foto —añadió, abriendo los documentos y entregándoselos a Hawkins.

Ahora le tocaba a ella observarlo, estudiar sus ojos mientras pasaban sobre la hoja de Excel, de arriba abajo y arriba otra vez.

—Aquí hay mucha información —comentó, más para sí mismo que para ella.

—Sí.

—«¿Quién te buscará cuando seas tú la que desaparezca?» —Hawkins leyó en voz alta la pregunta, y a Pip se le erizaron los pelos de la nunca al escucharla con su voz—. Empezó online, ¿no?

—Sí —confirmó ella, señalando la parte de arriba de la página—. Empezó con esa pregunta online, y con bastante frecuencia. Y luego, como puede ver, los incidentes se han ido produciendo con más regularidad, hasta que han sucedido también fuera de internet. Y, si están relacionados, la intensidad va en aumento: primero las flores en mi coche, y ha ido progresando hasta las...

—... palomas muertas. —Hawkins terminó la frase por ella, pasando el dedo por la gráfica.

—Exacto. Dos —puntualizó Pip.

—¿Qué es esto de «escala de gravedad»? —Levantó la mirada del papel.

—Es una puntuación de lo grave que es cada posible incidente —respondió ella.

—Sí, eso lo he entendido. Pero ¿de dónde lo has sacado?

—Me lo he inventado —dijo Pip. Notaba cómo le pesaban los pies, como si se hundiera en el suelo—. He estado investigando y no hay demasiada información oficial sobre acoso, ya que no se considera una prioridad policiaca a pesar de ser un puente a crímenes más violentos. Necesitaba un método para catalogar los posibles incidentes para ver si había progresión de la amenaza y de la violencia implícita. Así que me lo inventé. Le puedo explicar cómo lo hice. Hay tres puntos de diferencia entre los comportamientos online y los offline, y...

Hawkins le hizo un gesto con la mano para interrumpirla, agitando las hojas en el aire.

—Pero ¿cómo sabes si están relacionados? —preguntó—. ¿Estás segura de que se trata de la misma persona?

—Está claro que no lo sé con certeza, pero lo que me hizo planteármelo fue el mensaje de «Matar siempre dos pájaros de un tiro» el día que dejaron en la entrada de mi casa la segunda paloma muerta. Sin cabeza —añadió.

Hawkins emitió un sonido gutural, un clic nuevo, diferente.

—Es una expresión muy común —observó.

—Pero ¿y las dos palomas muertas? —objetó Pip enderezándose.

Ya sabía hacia dónde iba todo esto, desde el principio había tenido claro que allí era adonde se dirigía. La mirada de Hawkins contra la suya. Él no estaba seguro, ella tampoco, pero Pip pudo sentir que algo cambiaba en su interior, el calor empezaba a correr bajo su piel, comenzando en el cuello y bajando por cada vértebra, una a una.

Hawkins suspiró e intentó sonreír.

—Tengo un gato, ¿sabes? Y, a veces, llego a casa y me encuentro dos bichos muertos en un solo día. A menudo decapitados. La semana pasada me dejó uno en la cama.

Pip se puso a la defensiva y apretó los puños tras la espalda.

—Nosotros no tenemos gato —argumentó con la voz más firme, afilándola en los extremos, preparándola para hacerle un corte con ella.

—No, pero seguramente alguno de vuestros vecinos sí. No puedo abrir una investigación por dos palomas muertas.

¿Acaso se equivocaba? Eso es exactamente lo mismo que había pensado ella en un primer momento.

—¿Y las figuras de tiza? Dos veces ya, cada vez más cerca de la casa.

Hawkins estudió las hojas de nuevo.

—¿Tienes una foto? —Hawkins la miró.

—No.

—¿Por qué no?

—Desaparecieron antes de que pudiera hacérsela.

—¿Cómo que desaparecieron? —Hawkins entornó los ojos.

Y lo peor de todo era que ella sabía exactamente la impresión que daba todo esto. Lo desquiciado que debía de parecer. Pero también era lo que ella habría querido, en lugar de pensar que estaba rota y que veía el peligro donde no lo había. Y, aun así, en su cabeza se había desencadenado un incendio que le alumbraba los ojos.

—Lo limpiaron antes de poder fotografiarlo —respondió—. Pero sí que tengo una foto de algo que podría ser una amenaza directa. —Pip controló la voz—. Lo escribieron en la acera, en mi ruta de correr. «Una chica muerta que camina.»

—A ver, entiendo tu preocupación —Hawkins pasó las páginas—, pero el mensaje no lo dejaron en tu casa, sino en una vía pública. No puedes saber si iba dirigido a ti.

Eso es justo lo que se había dicho Pip cuando lo había visto. Pero no es lo mismo que pensaba ahora.

—La cuestión es que sí lo sé. Tengo la certeza de que lo escribieron para mí

Antes no estaba segura, pero escuchar a Hawkins decir lo mismo que ella se había planteado la empujó hacia el otro lado, poniéndola de parte de su instinto. Ahora tenía claro que todas esas cosas estaban relacionadas. Que existía el acosador y, mucho más que eso, que esa persona pretendía hacerle daño. Era algo personal. Era alguien que la odiaba, alguien cercano.

—Y, por supuesto, todos estos mensajes de los troles son muy desafortunados —dijo Hawkins—. Pero esto es lo que pasa cuando te conviertes en una figura pública.

—¿Cómo dice? —Pip dio un paso atrás para mantener el fuego alejado de Hawkins—. No me he convertido en una figura pública por gusto, Hawkins, sino porque tuve que hacer su trabajo. Si por usted fuera, Sal Singh seguiría siendo el culpable del asesinato de Andie Bell. Por eso están así las cosas. Y es evidente que esta persona no es simplemente alguien que ha escuchado el podcast, un trol de internet. Está cerca. Sabe dónde vivo. Esto es mucho más grave.

Lo era, vaya si lo era.

—Entiendo que es lo que crees —suspiró Hawkins levantando las manos, intentando calmarla—. Y debe de dar mucho miedo ser una personalidad de internet y que haya desconocidos que se crean con el derecho a enviarte mensajes dañinos, pero ¿no era de esperar, hasta cierto punto? Además, sé que no eres la única que ha recibido amenazas de este tipo a causa de tu podcast. Jason Bell los sufrió después de que lanzaras la primera temporada. Me lo dijo de forma extraoficial; jugamos al tenis de vez en cuando —explicó—. En fin, lo siento mucho, pero no veo una conexión clara entre los mensajes online y estos otros «incidentes» —pronunció la última palabra de forma diferente, arrastrándola demasiado.

No la creía. Después de todo, Hawkins dudaba de ella. Pip sabía que era lo que iba a pasar, se lo había dicho a Ravi, pero, después de haberse enfrentado a esa realidad, no se podía creer que no la creyera ahora que ella sí se creía. Y el calor bajo su piel se convirtió en otra cosa: en el frío y pesado golpe de la traición.

El inspector dejó los papeles sobre la mesa.

—Pip —dijo con una voz más suave, amable, como si estuviera hablando con una niña perdida—. Creo que, después de todo lo que has pasado y... De verdad que lamento mucho el papel que tuve en todo eso, que tuvieras que encargarte sola de aquel asunto. Sospecho que es probable que estés viendo un patrón que no existe, y es algo totalmente comprensible que, después de todo, huelas el peligro en cada esquina, pero...

Ella había pensado lo mismo hacía no mucho y, aun así, estas palabras eran como un puñetazo en el estómago. ¿Por qué se había permitido albergar una mínima esperanza de que esto iría de otra forma? Qué estúpida había sido.

—Cree que me lo estoy inventando —soltó. No era una pregunta.

—No, no, no —se apresuró a aclarar él—. Pienso que estás lidiando con demasiadas cosas y que aún estás procesando el trauma que sufriste, y puede que eso esté afectando a la forma en la que ves este asunto. ¿Sabes? —Hizo una pausa. Se pellizcó la piel de los nudillos—. La primera vez que vi morir a una persona, estuve mal mucho tiempo. Fue un apuñalamiento, una chica joven. Ese tipo de cosas se te quedan grabadas. —Le brillaban los ojos cuando levantó la cabeza para mirar a Pip—. ¿Estás recibiendo ayuda? ¿Lo hablas con alguien?

—Con usted, ahora mismo —dijo Pip levantando la voz—. Estaba pidiéndole ayuda. Fallo mío, debí haberlo sabido. No hace mucho que estábamos en una habitación como esta y yo le suplicaba que encontrase a Jamie Rey nolds. En aquel momento también se negó, y mire dónde nos ha llevado.

—No estoy diciendo que no —aseguró Hawkins con una pequeña tos—. Y estoy intentando ayudarte, Pip. De verdad que sí. Pero un par de palomas muertas y un mensaje escrito en la vía pública... No puedo hacer gran cosa con eso, tienes que entenderlo. Por supuesto, si crees que sabes quién puede andar detrás de los incidentes, podemos plantearnos investigar...

—No sé quién es el acosador, por eso estoy aquí.

—Está bien, está bien —dijo, bajando el volumen hasta quedar casi en silencio, como si estuviera intentando enganchar la voz de Pip y bajarla también—. ¿Hay alguien a quien conozcas que pudiera ser el responsable de algo así? Cualquiera que pueda tener algún resentimiento contra ti o...

—¿Se refiere a una lista de enemigos? —Pip resopló.

—No. Te lo repito, no veo nada que indique que estos eventos estén relacionados, ni que haya alguien que vaya a por ti específicamente, ni que pretenda hacerte daño. Pero si se te ocurre algún conocido que pueda estar haciendo algo así para gastarte una broma, desde luego podría plantearme tener una conversación con ella.

—Fantástico. —Pip se rio—. Me alegro de que se lo plantee. —Dio una palmada y Hawkins se estremeció—. ¿Sabe? Precisamente por esto es por lo que el cincuenta por ciento de los crímenes de acoso no se denuncian, por la conversación que acabamos de mantener. Enhorabuena, una vez más, por un trabajo policial excelente.

Dio un paso hacia delante para recoger los papeles de la mesa, que rasgaron el aire entre los dos, cortando la estancia en dos partes: la suya y la de él.

Sí que tenía un acosador. Y ahora que lo había pensado detenidamente, puede que fuera esto lo que necesitaba. No a Anónima, sino esto. Un caso más, el adecuado. Y se le acaba-

94

ba de ofrecer la oportunidad. Quizá, por una vez, el universo se hubiera alineado a su favor. Este acosador podría ser el definitivo. Un caso sin esa agobiante zona gris, uno con un bien y un mal bien definidos. Había alguien que la odiaba, que quería hacerle daño, y eso lo convertía en malo. En el otro lado estaba ella, y tal vez no fuera completamente buena, pero no podía ser completamente mala. Dos lados opuestos, con toda la claridad que ella esperaba. Y, esta vez, ella era el sujeto. Si las cosas volvían a salir mal, no habría daños colaterales, no habría sangre en sus manos. Solo la suya. Pero, si salía bien, quizá esto fuera lo que la arreglara.

No podía hacerle daño intentarlo.

Pip sintió un poco más de espacio en el pecho a medida que este se iba relajando alrededor del corazón, y una sensación de determinación en el estómago. Le dio la bienvenida de nuevo, como a una vieja amiga.

—Pip, no seas así... —dijo Hawkins con mucho cuidado y demasiada suavidad.

—Seré como sea —soltó ella, metiendo los papeles de nuevo en la mochila, y cerrando con rabia la cremallera—. Y a usted —se paró para limpiarse la nariz con la manga, con la respiración entrecortada— también tengo que darle las gracias por eso. —Se colocó la mochila sobre el hombro y se paró frente a la puerta de la sala de interrogatorios 3—. ¿Sabe? —añadió con la mano sobre el picaporte—. Charlie Green me enseñó una de las lecciones más importantes que he aprendido en mi vida. Me dijo que, a veces, la justicia se encuentra fuera de la ley. Y tenía razón. —Miró a Hawkins, que tenía los brazos cruzados sobre el pecho, como para protegerse de los ojos de Pip—. Pero, en realidad, creo que va más allá. A lo mejor la justicia únicamente se encuentre fuera de la ley, fuera de comisarías como esta y de gente como usted, que dice que te entiende, pero nunca es verdad.

Hawkins descruzó los brazos y abrió la boca para responder, pero Pip no se lo permitió.

—Charlie Green tenía razón —concluyó—, y espero que nunca lo encuentren.

—Pip. —La voz de Hawkins comandaba fuerza, un borde afilado incitado por ella—. Eso no va a ayud...

—Ah —lo interrumpió, apretando tan fuerte el picaporte que podría haber doblado el metal y dejado sus huellas marcadas para siempre—, hágame un favor: si desaparezco, no me busque. Ni se moleste.

—Pi...

Pero la puerta cerrándose de golpe tras ella cortó el final de su nombre, llenando el pasillo con el sonido de antiguos disparos. Seis, excavando en su piel y sus costillas, y rebotando en su pecho, exactamente donde deberían estar.

Se unió un nuevo sonido entre el eco de la pistola. Pasos. Alguien caminando por el pasillo hacia ella, con un uniforme oscuro y el pelo largo y castaño peinado hacia atrás, y que abrió mucho los ojos cuando la vio.

—¿Estás bien? —le preguntó Dan da Silva cuando ella pasó a toda velocidad por su lado.

Pip apenas se fijó en su mirada de preocupación antes de seguir caminando. No tenía tiempo de responder, ni de pararse, ni de asentir cuando era evidente que no lo estaba.

Solo necesitaba salir de allí. Escapar de las entrañas de esa comisaría donde la pistola había decidido perseguirla por primera vez hasta su casa. De ese mismo pasillo por el que había caminado en dirección contraria, cargando con la sangre de un hombre al que no había podido salvar. Aquí no había ayuda para ella, volvía a estar sola. Pero ahora se tenía a sí misma, y a Ravi. Solo debía salir de ese lugar tan malo y no volver nunca más.

Nombre del archivo:
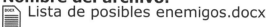 Lista de posibles enemigos.docx

- **Max Hastings**: Es el que más motivos tiene para odiarme. Sospechoso número uno. Es peligroso, todos lo sabemos. No sabía que podía llegar a detestar tanto a una persona como a él. Pero, si es Max y está planeando derribarme, YO LO DERRIBARÉ PRIMERO.

- **Padres de Max**: ¿?

- **Ant Lowe**: Sin duda, me odia. Solo intenté hablar con él una vez desde que me expulsaron por empujarlo contra las taquillas. Siempre era el bromista del grupo, incluso cuando se pasaba de la raya. ¿Podría ser él? ¿La venganza por haberle pegado? Aunque el primer mensaje de «¿Quién te buscará...?» me llegó antes de que todo se fuera de madre.

- **Lauren Gibson**: Mismo motivo que el anterior. Desde luego, es lo bastante mezquina como para hacer algo así, sobre todo si se lo hubiera sugerido Ant. Sin embargo, los pájaros muertos no son su estilo. Connor, Cara y Zach no se hablan con ninguno de los dos, y ella me culpa de eso. Que su puto novio no me hubiera llamado mentirosa. Se siente. Mentirosa mentirosa mentirosa men totosa me ti r a.

- **Tom Nowak**: El exnovio de Lauren. Me dio información falsa sobre Jamie Reynolds solo para salir en el podcast. Me utilizó y yo caí. Como consecuencia, lo humillé delante de todo el instituto, y en internet. Borró sus redes sociales después de que se estrenara la temporada dos. Tiene motivos para odiarme. Sigue en el pueblo; Cara lo ha visto en la cafetería.

- **Daniel da Silva**: Aunque Nat y yo ahora somos íntimas amigas, su hermano ha sido sospechoso dos veces, tanto en el caso de Andie como en el de Jamie. Admití esto públicamente en el podcast, así que está claro que lo sabe. Puede que yo sea la responsable de algún que otro problema entre su mujer y él al revelar que hablaba con «Layla».

- **Leslie, de la tienda de la esquina**: Ni siquiera sé su apellido, pero me tiene tirria después del incidente con Ravi. Y ella era una de las manifestantes en el funeral de Stanley. Le grité. ¿Por qué estaban allí? ¿Por qué no podían dejarlo en paz?

- **Mary Scyhe**: Otra manifestante. Amiga de Stanley, también voluntaria en el Correo de Kilton. Dijo que este era «nuestro pueblo» y que él no debería estar enterrado aquí. A lo mejor a mí también me quiere ver fuera de «su pueblo».

- **Jason Bell**: Averigüé la verdad de lo que le pasó a Andie, pero descubrir que su hija pequeña, Becca, había estado involucrada desde el principio solo causó más dolor a la familia Bell. Además, atrajo a un montón de prensa y medios de comunicación años después de la muerte de Andie. Jason y el inspector Hawkins juegan al tenis, por lo visto, y él se ha quejado del acoso que han sufrido a causa del podcast, por mi culpa. El segundo matrimonio de Jason se rompió, ¿también fue por mi culpa? Ahora ha vuelto a vivir con la madre de Andie, Dawn, en la casa en la que murió la chica.

- **Dawn Bell**: El mismo razonamiento que el anterior. A lo mejor no quería que Jason volviera a casa. Mi investigación reveló que él no es buena persona, sino un hombre controlador y maltratador psicológico. Becca no habla de él. ¿Me culpará Dawn por que haya vuelto a su vida? ¿Lo provoqué yo? No era mi intención.

- **Charlie Green**: No es él. Sé que no es él. Nunca tuvo intención de hacerme daño. Provocó aquel incendio porque quería asegurarse de que Stanley moría. Lo tengo claro. Charlie no querría herirme: me cuidó, me ayudó, aunque solo fuera por su propio beneficio. Pero la mitad objetiva de mi cerebro sabe que tiene que estar en la lista porque yo soy el único testigo del asesinato en primer grado que cometió, y sigue siendo un fugitivo en búsqueda y captura. Sin mi testimonio, ¿un jurado lo declararía culpable? La lógica dice que tiene que figurar. Pero no es él. Lo sé.

- **Inspector Richard Hawkins:** Que lo jodan.

¿Es normal que una persona tenga tantos enemigos? El problema soy yo, ¿verdad?

¿Cómo es posible que haya llegado tan lejos?

Entiendo por qué todos me odian.

Puede que yo también me odie.

Once

Polvo de tiza sobre sus dedos, arenoso y seco. Pero no era verdad, porque estaba despierta, con los ojos bien abiertos sacándola del sueño. Sentía los ojos arenosos y secos, pero los dedos los tenía limpios. Se sentó.

Su habitación aún estaba a oscuras.

¿Seguía dormida?

Debía de haberlo estado, ¿cómo iba a haber soñado, si no?

Todo estaba en silencio, tamborileando alrededor de su cabeza, como si lo hubiera vivido tan solo unos instantes antes. Pero no lo había vivido, se lo había imaginado, ¿verdad?

Le había parecido muy real. El peso en las manos ahuecadas. Aún caliente, contrarrestando el frío de la oscuridad de la noche. Las plumas eran tan suaves, tan lisas al tacto de sus dedos... Pip le habría mirado a los ojos... si hubiera tenido cabeza. En aquel momento no le había parecido extraño. Así era como debía ser, mientras llevaba a la pequeña paloma muerta al otro lado de la entrada. Tan suave que casi no quería soltarla. Pero tenía que hacerlo. Posó al pájaro sin vida en el camino enladrillado, con el espacio en el que debía haber estado la cabeza apuntando hacia la ventana de su habitación. Mirando entre la rendija de las cortinas a Pip durmiendo en su cama. Tanto aquí como allí.

Pero no había acabado allí. Había más cosas que hacer antes de descansar. Otra tarea. Ya había tenido las manos manchadas de tiza, ni la mitad de agradable que la paloma muerta. ¿De dónde había salido? Pip no lo sabía, pero sí tenía claro lo que debía hacer al respecto. Dio unos pasos atrás y recordó dónde habían aparecido las últimas marcas. Luego dio tres pasos al frente, hacia la casa, para encontrar el nuevo lugar.

Con las rodillas en el suelo, las manos llenas de tiza, los dedos rojos, en carne viva mientras los arrastraba por las líneas de los ladrillos. Piernas hacia abajo. Cuerpo hacia arriba. Los brazos hacia los lados. Sin cabeza. Continuó hasta que hubo cinco figuras, bailando juntas, abriéndose camino despacio hacia la Pip durmiente para pedirle que se uniese a ellas.

¿Iría con ellas? No lo sabía, pero había terminado y la tiza se había caído de sus manos con un pequeño ruido. Tenía los dedos llenos de polvo, arenoso y seco.

Y entonces Pip salió de sus sueños, se inspeccionó los dedos para saber qué era real y qué no. El corazón le latía al ritmo de un aleteo, liquidando lo que quedaba de ella. Ya no se volvería a dormir.

Miró la hora. Eran las 4.32. Debería intentar dormir algo, solo hacía dos horas que se había acostado. El tiempo era siempre cruel a esas horas de la madrugada. No sería capaz de hacerlo sin ayuda.

Pip miró a través de la oscuridad al cajón de su escritorio. No tenía sentido resistirse. Se retiró el edredón, y sintió el aire frío lleno de mandíbulas que le mordían la piel expuesta. Revolvió en el cajón, levantó el falso fondo y buscó con los dedos la pequeña bolsa de plástico. No quedaban demasiadas. Tendría que enviarle un mensaje a Luke Eaton dentro de poco, pedirle más. Los teléfonos de prepago ya estaban listos.

¿Qué pasaba con aquello de que era la última vez?

Pip se tragó la pastilla y se mordió el labio. Los últimos

meses habían estado llenos de últimas veces y de «solo una más». No eran mentiras, lo decía de verdad en su momento. Pero siempre terminaba perdiendo.

No importaba, pronto dejaría de importar. Porque tenía el plan, uno nuevo, y, después, no volvería a perder nunca más. Todo volvería a la normalidad. La vida le había dado exactamente lo que necesitaba. Las figuras de tiza, las palomas muertas, y la persona que las había dejado ahí. Era un regalo, y debía recordar eso para demostrar que Hawkins se equivocaba. Un último caso que había aterrizado justo en la puerta de su casa. Ella contra esa persona. Ni Andie Bell, ni Sal Singh, ni Elliot Ward ni Becca Bell, ni Jamie Reynolds, ni Charlie Green, ni Stanley Forbes. Ni la mujer desconocida. El juego había cambiado.

Ella contra esa persona.

Salvarse para salvarse.

Doce

Había algo emocionante en mirar a alguien que desconocía tu presencia. Invisible a sus ojos. Desaparecida.

Ravi estaba subiendo por el camino hacia su casa, y Pip, asomada a la ventana de su habitación, donde se había pasado horas. Observando. Tenía las manos metidas en los bolsillos de la chaqueta, el pelo mañanero alborotado y hacía un movimiento extraño con la boca, como si estuviera mascando el aire. O cantando. Nunca lo había visto hacer eso, al menos delante de ella. Era un Ravi diferente, uno que pensaba que estaba solo, que nadie lo veía. Pip lo analizó a él y a todas las sutiles diferencias con el que era cuando estaba con ella. Sonrió para sí misma y pensó qué estaría cantando. Igual podía querer a este Ravi tanto como al otro, pero echaría de menos los ojos con los que la miraba.

Y entonces el momento se rompió. Pip escuchó su forma de llamar a la puerta, largo-corto-largo, pero no se podía mover. Tenía que vigilar la entrada. Su padre estaba en casa, él le dejaría pasar. Además, a Victor le gustaba tener algún que otro momento a solas con el chico. Seguro que haría algún tipo de broma inapropiada, seguida de una conversación sobre fútbol o sobre las prácticas de abogacía, y terminaría con una palmadita de afecto en la espalda. Todo esto mientras Ravi se quitaba los zapatos y los dejaba perfectamente alineados junto a la puerta, metiendo dentro los cordones y riéndose con la risa especial que reservaba para el padre de

Pip. Eso era lo que ella quería: volver a vivir esos pequeños momentos de normalidad. El ambiente cambiaría si ella estuviera presente.

Pip parpadeó. Le lloraban los ojos de mirar fijamente ese lugar concreto de la entrada durante demasiado tiempo con el sol brillando a través de la ventana. No podía apartar la vista o se lo perdería.

Escuchó los pasos de Ravi por la escalera, el crujido de sus rodillas, y se le aceleró el corazón. Pero un latido acelerado en plan bien, no como cuando hay un gatillo fácil. «No, no pienses en eso ahora.» ¿Por qué tenía que fastidiar todos los momentos agradables?

—Hola, Sargentita —la saludó, mientras crujía la puerta al abrirse—. El agente Ravi reportándose para las labores de novio.

—Hola, agente Ravi —dijo Pip, empañando el cristal con el aliento.

Había vuelto a sonreír. Se había estado resistiendo hasta que por fin se rindió.

—Así que esas tenemos —se quejó él—. Ni una mirada rápida hacia atrás, ni siquiera con desdén. Ni un abrazo, ni un beso. Ni un «Oh, Ravi, amor mío, estás increíblemente guapo hoy y hueles a sueño de primavera». Oh, Pip, amor mío, te has dado cuenta, qué linda. Es un desodorante nuevo. —Una pausa—. No, ahora en serio, ¿qué estás haciendo? ¿Me oyes? ¿Soy un fantasma? ¿Pip?

—Lo siento —dijo ella con la mirada fija al frente—. Solo estoy... vigilando la entrada.

—¿Que estás haciendo qué?

—Vigilando la entrada —repitió ella.

Su propio reflejo le bloqueó la visión.

Sintió un peso a su lado en la cama, y la gravedad la empujó hacia él cuando Ravi se puso de rodillas en el otro extremo del colchón, con los codos en el alféizar y la mirada en el cristal, como Pip.

—¿Y qué es lo que vigilas exactamente? —preguntó.

Pip lo miró fugazmente, a él, a la luz del sol iluminando sus ojos.

—A... los pájaros. A las palomas —respondió—. He puesto migas de pan en la entrada, en el mismo sitio donde encontré a las palomas muertas. Y también unos trocitos de jamón en el césped a ambos lados del camino.

—Entiendo —dijo Ravi despacio, confundido—. Y ¿por qué has hecho eso?

Pip le dio un codazo. ¿No era evidente?

—Porque —comenzó ella, enfatizando demasiado la palabra— estoy intentando demostrar que Hawkins se equivoca. No puede ser el gato de los vecinos. Y he dejado el cebo perfecto para demostrarlo. A los gatos les gusta el jamón, ¿verdad? Está equivocado. No estoy loca.

La luz que entraba por la rendija de las cortinas la había despertado más temprano de lo que había planeado y la había sacado del atontamiento de la pastilla. Ese experimento le había parecido una buena idea entonces, después de haber dormido tres horas. Aunque ahora, al comprobarlo en los ojos dudosos de Ravi, no estaba tan segura. Había vuelto a perderse de nuevo.

Sentía su mirada como un calor sobre la mejilla. No, ¿qué estaba haciendo? Él también debería estar vigilando a los pájaros, ayudándola.

—Oye —dijo en voz baja, casi susurrando.

Pero Pip no escuchó lo que dijo después, porque había una forma oscura en el cielo y una sombra alada cada vez más grande sobre el camino. La pilló justo cuando aterrizó sobre las dos patas y saltó hacia las migas de pan.

No dijo. No era una paloma—. Maldita urraca.

Miró cómo se metía un pequeño trozo de pan en el pico, y luego otro.

—Para la tristeza —comentó Ravi.

—Ya tenemos demasiado de eso en Little Kilton —respondió Pip mientras el pájaro se comía otro trozo de pan—. ¡Oye! —gritó de pronto. A ella también la pilló por sorpresa, golpeando el cristal con el puño—. ¡Eh! ¡Largo de ahí! ¡Lo estás estropeando todo! —Golpeó tan fuerte el cristal con los nudillos que no sabía qué se rompería antes—. ¡Lárgate!

La urraca dio un salto y salió volando.

—Oye, oye, oye —dijo Ravi rápidamente, agarrándole las manos con fuerza para apartárselas de la ventana—. Eh, mírame —insistió, negando con la cabeza. Tenía la voz firme, y le acarició suavemente la muñeca con el pulgar.

—Ravi, no veo la ventana, los pájaros —dijo ella doblando el cuello, intentando apartar la vista de él.

—No tienes que mirar nada fuera. —Le puso un dedo bajo la barbilla y le redirigió la cabeza—. Mírame, por favor. Pip. —Suspiró—. Esto no es bueno. De verdad que no.

—Solo estoy intentando...

—Sé lo que vas a decir, y lo entiendo.

—No me ha creído —susurró ella—. Hawkins no me ha creído. Nadie me cree.

A veces, ni siquiera ella misma lo hacía. Una nueva oleada de dudas después del sueño de anoche, otra vez preguntándose si era posible que se estuviese haciendo esto a sí misma.

—Oye, no digas eso. —Ravi le agarró aún más fuerte las manos—. Yo sí te creo. Siempre, pase lo que pase. Es mi deber, ¿de acuerdo? —Le sostuvo la mirada, cosa que le vino muy bien, porque, de pronto, la de ella estaba húmeda y pesada, demasiado como para mantenerla sola—. Somos tú y yo. Equipo Ravi y Pip. No tienes que intentar demostrar nada. Confía en tu instinto.

Ella se encogió de hombros.

—Y Hawkins es un idiota, sinceramente —añadió Ravi con una pequeña sonrisa—. Si todavía no se ha dado cuenta de que, aunque resulte insoportable, siempre tienes razón, no lo hará nunca.

—Nunca —repitió Pip.

—Todo va a ir bien —concluyó él, dibujando con sus dedos las líneas de los valles entre los nudillos de Pip—. Te lo prometo. —Hizo una pausa y se quedó mirando sus ojeras, que eran demasiado pronunciadas—. ¿Has dormido bien esta noche?

—Sí —mintió ella.

—Ya. —Ravi dio una palmada—. Creo que tienes que salir de casa. Vamos. Arriba, arriba. Ponte los calcetines.

—¿Por qué? —preguntó ella hundiéndose en la cama cuando se levantó Ravi.

—Nos vamos a dar un paseo. «¡Qué idea más maravillosa, Ravi! Qué listo y guapo eres.» Ah, Pip, ya lo sé, pero intenta mantener la compostura, que tu padre está abajo.

Ella le lanzó un cojín.

—¡Venga! —Ravi la agarró por los tobillos y la arrastró fuera de la cama, riéndose mientras Pip y el edredón terminaban en el suelo—. Vamos, Spice Girl Deportista, ponte las deportivas, puedes correr en círculos a mi alrededor, si quieres.

—Siempre hago lo que quiero —puntualizó Pip mientras metía los pies en un par de calcetines desparejados.

—Eso ha dolido, Sargentita. —Le dio una palmadita en la espalda mientras ella se levantaba—. Vámonos.

Había funcionado. No sabía qué era lo que Ravi estaba haciendo, pero había funcionado. Pip no pensó en desaparecer, ni en pájaros muertos, ni en líneas de tiza, ni en el inspector Hawkins. Ni al bajar por la escalera, ni cuando su padre los detuvo para preguntarle qué había pasado con el jamón extrafino, ni siquiera cuando salieron a la entrada, Ravi con la mano enganchada en los vaqueros de Pip. No había palomas, ni tiza, ni seis disparos disfrazados con el latido de su corazón. Solo ellos dos. Equipo Ravi y Pip. Ningún pensamiento más allá de las primeras tonterías que le vinieron a la cabeza. Sin profundidad, sin oscuridad. Él era una valla en su cabeza que lo mantenía todo atrás.

Vieron un árbol con cara enfadada y ella insistió en que se parecía a Ravi por las mañanas.

Planearon cuándo iría a Cambridge a visitarla por primera vez. ¿El sábado después de la semana de bienvenida? ¿Estaba nerviosa por irse? ¿Qué libros le quedaban por comprar?

Caminaron por el sendero serpenteante del bosque. Ravi iba recreando la primera vez que pasaron juntos entre esos mismos árboles, imitando a Pip con voz de pito contándole sus teorías iniciales acerca del caso de Andie Bell. Ella se rio. Se acordaba prácticamente de todo lo que había dicho. *Barney* había ido con ellos en el primer paseo que habían dado juntos, como un *flash* dorado que los guiaba entre los árboles. Movía la cola porque Ravi lo había engañado con un palo. Pensándolo ahora, puede que ese hubiera sido el momento en el que Pip lo supo. ¿Había sido un nudo en el estómago, o esa sensación de embriaguez en la cabeza? Puede que incluso hubiese sido ese brillo bajo su piel. En aquel momento no se había dado cuenta, no había sabido lo que era, pero es posible que alguna parte de su cuerpo ya hubiera decidido que iba a quererlo. En aquel momento. En una conversación sobre un hermano muerto y una chica asesinada. Al final, todo se reducía a la muerte. Ya estaba. Ya lo había fastidiado. La valla se había derrumbado.

La atención de Pip volvió cuando un perro del aquí y del

ahora corrió hacia ellos, ladrando mientras saltaba para poner las pezuñas sobre sus piernas. Un *beagle*. Lo reconoció, igual que el perro a ella.

—Mierda —murmuró Pip, apartando al animal cuando otro ruido los alcanzó: una pareja de pasos sobre las primeras hojas caídas. Y dos voces que conocía.

Pip se paró mientras pasaban entre unos árboles y por fin estuvieron a la vista.

Ant-y-Lauren, cogidos del brazo. A ambos se les abrieron los ojos a la vez cuando se dieron cuenta de a quién habían visto.

Pip no se lo imaginó. Lauren ahogó un grito de verdad, y empezó a toser para disimularlo. Ellos también se pararon. Ant y Lauren allí, Pip y Ravi aquí.

—¡*Rufus*! —gritó Lauren. Su voz hizo eco entre los árboles—. ¡*Rufus*, ven aquí! ¡Apártate de ella!

El perro se dio la vuelta e inclinó la cabeza.

—No voy a hacerle daño a tu perro, Lauren —dijo Pip nivelando el tono de voz.

—Contigo nunca se sabe —soltó Ant, metiéndose las manos en los bolsillos.

—Venga ya. —Pip resopló.

Una parte de ella se moría por volver a acariciar a *Rufus*, solo para molestar a Lauren. «Venga, hazlo.»

Pero parecía como si Lauren le hubiera leído la mente y hubiera visto el destello en sus ojos. Volvió a gritarle al perro hasta que fue dando botes hasta ella.

—¡No! —Lauren le estaba hablando ahora a él, mientras le daba con el dedo en la nariz—. ¡No puedes ir con desconocidos!

—Qué ridícula —se burló Pip con una risa profunda, intercambiando una mirada con Ravi.

—¿Qué has dicho? —atacó Ant, poniéndose recto.

No tenía sentido, porque Pip seguía siendo más alta que él; podía con él. Ya lo había hecho una vez, y ahora era aún más fuerte.

—He dicho que tu novia es ridícula. ¿Lo repito una tercera vez?

Pip notaba el brazo de Ravi tensándose contra el suyo. Odiaba las confrontaciones y, aun así, sabía que iría a la guerra por ella si se lo pidiese. No obstante, ahora mismo no lo necesitaba, ella tenía la situación bajo control. Casi como si hubiera estado esperando este momento. Sintió que volvía a la vida.

—Pues no hables así de ella. —Ant sacó las manos de los bolsillos y cerró los puños—. ¿Por qué no te has ido todavía a la universidad? Pensaba que Cambridge empezaba antes.

—Aún no —respondió Pip—. ¿Qué pasa? ¿Quieres que... desaparezca?

Analizó sus caras con atención. El viento le puso a Lauren el pelo rojo sobre la frente y unos mechones se quedaron enredados en los ojos entornados. Parpadeó. Ant torció la boca en una sonrisa burlona.

—¿Qué coño dices? —masculló.

—Ah, ya entiendo. —Pip asintió—. Debes de estar avergonzado. Nos acusaste a mí, a Connor y a Jamie de haber fingido su desaparición por dinero apenas unas horas después de que nos hubiéramos enterado de que habían dejado en libertad a un violador en serie. ¿Fuisteis vosotros los que hablasteis con la prensa? Aunque supongo que ya da igual. Jamie está vivo, pero murió otro hombre y os debéis de sentir muy estúpidos por todo aquello.

—Se merecía lo que le pasó, ¿no? Así que supongo que todo terminó bien.

Ant le guiñó un ojo.

Le guiñó un puto ojo.

La pistola volvió al corazón de Pip, apuntando a Ant a través de su pecho. La espalda se le estremeció y apretó los dientes.

—Que ni se te ocurra volver a decir eso. —Le salieron las palabras, oscuras y peligrosas, entre los dientes apretados—. No vuelvas a hablar de él delante de mí.

Ravi volvió a cogerle la mano, pero ella no lo notó. Había salido de su cuerpo y se había ido hacia Ant, a quien agarraba por la garganta con esa misma mano. Apretando cada vez más, y más. Exprimiéndolo en los dedos de Ravi.

Ant pareció darse cuenta y dio un paso atrás. Casi tropezó con el perro. Lauren volvió a enganchar su brazo en el de su novio y se apretaron. Un escudo. Pero eso no detendría a Pip.

—Antes éramos amigos. ¿De verdad ahora me odias tanto como para querer que me muera? —dijo ella. El viento se llevaba su voz.

—¿Qué coño te has tomado? —soltó Lauren, apretando aún más fuerte a Ant—. Estás loca.

—Eh. —La voz de Ravi flotó en el aire al lado de Pip—. Venga ya, eso no está bien.

Pero Pip tenía una respuesta.

—Puede ser —admitió—. Así que procurad cerrar bien la puerta por la noche.

—Ya basta —zanjó Ravi, haciéndose con el mando de la situación—. Vámonos por aquí. —Señaló detrás de Ant y Lauren—. Vosotros id por ahí. Ya nos veremos.

Ravi la guio agarrándole fuerte la mano. Los pies de Pip se movían, pero tenía la mirada fija en Ant y Lauren. Parpadeó en cuanto pasaron, disparando la pistola de su pecho. Miró hacia atrás mientras caminaban entre los árboles, en dirección a su casa.

—Mi padre me ha comentado que está fatal —le dijo Ant

111

a Lauren, lo bastante alto como para que los otros dos se enteraran, mientras se daba la vuelta para mirar a Pip a los ojos.

Ella se puso tensa y se giró. Pero el brazo de Ravi la rodeó por la cintura y tiró de ella. Su boca le acarició la sien.

—No —le susurró—. Ya está. No merecen la pena. De verdad. Respira.

Y eso hizo. Concentrada únicamente en coger y soltar aire. Un paso, dos pasos, dentro, fuera. Cada centímetro avanzado la alejaba más de ellos y la pistola volvió a su escondite.

—¿Nos vamos a casa? —propuso ella cuando todo pasó, entre respiración y respiración, entre pasos.

—No. —Ravi negó con la cabeza mirando hacia delante—. Olvídate de ellos. Necesitas un poco de aire fresco.

Pip dibujó círculos en la palma de su mano con el dedo índice. Hacia un lado, luego hacia el otro. No quería decirlo, pero a lo mejor el aire fresco no existía en Little Kilton. Estaba todo contaminado, cada aliento.

Miraron a ambos lados y cruzaron la carretera que los llevaba hasta su casa. El sol los había vuelto a encontrar y les calentaba la espalda.

—¿Lo que sea? —Pip sonrió a Ravi.

—Sí, lo que quieras —contestó él—. Hoy es el día de animar a Pip. Eso sí, nada de documentales de crímenes reales. Están prohibidos.

—¿Y si te digo que me apetece un montón un torneo de Scrabble? —dijo ella, clavándole el dedo en las costillas a través del jersey mientras caminaban al mismo ritmo por el camino de entrada a la casa.

—Pues te diría: que empiece el juego, zorra. Subestimas

mi po... —Ravi se detuvo de pronto, y Pip se chocó con él—.
Hostia puta —dijo un poco más fuerte que un susurro.

—¿Qué? —Pip se rio y se puso delante de él—. Me portaré bien.

—No, Pip. —Ravi señaló detrás de ella.

Ella se dio la vuelta y siguió su mirada.

Allí, en la entrada, pasado el montón de migas de pan, había tres pequeños dibujos hechos con tiza.

Se le heló el corazón y se le hundió en el estómago.

—Ha estado aquí —dijo soltando la mano de Ravi y avanzando—. Acaba de estar aquí —puntualizó de pie sobre las personitas de tiza. Los dibujos casi habían alcanzado la casa, dibujados frente a las macetas con arbustos que delineaban el lado izquierdo—. ¡No deberíamos habernos ido, Ravi! ¡Estaba vigilando! ¡Lo habría visto!

Lo habría visto, lo habría pillado, se habría salvado.

—Ha venido porque sabía que tú no estabas. —Ravi se puso a su lado. Tenía la respiración acelerada—. Y ha quedado claro que no son marcas de neumático.

Esta era la primera vez que Ravi veía las figuras. El tiempo y la lluvia habían borrado las anteriores antes de que ella hubiera tenido la oportunidad de enseñárselas. Pero ahora ahí estaban. Las había visto y eso las hacía reales. No se las había inventado ella, inspector Hawkins.

—Gracias —dijo Pip. Se alegraba de que estuviera allí.

—Parece sacado de *El proyecto de la bruja de Blair* —dijo Ravi agachándose para mirar los dibujos más de cerca, repasando las líneas con los dedos, a unos centímetros de distancia.

—No. —Pip las analizó—. Algo no está bien. Debería haber cinco. Las otras dos veces eran cinco. ¿Por qué ahora solo son tres? —preguntó a Ravi—. No tiene sentido.

—No creo que nada de esto tenga sentido, Pip.

Ella aguantó la respiración y escudriñó el camino en busca de las otras dos figuras. Estaban ahí. Tenían que estar. Esas eran las reglas de este juego entre ellos dos.

—¡Espera! —exclamó al ver algo con el rabillo del ojo.

No, no era posible, ¿verdad? Dio un paso hacia delante, hacia una de las macetas de su madre —«Estas macetas vinieron de Vietnam, ¿no es increíble?»— y apartó las hojas a un lado.

Detrás, contra el muro de la casa. Dos pequeñas figuras sin cabeza. Tan borrosas que apenas se percibían, escondidas casi por completo entre el mortero de los ladrillos.

—Os encontré —dijo Pip soltando el aire.

Sentía la electricidad en su piel al acercar la cara a la tiza, desperdigando parte del polvo blanco con la respiración. Pero ¿estaba contenta o asustada? Ahora mismo no notaba la diferencia.

—¿En el muro? —preguntó Ravi detrás de ella—. ¿Por qué?

Pip supo la respuesta antes que él. Había entendido las reglas ahora que había entrado en el juego. Se apartó de las dos figuras sin cabeza, los líderes de la manada, y miró hacia arriba, siguiendo su camino con la vista. Habían subido al muro para llegar hasta arriba, pasando por el estudio para llegar a la ventana de su dormitorio.

Le crujieron los huesos del cuello cuando se giró hacia Ravi.

—Vienen a por mí.

Nombre del archivo:

 Las figuras de tiza (tercera vez).jpg

Trece

La oscuridad la consumió. El último rayo de sol brillaba a través de las cortinas y le iluminaba la cara antes de que Ravi las cerrara del todo, poniendo una sobre la otra para asegurarse.

—Déjalas así, ¿de acuerdo? —le pidió este, convertido en una sombra en la habitación en penumbras hasta que encendió la luz. Amarillo artificial. Una burda imitación del sol—. Incluso de día. Por si hay alguien vigilándote. No me gusta ni siquiera pensar que haya alguien vigilándote.

Ravi se paró junto a ella y le puso el pulgar en la barbilla.

—¿Estás bien?

¿Se refería a Ant y Lauren o a las figuras de tiza que estaban trepando hacia su habitación?

—Sí. —Pip carraspeó. Era una palabra sin sentido.

Estaba sentada al escritorio con los dedos sobre el teclado del ordenador. Acababa de guardar una copia de la foto que había tomado de las figuras de tiza. Por fin las había podido capturar antes de que la lluvia o las ruedas las hicieran desaparecer. Pruebas. Quizá sea ella la víctima esta vez, pero seguía necesitando indicios. Más que eso, eran pruebas. Pruebas de que no se lo estaba inventando; de que ella no podía ser la que hacía los dibujos con tiza ni la que mataba a esas palomas durante las noches de insomnio.

—Igual deberías quedarte en mi casa unas cuantas noches —propuso Ravi girando la silla de Pip hasta que estuvieron cara a cara—. A mi madre no le importará. A partir del lunes tengo que salir pronto, pero eso da igual.

Pip negó con la cabeza.

—No pasa nada —aseguró—. Estoy bien.

Era mentira, pero de eso se trataba. No había forma de escapar de esto; ella lo había pedido. Lo necesitaba. Era así como se iba a recuperar. Y cuanto más miedo diera, mejor. Fuera de la zona gris, algo que era capaz de comprender, algo con lo que pudiera vivir. Blanco y negro. Bien y mal. «Gracias.»

—No estás bien —la cazó Ravi, pasándole los dedos por el pelo oscuro. Lo llevaba ya tan largo que se le habían empezado a ondular las puntas—. Esto no está bien. Entiendo que se te pueda olvidar después de toda la mierda por la que hemos pasado, pero esto no es normal. —Se quedó mirándola—. Lo sabes, ¿verdad?

—Sí —respondió ella—. Lo sé. Ayer fui a la policía, como me pediste, intenté hacer lo normal. Pero supongo que, una vez más, arreglarlo depende de mí. —Se arrancó un trozo de piel junto a una uña y empezó a sangrar—. Lo solucionaré.

—¿Cómo piensas hacerlo? —preguntó Ravi un poco severo. ¿Estaba dudando? No, él no podía perder la fe en ella también. Era el último que quedaba—. ¿Tu padre sabe todo esto? —preguntó.

Ella asintió.

—Sabe lo de los pájaros muertos; el primero lo encontramos juntos. Pero mamá opinó que había sido el gato de los Williams; es la solución más lógica. Yo le conté lo de los dibujos de tiza, pero no los ha visto. Ya habían desaparecido cuando llegó a casa; supongo que pasar por encima de ellas con el coche fue lo que las borró.

—Pues vamos a enseñárselas ahora —sugirió Ravi con urgencia—. Venga.

—Ravi. —Pip suspiró—. ¿Qué va a hacer él al respecto?

—Es tu padre —respondió con exageración, como si fuera lo más obvio del mundo—. Y mide más de dos metros. Yo, desde luego, querría que estuviera en mi equipo en cualquier pelea.

—Es abogado corporativo —soltó ella dándose la vuelta, mirando el reflejo de sus ojos en la pantalla oscura del ordenador—. Si fuera un problema de fusiones y adquisiciones, por supuesto, acudiría a él. Pero no lo es. —Respiró hondo y vio cómo su versión oscura hacía lo mismo—. Esto es cosa mía. Es lo que se me da bien. Puedo hacerlo.

—Esto no es una prueba—dijo Ravi rascándose la nuca. Estaba equivocado; eso era exactamente lo que era. Una prueba. Un juicio final—. No es un trabajo de clase, ni la temporada de un podcast. No es algo en lo que puedas ganar o perder.

—No quiero discutir —susurró ella.

—No. Eh, no. —Ravi se agachó hasta que sus ojos estuvieron al mismo nivel—. No estamos discutiendo. Simplemente estoy preocupado por ti, ¿vale? Quiero que estés a salvo. Te quiero, siempre te querré. Da igual cuántas veces estés a punto de provocarme un ataque al corazón o una crisis nerviosa. Pero es que... —Se calló, como si la voz se le fuera por el desagüe—. Me da miedo saber que alguien pueda querer hacerte daño, o asustarte. Eres mi persona. Mi pequeña. Mi Sargentita. Y mi trabajo es protegerte.

—Y me proteges —le aseguró Pip mirándolo a los ojos—. Incluso cuando no estás conmigo. —Él era su bote salvavidas, su piedra angular. ¿Acaso no lo sabía?

—Vale, sí, eso está genial —dijo él formando una pistola con los dedos—. Pero tampoco es que sea yo un musculitos con los bíceps del tamaño de un tronco y tenga una habilidad olímpica de lanzar cuchillos.

A Pip se le formó una sonrisa en la cara sin permiso.

—Ay, Ravi. —Le agarró la barbilla con los dedos, como siempre hacía él. Le dio un beso en la mejilla, rozándole la comisura de los labios—. Tu cerebro vence a la fuerza física en cualquier momento.

Él se puso recto.

—Bueno, esta mañana he hecho demasiadas sentadillas, así que seguramente tenga unos glúteos de acero.

—Se va a enterar ese acosador. —Pip se rio, pero esa risa se fue convirtiendo en un sonido ahogado y ronco a medida que su mente se iba alejando de ella.

—¿Qué? —preguntó Ravi dándose cuenta de su cambio de expresión.

—Nada, es que... es inteligente, ¿no? —Se volvió a reír, negando con la cabeza—. Muy inteligente.

—¿El qué?

—Todo. Las figuras de tiza borrosas casi inexistentes que desaparecen en cuanto amanece o algo pasa por encima de ellas. Las dos primeras veces no saqué fotos, así que cuando se lo denuncié a Hawkins, pensó que estaba loca o que me imaginaba cosas. Me desacreditó desde el principio. Me hizo cuestionarme mi propia percepción. Y los pájaros muertos. —Se dio con las palmas de las manos en los muslos—. Es muy astuto. Si fuera un gato muerto, o un perro... —Se estremeció con sus propias palabras al acordarse de *Barney*—, sería otra historia. La gente prestaría atención. Pero no, son palomas. A nadie le importan las palomas. Para nosotros es casi tan común verlas muertas como vivas. Y, por supuesto, la policía jamás haría nada sobre uno o dos cadáveres de paloma, porque es normal. Nadie lo ve excepto yo, y tú. Y el acosador sabe todo esto, lo ha diseñado así. Cosas que parecen normales y son de fácil explicación para todo el mundo. Un sobre vacío: un error. La frase «Una chica muerta que camina» escrita en la acera, no en mi casa. Sé que iba dirigida a mí, pero no podré convencer a nadie más porque, si de verdad hubiera sido yo la destinataria, habría estado en mi casa. Es muy sutil. Muy inteligente. La policía cree que estoy loca y mi madre piensa que no es nada: un gato y unos neumáticos sucios. Me dejan mal, me aíslan de la ayuda. Sobre todo cuando ya todo el mundo considera que estoy perturbada. Muy inteligente.

—Parece que lo admiras —dijo Ravi volviendo a sentarse en la cama de Pip. Se lo veía incómodo.

—No, solo digo que es inteligente. Está todo muy bien pensado. Como si supiera exactamente lo que está haciendo.

El siguiente pensamiento era lógico y natural y, por la expresión de Ravi, supo que él también había llegado a la misma conclusión y que la estaba considerando.

—Como si lo hubiera hecho antes —añadió ella, completando el pensamiento.

Ravi asintió levemente.

—¿Eso crees? —Él se incorporó.

—Es posible. Incluso probable. Las estadísticas apuntan a que el acoso en serie es muy común, sobre todo si el culpable es un desconocido o una amistad, y no una pareja actual o pasada.

La noche anterior había estado leyendo páginas y páginas de información sobre acosadores, durante horas, en lugar de dormir; revisando números, porcentajes e innumerables casos.

—¿Un desconocido? —dijo Ravi.

—Es muy poco probable que sea un extraño—respondió Pip—. Casi tres de cada cuatro víctimas conocen a su acosador. Esta persona y yo nos conocemos, lo sé.

También sabía otras estadísticas, podía desglosarlas de memoria, estaban grabadas a fuego detrás de sus ojos. Pero había algunas que no le podía contar a Ravi, sobre todo las que probaban que más de la mitad de las víctimas femeninas de homicidio habían denunciado a la policía que las estaban acosando justo antes de que su asesino las matara. No quería que Ravi supiera eso.

—Entonces, es alguien que tú conoces y es probable que se lo haya hecho antes a otra persona —concluyó él.

—Según las estadísticas, sí.

¿Por qué no se le había ocurrido esto antes? Estaba demasiado inmersa en sus pensamientos, demasiado obsesionada con la idea del enfrentamiento, y no había considerado la opción de involucrar a nadie más. «No todo gira en torno a ti —dijo la voz que vivía en su cabeza, junto a la pistola—. No siempre es todo sobre ti.»

—Y tú siempre abogas por el método científico, Sargentita. —Se quitó un sombrero imaginario.

—Así es. —Pip se mordió el labio, pensativa. Su cabeza llevó a sus manos hacia el ordenador. Casi sin pensar, pasó los dedos por el ratón para iluminar la pantalla y abrió el navegador con la página de Google—. Y el primer paso de un método científico es... la investigación.

—La parte más glamurosa de la resolución de crímenes —bromeó Ravi, levantándose de la cama para ponerse a su lado, con las manos sobre sus hombros—. Y también es mi señal para ir a por algo de picar. Bueno, ¿cómo te planteas la indagación?

—La verdad es que no lo sé muy bien. —Dudó con los dedos sobre las teclas mientras el cursor parpadeaba—. Igual... —Escribió «figuras lineales tiza paloma muerta acosador Little Kilton Buckinghamshire—. Un palo de ciego —dijo pulsando el intro, haciendo aparecer una página de resultados.

—Excelente —dijo Ravi señalando el primer resultado—.

Podemos ir a disparar palomas de cerámica a la Granja Tiza-
blanca en Chalfont St Giles por tan solo ochenta y cinco libras cada uno. Menudo chollo.

—Chis.

Pip ojeó el resto de las entradas; una historia del año pasado de unos resultados de bachillerato de un instituto cercano en el que había dos profesores a los que llamaban señora Tiza y señor Acosador.

Sintió la respiración de Ravi en la coronilla cuando se
acercó a ella y, con la cabeza junto a la suya, dijo:

—¿Y esa? —Y sintió que las graves vibraciones de su voz
venían de dentro de sí misma. Sabía a cuál se refería: el quinto resultado.

«El Asesino de la Cinta sigue en libertad tras haberse co-
brado una cuarta víctima.»

Aparecían cuatro de los términos que había buscado:
Buckinghamshire, paloma, acosar, líneas de tiza. Pequeños
fragmentos de un artículo del *Newsday UK*, frases cortadas,
separadas por puntos suspensivos.

—El Asesino de la Cinta. —Ravi leyó en voz alta, pero las
palabras se le quedaron enganchadas a la garganta—. ¿Qué
coño es eso?

—Nada, una historia vieja. Mira. —Pip señaló la fecha con
el dedo: el artículo era del 5 de febrero de 2012. Hacía más de
seis años y medio. No era una noticia. Pip conocía el caso y
cómo había terminado. Podía nombrar al menos dos podcasts de crímenes reales que habían hablado de él en los últimos años—. ¿No conoces esta historia? —preguntó. Los ojos
megaabiertos de Ravi le dieron la respuesta—. No pasa nada.
—Ella se rio, dándole un golpecito con el codo—. Está en la
cárcel. Mató a otra mujer después de esto, una quinta víctima,
y lo atraparon. Confesó. Billy... no sé qué. Lleva entre rejas
desde entonces.

—¿Cómo lo sabes? —preguntó Ravi un poco más relajado.

—¿Cómo no lo sabes tú? —Ella lo miró—. Fue bastante mediático. Si hasta yo me acuerdo y tenía, no sé, once o doce años. Ah... —Se quedó callada, acariciándole la mano a Ravi—. Fue más o menos cuando Andie y Sal... —No hizo falta que terminara.

—Ya —dijo Ravi en voz baja—. Estaba un poco distraído por aquel entonces.

—Pasó por esta zona —explicó Pip—. Los pueblos de los que eran las víctimas y los lugares donde encontraron los cadáveres están bastante cerca de aquí. De hecho, eran prácticamente todos los pueblos de los alrededores, menos Little Kilton.

—Teníamos nuestros propios asesinatos con los que lidiar —comentó Ravi inexpresivo—. ¿Por qué «de la Cinta»?

—Era el nombre que le pusieron los medios de comunicación. Un asesino en serie tiene que tener un apodo espeluznante, vende más. Es por la cinta americana. —Hizo una pausa—. El periódico local se refería a él como «el estrangulador de Slough», para hacer una referencia geográfica, pero nunca llegó a la prensa nacional. No era tan pegadizo. —Pip sonrió—. Además, tampoco era muy preciso. Creo que solo encontraron a dos víctimas cerca de Slough.

Y solo con decir esas palabras, «estrangulador de Slough», se fue directa a la última vez que las había dicho. Sentada en esa misma silla, hablando por teléfono con Stanley Forbes durante la entrevista sobre la investigación forense de Andie Bell. Ella había nombrado el artículo que él había escrito hacía poco sobre el estrangulador de Slough en el quinto aniversario de su arresto. Stanley, al otro lado del teléfono, vivo, pero no durante mucho tiempo, porque su sangre empezó a derramarse por los bordes del terminal, cubriéndole las manos y...

—¿Pip?

La chica se estremeció y se secó las manos ensangrentadas en los pantalones. Limpias, están limpias.

—Perdona, ¿qué has dicho? —Ella se echó hacia atrás.

—He dicho que lo abras. El artículo.

—Pero... no va a tener nada que ver con...

—Aparecen cuatro de los términos que has buscado —insistió él, apretando de nuevo las manos—. Son muchas coincidencias para un palo de ciego. Ábrelo y a ver qué dice.

El Asesino de la Cinta sigue en libertad tras haberse cobrado una cuarta víctima

LINDSEY LEVINSON 5 DE FEBRERO DE 2012

La semana pasada, la policía halló el cuerpo sin vida de Julia Hunter, de 22 años, oficialmente reconocida como la cuarta víctima del Asesino de la Cinta Americana. Julia, que vivía con sus padres y su hermana en Amersham, Buckinghamshire, fue asesinada la noche del 28 de enero, y su cuerpo fue descubierto la mañana siguiente en un campo de golf al norte de Slough.

El Asesino de la Cinta Americana comenzó su oleada de crímenes hace dos años, asesinando a su primera víctima, Phillipa Brockfield, de 21 años, el 8 de febrero de 2010. Diez meses después, se encontró el cuerpo de Melissa Denny, de 24 años, tras una semana de exhaustivas investigaciones policiales. Desapareció el 11 de diciembre y los expertos forenses creen que fue asesinada aquella misma noche. El 17 de agosto de 2011, Bethany Ingham, de 26 años, se convirtió en la tercera víctima. Ahora, cinco meses más tarde, tras una gran especulación mediática, la policía ha confirmado que el asesino en serie ha vuelto a atacar.

El Asesino de la Cinta recibe su nombre por su distintivo *modus operandi*: no solo ata las muñecas y los tobillos de sus víctimas con cinta americana para retenerlas, sino que también les tapa la cara. Todas las mujeres han sido encontradas con la cabeza completamente envuelta en cinta adhesiva gris, cubriéndoles ojos y boca, «casi como momias», comentó un agente que prefiere mantener el anonimato. La cinta americana en sí no es el arma homicida en estos horribles crímenes. De hecho, parece que el asesino deja a propósito las fosas nasales de sus víctimas al descubierto para que no se ahoguen. La causa de la muerte en todos los casos ha sido la estrangulación con ligadura, y la teoría de la policía es que el asesino ata a sus víctimas tiempo antes de asesinarlas, y luego deja los cuerpos en lugares diferentes.

Aún no se ha producido ningún arresto y, con el Asesino de la Cinta todavía en libertad, la policía está trabajando sin descanso para identificarlo antes de que vuelva a matar.

«Es un hombre increíblemente peligroso —dijo el inspector David Nolan en la comisaría de High Wycombe esta mañana—. Por desgracia, cuatro mujeres han perdido la vida y es evidente que este individuo es un gran peligro público. Estamos multiplicando nuestros esfuerzos para identificarlo y hoy publicaremos un retrato robot gracias a un posible testigo en el lugar en el que se ha encontrado el cuerpo de Julia. Rogamos a los ciudadanos que se pongan en contacto con la policía en el teléfono destinado al caso si reconocen al hombre de la imagen.»

Además del retrato robot, la policía ha publicado también hoy una lista de accesorios que les faltaban a cada una de las víctimas, artículos que llevaban encima en el momento del rapto, tal como testificaron sus familias. La policía cree que el asesino los cogió como trofeos de cada crimen y que es muy posible que los lleve encima. «Los trofeos son muy comunes en los casos de asesinos en serie como este —comentó el inspector Nolan—. Permiten al criminal aliviar la excitación del acto y mantener a raya sus impulsos, retrasando el momento de volver a verse obligado a matar.» A Phillipa Brockfield le quitó un collar que la policía ha descrito como «una cadena de oro con un colgante en forma de moneda antigua». A Melissa Denny «un cepillo del pelo con forma

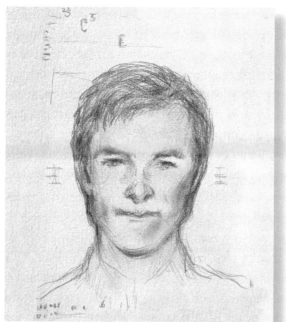
Retrato robot publicado por la policía del Asesino de la Cinta.

ovalada y de color lila o morado claro», que llevaba siempre en el bolso. Un «reloj Casio dorado de acero inoxidable» a Bethany Ingham, y, a Julia Hunter, un «par de pendientes de oro rosa con pequeñas piedrecitas verdes». La policía pide a los ciudadanos que presten atención a estos objetos.

Newsday UK ha hablado con Adrienne Castro, criminalista que trabajaba para el FBI y que actualmente es consultora del famoso programa de crímenes reales *La hora forense*. La señora Castro nos ha dado su opinión experta sobre el Asesino de la Cinta, basada en toda la información que la policía ha ido facilitando hasta ahora. «Como siempre, la criminología no es una ciencia exacta, pero creo que podemos sacar algunas conclusiones del comportamiento de este criminal y su elección de víctimas. Es un hombre blanco, de entre veintitantos y cuarenta y tantos años.

No actúa de forma compulsiva; estos crímenes están planeados de forma metódica, y es muy probable que el asesino tenga un cociente intelectual entre medio y alto. Este hombre puede parecer perfectamente normal, no llamar la atención, e incluso ser encantador. A simple vista, parece un miembro respetable de la sociedad, con un buen trabajo en el que está acostumbrado a cierto nivel de control, tal vez en un cargo de directivo. Creo que es muy probable que tenga pareja o esté casado, y posiblemente hasta familia, completamente ajena a su vida secreta.

»Hay un dato muy interesante que se debe tener en cuenta en su comportamiento. En los casos de asesinatos en serie, descubrimos que el atacante muestra una aversión natural a cometer crímenes cerca de donde vive, en su zona de amortiguación. Y, aun así, tiene una zona de confort: un área que conoce muy bien pero que no está demasiado cerca de su hogar y donde se siente seguro para cometer estos actos. A esto nos referimos como la teoría de Decaimiento de la Distancia. Es interesante señalar que estas víctimas eran todas de pueblos diferentes de esta parte del país, y que sus cuerpos también fueron desperdigados por lugares diferentes en su zona de confort. Esto me lleva a creer que nuestro asesino vive en un área diferente, no muy alejada, que aún no ha aparecido en la investigación; su zona de amortiguación, aún intacta.

»Por este motivo, creo que nos encontramos ante un caso muy común en muchos asesinatos en serie: la misoginia, básicamente. Esta persona tiene sentimientos muy fuertes con respecto a las mujeres: las odia. Todas las víctimas eran jóvenes atractivas, formadas, inteligentes, y el asesino cree que alguna de esas cualidades es intolerable. Ve estos crímenes como una misión personal. Me parece de especial interés el hecho de que les envuelva la cara con cinta americana, porque es como si estuviera negándoles hasta sus propias caras; acabando con la capacidad de hablar o ver antes de matarlas. Estos homicidios se reducen al poder y a la humillación, y al placer sádico que experimenta el criminal. Es muy probable que hubiera indicios desde una edad temprana, y que empezara haciendo daño a mascotas de niño. No me sorprendería que guardara algún tipo de manifiesto en el que se encuentre todo lo que opina de las mujeres y cómo deberían comportarse para ser aceptables.

»La policía no ha revelado ninguna información sobre si acosa a sus víctimas, pero yo me atrevería a decir, teniendo en cuenta lo meticulosa que parece la selección de las mismas, que hay un grado de vigilancia antes de raptarlas. Creo que, para él, puede resultar excitante. Quizá incluso contactara con ellas directamente, o mantuviera una relación íntima con ellas.»

Esta noche, en casa de la familia de Julia Hunter, su hermana pequeña, Caroline, nos dedicó unas breves palabras a los reporteros. Cuando le preguntaron sobre la posibilidad de que a Julia la hubieran acosado antes de asesinarla, ella, desolada, contestó: «No estoy segura. Nunca me dijo que estuviera asustada. La habría ayudado, de haber sido así. Pero sí que me comentó cosas algo extrañas un par de semanas antes. Me dijo que había visto unas líneas hechas con tiza, creo, que parecían como tres personas, cerca de nuestra casa. Yo nunca las vi, y seguramente fueran los niños del vecindario. También mencionó algo de un par de pájaros —unas palomas— que alguien metió en casa por la gatera. A Julia le pareció extraño porque nuestro gato es muy viejo y apenas sale de casa. Me contó también que recibió un par de llamadas, pero no habló nadie y pensó que sería una broma. Eso fue la semana antes de que desapareciera, pero no me dio la impresión de que estuviera asustada. En todo caso, estaba molesta. Pero [...] si me pongo a pensar en aquellas semanas, todo me parece raro, ahora que ya no está».

El 21 de febrero se realizará un funeral en memoria de Julia Hunter en su iglesia local.

Catorce

Ravi debió de terminar de leer antes que ella. Cogió aire profundamente justo al lado de su oreja, como una enorme ventisca dentro su cabeza. Pip levantó un dedo para que él no dijera nada hasta que ella llegara a la última palabra.

Y entonces:

—Oh —dijo Pip.

Ravi se apartó de ella y se levantó.

—¿Oh? —repitió él con una voz más aguda y chirriante de lo normal—. ¿Es lo único que se te ocurre? «¿Oh?»

—¿Por qué...? —Pip giró la silla para mirarlo. No paraba de mover las manos, nervioso, apretándolas contra la barbilla—. ¿Por qué estás tan nervioso?

—¿Por qué no lo estás tú? —Intentó no levantar la voz, pero tendría que haberle puesto un poco más de intención—. Un asesino en serie, Pip.

—Ravi. —Al pronunciarlo, su nombre se convirtió en una risotada. Él la miró enfadado—. Esto es de hace seis años y medio. El Asesino de la Cinta confesó. Estoy segura de que se declaró culpable en el juicio. Lleva desde entonces en la cárcel y no ha habido más asesinatos. Ya no está.

—Sí, bueno, y ¿qué pasa con las palomas muertas? —argumentó Ravi con el brazo levantado, formado una línea temblorosa que apuntaba a la pantalla—. ¿Y las líneas de tiza, Pip? Exactamente lo mismo que hizo las semanas previas a matar a Julia. —Ravi se puso de rodillas delante de

ella. Levantó una mano con el pulgar y el meñique doblados—. Tres —susurró, acercándole los dedos aún más a la
cara—. Tres figuras con tiza. Julia era la cuarta víctima, Pip.
Hubo tres antes que ella. Mató a cinco mujeres, y hay cinco
figuras de tiza en tu entrada en este puto preciso momento.

—Oye, relájate —dijo Pip cogiéndole la mano que había
levantado y metiéndola entre sus rodillas para sujetarla—.
Nunca había oído nada de eso que ha dicho la hermana de
Julia Hunter, ni en ningún artículo, ni en ningún podcast.
Puede que la policía no creyera que fuese relevante.

—Pero para ti sí lo es.

—Ya lo sé, sí. No estoy diciendo eso. —Lo miró a los ojos
y le levantó la barbilla—. Es evidente que hay una conexión
entre lo que dijo Caroline Hunter y lo que me está pasando a
mí. Bueno, yo no he recibido llamadas misteriosas.

—Todavía. —Ravi la interrumpió intentando liberarse la
mano.

—Pero el Asesino de la Cinta está en la cárcel. Mira.

Le soltó la mano y se giró de nuevo hacia el ordenador. Tecleó «Asesino de la Cinta» en una búsqueda nueva y pulsó intro.

—Ah, Billy Karras, eso. Se llama así —dijo ella deslizando hacia abajo la página de resultados para enseñársela a
Ravi—. ¿Ves? Edad: treinta años cuando lo arrestaron. Confesó durante un interrogatorio policial y, mira, sí, también se
declaró culpable de los cinco asesinatos. No hizo falta juicio.
Está en la cárcel y se quedará allí el resto de su vida.

—No se parece al del retrato robot de la policía. —Ravi
resopló mientras volvía a meter la mano entre las rodillas
de Pip.

—Bueno, algo sí. —Miró la foto de Billy Karras con los
ojos entornados. El pelo marrón grasiento peinado hacia atrás,
ojos verdes que casi se le salían de la cara, sobresaltado por
la cámara—. Nunca son extremadamente precisos.

Eso ayudó un poco a Ravi, ponerle cara al nombre y ver las pruebas con sus propios ojos mientras Pip hacía clic en la segunda página de resultados.

Se detuvo. Volvió a deslizar hacia arriba. Algo le había llamado la atención. Un número. Un mes.

—¿Qué? —le preguntó Ravi, con un temblor en la mano que se le coló a Pip en los huesos.

—Ah, nada —dijo ella, negando con la cabeza para que él viera que lo decía de verdad—. Nada, en serio. Es que... no me había dado cuenta antes. A su última víctima, Tara Yates..., la mató el 20 de abril de 2012.

Él la miró. También se había dado cuenta. Ella vio su reflejo, una versión retorcida de sí misma atrapada dentro de los ojos oscuros de Ravi. Uno de los dos tenía que decirlo en voz alta.

—La misma noche que murió Andie Bell —se adelantó ella.

—Qué raro —dijo Ravi, bajando la mirada y dejando caer a la Pip que vivía en ella—. Todo esto es muy raro. Sí, está en la cárcel, pero entonces ¿por qué hay alguien haciéndote a ti lo mismo que le ocurrió a Julia Hunter antes de que la mataran? A ella y a todas las víctimas, seguramente. Y no me digas que es una coincidencia porque no es verdad: tú no crees en las coincidencias.

Touchée.

—Sí, lo sé. No lo sé. —Se paró para reírse de sí misma, sin saber muy bien por qué; no venía a cuento—. Está claro que no puede ser una coincidencia. Quizá haya alguien que quiere que piense que el Asesino de la Cinta me está acosando.

—¿Y por qué iba alguien a hacer eso?

—No lo sé, Ravi. —Se puso a la defensiva de repente. Notó cómo volvía a subir la valla, pero esta vez era para mantener fuera a su novio—. A lo mejor a alguien le apetece volverme loca. Llevarme al límite.

No tendría que esforzarse demasiado. Seguramente iría ella solita hasta el límite y colgaría los pies por el borde. Una simple respiración en la nuca más fuerte de lo normal bastaría. Solo había una pregunta entre ella y esa caída libre: «¿Quién te buscará cuando seas tú la que desaparezca?».

—¿Y no ha habido más asesinatos desde que arrestaron al tal Billy? —Ravi quiso cerciorarse.

—No —aseguró Pip—. Y es un *modus operandi* muy distintivo, ya sabes, con la cara envuelta en cinta americana.

—Aparta un momento —le pidió Ravi mientras alejaba la silla del escritorio de Pip y colocaba las manos sobre el ordenador.

—¡Oye!

—Solo quiero comprobar una cosa —se excusó Ravi, poniéndose de rodillas frente a la pantalla.

Fue hasta lo más alto de la página, borró la búsqueda actual y escribió: «Billy Karras inocente?».

Pip suspiró mientras lo miraba deslizar la página de resultados.

—Ravi. Confesó y se declaró culpable. El Asesino de la Cinta está entre rejas, no en mi casa.

Él hizo un ruido, como un crujido con la garganta, algo entre un grito ahogado y una tos.

—Hay una página de Facebook —dijo.

—¿De qué? —Pip clavó los pies en el suelo para mover la silla hacia delante.

—Se llama Billy Karras es inocente.

Hizo clic en el enlace y la foto policial del Asesino de la Cinta llenó la pantalla. Ahora que la volvía a ver, su expresión parecía más suave, por algún motivo. Como más joven.

—Hombre, pues claro —dijo Pip empujando a Ravi a un lado . Seguro que hay una página de Facebook proclamando la inocencia de todos los asesinos en serie. Incluso de Ted Bundy.

Ravi pasó el cursor por la pestaña de información, hizo clic sobre ella y se abrió.

—Joder —dijo ojeando la página—. La lleva su madre. Mira. Maria Karras.

—Pobrecita —murmuró Pip.

—«El 18 de mayo de 2012, después de sufrir un interrogatorio policial de nueve horas sin descanso, mi hijo dio una confesión falsa de unos crímenes que no cometió, una declaración coaccionada por unas tácticas intensas e ilegales de interrogatorio policial» —leyó Ravi—. «Se retractó enseguida a la mañana siguiente, después de dormir un poco, pero fue demasiado tarde. La policía tenía lo que necesitaba.»

—¿Una confesión falsa? —se sorprendió Pip, mirando a los ojos de Billy Karras, como si la pregunta fuera para él.

No, no podía ser. Esos ojos que la miraban eran los del Asesino de la Cinta... Tenían que serlo. Si no...

—«Fallos importantes en nuestro sistema de justicia criminal...» —Ravi pasó al siguiente párrafo—. «Necesitamos tres mil firmas para la petición al Parlamento.» Joder, de momento solo tiene veintinueve firmas..., «con el intento de llevar el caso de Billy al Proyecto Inocente y poder recurrir su sentencia...». —Ravi dejó de leer—. Mira, incluso ha puesto su número de teléfono. «Por favor, ponte en contacto conmigo si tienes experiencia legal o conexión con algún medio de comunicación y crees que puedes ayudarme con el caso de Billy, o si te gustaría recoger firmas. Advertencia: las llamadas de broma se denunciarán a la policía.» —Se giró y miró fijamente a Pip.

—¿Qué? —dijo ella, leyendo la respuesta en la curva de la boca de Ravi—. Claro que piensa que es inocente. Es su madre. No es una prueba.

—Pero sí es un signo de interrogación —opinó con firmeza, acercando la silla de Pip—. Deberías llamarla. Hablar con ella. Que te cuente cuáles son sus motivos.

Ella negó con la cabeza.

—No quiero molestarla, ni darle falsas esperanzas sin motivo. Es evidente que ya ha sufrido bastante.

—Sí. —Ravi se pasó la mano por la pierna—. Exactamente lo mismo que mi madre, y que yo, cuando todos pensaban que Sal había matado a Andie Bell. Y ¿cómo acabó eso? —dijo, dándose con un dedo en la barbilla, haciendo como que estaba intentando recordar—. Ah, sí. Con una llamada no solicitada a mi puerta de una muy pesada Pippus Maximus.

—Eso fue completamente diferente —argumentó, apartándose de él, porque sabía que si lo seguía mirando, la convencería. Y no podía hacerlo.

No podía. Porque, si llamaba a esa pobre mujer, estaría admitiendo que había una opción. Una posibilidad de que hubieran encerrado al hombre equivocado. ¿Y el culpable? Estaba en el exterior de su casa, dibujando figuras sin cabeza. Llamándola para que se uniese a ellas. La víctima número seis. Y ese era un juego para el que no estaba preparada. Un acosador era una cosa, pero esto...

—Bueno, pues nada. —Ravi se encogió de hombros—. Mejor nos quedamos aquí sentados y hacemos pulsos de dedos, esperando a ver cómo se desarrolla todo esto, ¿no? El método pasivo. Jamás te he visto elegir esa vía, pero bueno, podemos probar, no perdemos nada.

—No he dicho eso. —Pip puso los ojos en blanco.

—Lo que sí que has dicho —continuó Ravi— es que todo esto era perfecto para ti, que podías hacerlo sola. Esto es lo que se te da bien: investigar.

Razón no le faltaba, había dicho eso. Era su prueba. Su

juicio final. Salvarse para salvarse a sí misma. Todo eso seguía siendo verdad. Ahora incluso más si existiera esa opción, esa posibilidad, de que hubiera un culpable y un inocente.

—Ya lo sé —admitió Pip en voz baja, seguido de una exhalación muy larga.

En cuanto había terminado de leer el artículo había sabido qué tenía que hacer, solo necesitaba que Ravi lo dijera en voz alta.

—Entonces... —Él sonrió, con esa pequeña sonrisa que siempre la desmontaba, y le puso el teléfono en la mano—. Investígalo.

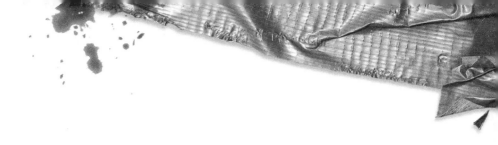

Quince

Pip miró los números durante tanto tiempo que se le quedaron grabados detrás de los ojos. 01632 725 288. Un sonido alegre dentro de su cabeza que ya era capaz de repetir de memoria, sin mirar. Un bucle infinito que había estado sonando en su mente toda la noche, mientras ella suplicaba quedarse dormida. Ya solo le quedan cuatro pastillas.

Pasó el pulgar de nuevo por encima del botón verde. El día anterior lo había intentado cinco veces con Ravi, pero no había contestado nadie, y no había buzón de voz. Era un teléfono fijo y Maria Karras estaría fuera. Pensaron que a lo mejor habría ido a visitar a su hijo. Pip dijo que lo volvería a intentar por la mañana, pero ahora estaba paralizada. Incluso asustada. Porque, una vez que pulsara ese botón y Maria respondiera, no habría vuelta atrás. Ya no podría dejar de saber lo que sabía, ni hacer como si no lo hubiera escuchado, o como si no lo hubiera pensado. Pero la idea ya le había calado hondo y se había instalado en su interior, junto con los ojos sin vida de Stanley y la pistola gris de Charlie. E incluso ahora, mientras pulsaba el mecanismo del bolígrafo con una mano, escuchaba algo en el clic. Dos notas diferentes, dos sílabas. Cinta cinta. Y, aun así, seguía pulsándolo.

Tenía la mano apoyada sobre el cuaderno, abierto por una página limpia, detrás de sus apuntes sobre la descomposición de los cuerpos y el *livor mortis*. El número de Maria Karras estaba ahí apuntado. No podía escapar.

Pip por fin se decidió a pulsar el botón verde y activó el manos libres. El sonido agudo le recorría la espalda, como lo había hecho el día anterior. Pero entonces...

Clic.

—¿Diga? Residencia de los Karras —contestó una voz amortiguada con un ligero acento griego.

—Ah, eh..., hola —dijo Pip, recomponiéndose y aclarándose la garganta—. Busco a Maria Karras.

—Sí, soy yo —respondió la voz, y Pip se imaginó a la mujer a la que pertenecía: ojos pesados y una sonrisa triste—. ¿En qué puedo ayudarla?

—Hola, Maria —habló por fin, toqueteando nerviosa el bolígrafo de nuevo. Cinta cinta—. Disculpa que te moleste en domingo. Me llamo Pip Fitz-Amobi, y...

—¡Dios Santo! ¿Por fin has recibido mi mensaje?

Pip tartamudeó y sintió cómo se le unían las cejas. ¿Qué mensaje?

—Eh... ¿tu mensaje?

—Sí, el email que te envié a través de tu página web. En abril, creo que fue. También intenté escribirte en Twitter, pero no sé utilizar esas cosas yo sola. ¿Lo has recibido? —dijo, con una voz cada vez más aguda.

Pip no había visto el email. Se lo pensó un instante y decidió seguirle el juego.

—S-sí, tu email —dijo—. Gracias por ponerte en contacto conmigo, Maria, y disculpa que haya tardado tanto en responder.

—Ay, querida, no te preocupes —suspiró Maria. Pip escuchó un ruido al otro lado de la línea cuando la mujer se recolocó el teléfono—. Sé que estarás tremendamente ocupada, y me alegro muchísimo de que lo recibieras todo. No sabía si ibas a hacer más podcasts, pero quería ponerme en contacto contigo igualmente, por si buscabas algún otro caso local. Eres muy inteligente, tus padres deben de estar muy orgullosos de ti. Creo que lo que necesitamos para Billy es atraer la atención de los medios, y seguro que tú lo consigues. Como decía en mi correo, estamos intentando que Proyecto Inocente nos ayude.

Maria hizo una pausa para respirar, y Pip intervino antes de perder la oportunidad.

—Claro. Y, Maria, tengo que ser sincera contigo. Esta llamada no quiere decir que vaya a cubrir el caso de tu hijo en el podcast. Necesitaría investigar más antes de tomar una decisión al respecto.

—Claro, querida, lo entiendo, por supuesto —dijo Maria, y fue casi como si Pip pudiera sentir el calor de su voz radiando a través del teléfono—. Y a lo mejor aún crees que Billy es culpable. Que es el Asesino de la Cinta, el Estrangulador de Slough o comoquiera que lo llamen. Casi todo el mundo lo cree, no te culparía.

Pip se volvió a aclarar la garganta para darse un poco de tiempo. Esperaba de verdad que Billy Karras fuera culpable, por su propio bien, pero no podía afirmarlo.

—Todavía no he revisado todos los detalles del caso. Sé que tu hijo confesó los cinco asesinatos y que se declaró culpable, que es una de las formas más sencillas de empezar.

—Fue una confesión falsa —aclaró Maria, y sorbió por la nariz—. Estuvo coaccionado por los agentes que lo interrogaron.

—Y ¿por qué no se declaró inocente y llevó el caso a juicio? ¿Podrías contarme los detalles, las pruebas y por qué crees que Billy es inocente?

—Claro que sí, cielo. No me importa —dijo Maria—. Y también puedo contarte un secreto. Yo también creía que Billy era culpable. Durante el primer año o así. Pensaba que, en algún momento, me contaría la verdad, pero no paraba de decirme: «Mama, mama, yo no lo hice, te lo prometo». Entonces empecé a investigar y fue cuando me di cuenta de que me estaba contando la verdad. Es inocente. Y tú también lo pensarías si pudieras ver el interrogatorio policial. ¡Anda! ¡Puedo enviártelo! —Se escuchó otro ruido—. Hace años que conseguí las copias de todos los documentos oficiales. Gracias a la cosa esa... ¿Cómo era? Ah, el Acta de Libertad de Información. Tengo todo el interrogatorio y su confesión. La transcripción tiene más de cien páginas, ¿sabías que lo retuvieron durante nueve horas? Estaba agotado, aterrado. Pero, si quieres, puedo subrayar las partes más importantes y mandarte una copia escaneada. Creo que sé usar el escáner. Tal vez tarde un poco en leerla entera, pero te lo puedo enviar mañana como muy tarde.

—Sí, por favor —dijo Pip haciendo un garabato en el cuaderno—. Si puedes, sería de gran ayuda, gracias. Pero no hay prisa, no te preocupes. —Excepto que sí que la había.

Las cinco pequeñas mujeres hechas con palos, sin cabeza porque se las habían envuelto con cinta americana, trepaban hacia la habitación de Pip para conocer a la sexta. El fin estaba cerca. A no ser que fuera eso lo que alguien quería que Pip creyese.

—Vale, lo haré —aceptó Maria—. Así podrás ver exactamente a lo que me refiero. Todas las respuestas que le hicieron dar. Él no sabía nada. No paraban de insistir en que tenían un montón de pruebas que lo incriminaban, incluso insinuaron que había un testigo que lo había visto durante uno de los asesinatos, cosa que no es cierta. Billy estaba muy confundido, pobrecito mío. Sé que es mi hijo, pero nunca fue una lumbrera, sinceramente. También tenía problemas con el alcohol por aquella época, a veces incluso perdía la consciencia. Y los agentes lo convencieron de que había cometido los asesinatos borracho y que por eso no se acordaba. Creo que

Billy empezó a creérselo. Hasta que por fin pudo dormir un poco en la celda y se retractó enseguida. Las confesiones falsas son mucho más comunes de lo que nos creemos. De las trescientas sesenta y cinco personas a las que han ayudado en el Proyecto Inocente en las últimas décadas, más de un cuarto había confesado sus supuestos crímenes.

Maria se debía de haber aprendido eso de memoria, y entonces fue cuando Pip se dio cuenta: esto era la vida de esa mujer. Cada respiración y cada pensamiento iban dedicados a su hijo. A Billy. Aunque ahora tuviera otros nombres: el Asesino de la Cinta, el Estrangulador de Slough, monstruo. Pip sintió compasión por esta mujer, pero no la suficiente como para que quisiera que tuviera razón. Todo menos eso.

—No conocía esa estadística —admitió Pip—. Y me interesa mucho ver el interrogatorio de Billy. Pero, Maria, si se retractó a la mañana siguiente, ¿por qué se declaró culpable?

—Por su abogado —respondió ella con reproche—. Era de oficio. Yo no tenía dinero para contratar uno. Ojalá lo hubiese tenido. Es una de las cosas de las que más me arrepiento. Debí intentarlo con más ahínco. —Maria se quedó callada, su respiración resonaba por el auricular—. El abogado le dijo a Billy, básicamente, que como ya había confesado los cinco asesinatos y la policía tenía la declaración grabada, no tenía sentido que fueran a juicio, porque lo perdería. También tenían otras pruebas, pero la confesión era lo más importante. El jurado creería lo que había en la cinta y no a Billy. Y, bueno, tenía razón; dicen que una confesión es la prueba más perjudicial.

—Entiendo —murmuró Pip, porque no sabía qué otra cosa decir.

—Pero debimos haberlo intentado —continuó Maria—. Quién sabe lo que hubiera surgido durante el juicio. Qué pruebas. En la segunda víctima, Melissa Denny, encontraron una huella sin identificar. No coincidía con la de Billy y no saben de quién es. Y... —Se quedó callada. Una pausa—. La noche en la que asesinaron a Bethany Ingham, la tercera víctima, creo que Billy estaba aquí, conmigo. No estoy segura del todo, pero creo que vino a mi casa por la tarde. Había estado bebiendo. Mucho. No podía ni formar una frase. Así que lo obligué a dormir en su antigua habitación y le quité las llaves para que no intentara volver a coger el coche. No tengo ninguna prueba, he buscado una y otra vez. Registros telefónicos, cámaras de seguridad en la vía pública, de todo. Sin embargo, en un tribunal, mi testimonio habría servido. ¿Cómo iba a asesinar Billy a Bethany si estaba conmigo en casa? —Suspiró—. Pero el abogado le dijo que si se declaraba culpable, quizá lo enviarían a una prisión cercana para que yo pudiera ir a visitarlo más a menudo. Cosa que no pasó, por supuesto. Billy tiró la toalla y por eso se declaró culpable. Pensaba que ya había perdido antes de empezar.

Pip había estado anotando mientras Maria hablaba, con las palabras torcidas y las letras unas sobre otras por las prisas de apuntarlo todo. Se dio cuenta de que la mujer había parado de hablar y que estaba esperando a que ella dijera algo.

—Lo siento —intervino Pip—. Entonces, además de la confesión, ¿qué otras pruebas tiene la policía para pensar que Billy es el Asesino de la Cinta?

—Hubo varias cosas —dijo Maria, y Pip escuchó un ruido al otro lado del teléfono, como si estuviera removiendo papeles—. La principal fue que Billy encontró a Tara Yates, la última víctima.

—¿El cadáver? —preguntó Pip.

Apenas se acordaba de aquello. En uno de los podcast que escuchó habían hablado de eso como un «gran giro de los acontecimientos».

—Sí. La encontró con los tobillos y las muñecas atados con cinta americana, y la cara también. No me puedo ni imaginar encontrarme a un ser humano de esa guisa. Sucedió durante su jornada laboral. Billy trabajaba en una empresa de jardinería: cortaba césped, podaba setos, recogía basura..., ese tipo de cosas. Fue por la mañana temprano, Billy estaba en la mansión de uno de los clientes de su empresa, cortando el césped. Vio a Tara entre los árboles de alrededor. —Carraspeó—. Y Billy... Bueno, lo primero que hizo fue ir corriendo hacia ella. Pensaba que aún podría estar viva, porque no le había visto la cara. No se debería haber acercado, tendría que haberla dejado allí y llamar a la policía enseguida. Pero no.

Maria se quedó callada.

—¿Qué hizo? —la animó a seguir Pip.

—Intentó ayudarla —suspiró Maria—. Pensó que la cinta que tenía en la cara no la dejaba respirar, así que empezó a quitársela. Sin guantes. Entonces, cuando se dio cuenta de que no tenía pulso, intentó hacerle un masaje cardiorrespiratorio, pero no sabía lo que estaba haciendo, nadie le había enseñado. —Una pequeña tos—. Sabía que necesitaba ayuda, así que corrió otra vez a la mansión y le dijo a uno de los empleados que llamara a la policía para que fuera a ayudarlo. Llevaba su móvil encima, pero no se dio cuenta en ese momento. Supongo que estaría en *shock*. No sé qué le pasa a una persona cuando ve a otra así.

Pip sabía exactamente lo que pasaba, aunque nunca podría explicarlo.

—En fin, el caso es que, como resultado de todo aquello —continuó Maria—, el ADN de Billy, su sudor, su saliva... estaban por toda la pobre Tara. Y sus huellas. Qué tonto —murmuró.

—Pero la policía debería haber sabido que era porque había descubierto el cuerpo y había intentado salvar a Tara, aunque no supiera que era demasiado tarde y que solo estaba contaminando la escena.

—Sí, bueno, puede que creyeran eso en un primer momento. Pero, ¿sabes?, he investigado mucho sobre asesinos en serie en estos últimos años. Podría decir incluso que soy una experta en el tema. Y es muy normal que los criminales de este tipo, como el Asesino de la Cinta, intenten intervenir de alguna forma en la investigación policial. Dando ideas o consejos, u ofreciéndose a ayudar en la búsqueda, ese tipo de cosas. Hasta intentar conseguir información para ver si están libres de sospecha. Eso fue lo que la policía coligió en un primer momento. Que Billy estaba interviniendo en la investigación «descubriendo» el cadáver de Tara, que intentaba hacer como que ayudaba, que era inocente. O puede que para encubrirse, en caso de que hubiera dejado algún rastro de ADN mientras la asesinaba. —Maria volvió a suspirar—. ¿Ves cómo lo distorsionaron todo para que encajara?

Con una sensación de angustia, Pip se dio cuenta de que acababa de asentir. No, ¿qué estaba haciendo? No quería que esto saliera así, porque si había una posibilidad de que Billy fuera inocente, eso quería decir que... Mierda. Joder.

Por suerte, Maria había vuelvo a hablar, y Pip no tenía que seguir escuchando a la vocecita de su cabeza.

—Puede que, si solo hubiera sido esto, todo habría salido bien, pero hubo otros detalles que relacionaban a Billy con el asunto. Conocía a una de las víctimas. A Bethany Ingham, la tercera. Era su supervisora en el trabajo. Se puso muy triste cuando se enteró de que había muerto, dijo que siempre había sido muy amable con él. Y a la primera víctima, Phillipa Brockfield, la encontraron en un campo de golf de Beaconsfield. Era otro de los lugares con los que la compañía en la que trabajaba Billy tenía contrato, y él estaba en el equipo asignado a esa zona. Vieron su furgoneta de la empresa por el campo de golf la misma mañana que encontraron el cuerpo de Phillipa, pero, claro, estaba yendo a trabajar. Y la cinta americana... Billy tenía acceso a una exactamente igual.

Pip sintió cómo se despertaba esa parte de su interior, la chispa en su cerebro, las preguntas girando una sobre otra, cogiendo cada vez más velocidad. El mundo iba cada vez más despacio mientras su mente se aceleraba a pasos agigantados. No debería, sabía qué significaba este camino, pero no podía pararlo y, al final, se le escapó una de las preguntas.

—Y estos detalles que conectan a Billy con los asesinatos, ¿todos están relacionados con el trabajo?¿Cómo se llama su empresa?

Demasiado tarde. El simple hecho de formular esa pregunta significaba que ya no había vuelta atrás. Que, en cierto nivel, debía pensar que era posible que no estuviera hablando con la madre del Asesino de la Cinta.

—Sí, todas las conexiones que había eran por el trabajo —afirmó Maria con la voz aún más acelerada, más excitada—. La empresa se llama Green Scene.

—Lo tengo, gracias. —Pip anotó el nombre de la empresa al final de la hoja. Inclinó la cabeza y analizó las palabras desde otro ángulo. El nombre le sonaba de algo, pero ¿de qué? Bueno, si la empresa trabajaba en la comarca, seguramente hubiera visto el logo en alguna furgoneta que pasara por Kilton—. ¿Cuánto tiempo llevaba Billy trabajando allí? —preguntó mientras pasaba los dedos por el ratón del portátil y la pantalla volvía a la vida.

Tecleó «Green Scene Buckinghamshire» y pulsó intro.

—Desde 2007.

El primer resultado era la página de la empresa y, sí, Pip reconocía el árbol con forma de cono del logo. Una imagen que ya existía en su cabeza de alguna forma. Pero ¿por qué? La página de inicio hablaba de la empresa. «Especialistas en mantenimiento de jardines.» Había una galería de imágenes. Abajo del todo había un enlace a otra web: la filial, Clean Scene, que ofrecía servicios de limpieza de «oficinas, sedes de asociaciones y mucho más».

—¿Hola? —Maria rompió el silencio.

Pip casi se había olvidado de que estaba allí.

—Perdona, Maria —dijo, rascándose una ceja—. Por algún motivo, reconozco el nombre de la empresa, pero no sé de qué.

Pip hizo clic en la pestaña de «Nuestro equipo».

—Yo sí sé por qué lo reconoces, cariño —contestó Maria—. Porque el...

Pero la página se cargó y la respuesta apareció ante sus ojos, antes de que la mujer lo dijera. Arriba del todo, una foto de un hombre muy sonriente vestido de traje presentaba al director general y dueño de Green Scene y Clean Scene.

Era Jason Bell.

—Es la empresa de Jason Bell —dijo Pip, soltando el aire.

Las piezas empezaban a encajar en su cabeza. Claro, eso era. Por eso le sonaba.

—Sí, cielo —dijo Maria amablemente—. El padre de Andie Bell. Y, claro, tú lo sabes todo de ella. Como los demás, gracias a tu podcast. Pobre señor Bell. Él estaba sufriendo su propia tragedia más o menos por la misma época.

«Exactamente en la misma época», pensó Pip. Andie murió la misma noche que asesinaron a Tara Yates. Y había vuelto a aparecer de entre los muertos. Billy Karras trabajaba en la empresa de Jason Bell y su conexión con todos los crímenes del Asesino de la Cinta eran por su trabajo.

Si Pip tenía que reconocer, en este momento, en este lugar, que había incluso una mínima posibilidad de que Billy Karras fuera inocente, que podría haber un hombre culpable en libertad, el primer lugar donde tenía que buscar era en

Green Scene. Si este fuera un caso sin más complicaciones, sin ninguna conexión con ella, sin palomas muertas ni figuras de tiza en la entrada de su casa, ese sería el primer paso. Y, aun así, le parecía mucho más complicado esta vez, mucho más pesado.

—Maria —dijo Pip con una voz grave y ronca—. Una última cosa. Después de que arrestaran a Billy, los asesinatos pararon. ¿Cuál es tu explicacion?

—Como te he dicho antes, he aprendido mucho sobre asesinos en serie —repitió—. Y una cosa que la gente no parece apreciar es que, a veces, simplemente dejan de matar. Unas porque envejecen o en sus vidas pasa algo que hace que ya no sientan esa necesidad o que ya no tengan tiempo. Una nueva relación, o el nacimiento de un hijo. Puede que eso fuera lo que pasó en este caso. O simplemente el asesino vio una vía de escape fácil tras el arresto de Billy.

Pip dejó de escribir, tenía demasiada información en la cabeza.

—Muchas gracias por tu tiempo, Maria. Ha sido —«no digas de gran ayuda, no digas aterrador»— ... interesante.

—Querida, gracias a ti por llamarme. —La mujer sorbió por la nariz—. No puedo hablar de esto con nadie, nadie me escucha, así que muchas gracias. Y si se queda solo en esta conversación, lo entiendo, bonita. ¿Sabes lo complicado que es recurrir una sentencia una vez que ya está dictada? Es casi imposible. Pero a Billy le emocionará mucho saber que has llamado. Ahora mismo me pongo a escanearte la transcripción del interrogatorio para que lo veas tú misma.

Pip no estaba segura de querer verlo por sí misma. Había una parte de ella a la que le apetecía taparse los ojos con las manos y desear muy fuerte que todo esto se esfumara. Esfumarse ella misma. Desaparecer.

—Mañana —aseguró Maria—. Te lo prometo. ¿Lo envío a la dirección de correo de tu podcast?

—S-sí, eso sería genial. Gracias —dijo Pip—. Me pondré en contacto contigo lo antes posible.

—Adiós, cariño —se despidió Maria, y Pip tuvo la impresión de haber escuchado una ligera esperanza en su voz.

Pulsó el botón rojo con el pulgar y el silencio se acumuló en sus oídos.

Era un quizá.

Era posible.

Y esa posibilidad empezaba con Green Scene.

Y terminaba —la voz de su cabeza la interrumpió— con su muerte.

La sexta víctima del Asesino de la Cinta.

Pip intentó hablar por encima de la voz de su mente, distraerla. No pensar de momento en el final, solo en el siguiente paso. Día a día. Pero ¿cuántos días le quedaban?

Cállate, déjala en paz. Primer paso: Green Scene. El eco de esas dos palabras resonaba en su cerebro, transformándose en el clic de su bolígrafo. Cinta cinta.

Y entonces se dio cuenta. Jason Bell no era la única persona relacionada con Green Scene. Había otra más: Daniel da Silva. Antes de meterse a policía, había trabajado un par de años en la empresa de Jason Bell. Puede que incluso coincidiera con Billy Karras.

Este caso, que ayer le parecía tan lejano, se acercaba cada vez más y más, como las figuras de tiza que trepaban por el muro. Cada día más cerca, como si la estuvieran guiando otra vez a Andie Bell y al inicio de todo.

De pronto sonó algo. Una vibración intensa.

Pip se estremeció.

Era su teléfono, que vibraba sobre la mesa porque alguien la estaba llamando.

Pip miró la pantalla al descolgar. «Número desconocido.»

—¿Diga?

No hubo respuesta al otro lado. Ninguna voz, ningún sonido excepto un ligero zumbido.

—¿Hola? —intentó Pip otra vez, alargando un poco la a. Esperó, escuchó atentamente. ¿Estaba oyendo a alguien respirar o era su propia respiración?—. ¿Maria? ¿Eres tú?

Nadie respondió.

Tal vez fuera una llamada comercial con mala conexión.

Pip aguantó la respiración y escuchó. Cerró los ojos para concentrarse mejor. Era muy leve, pero estaba ahí. Había alguien respirando. ¿Acaso no la escuchaba hablar?

—¿Cara? —dijo Pip—. Cara, te lo juro, si crees esto tiene gracia...

Y se cortó la llamada.

Pip bajó el teléfono y se quedó mirándolo. Lo observó durante demasiado tiempo, como si fuera a darle una explicación. Y ya no era su propia voz la que escuchaba en su cabeza, era Caroline Hunter quien le hablaba, con una voz imaginaria que Pip había creado para ella, hablando de su hermana asesinada en ese artículo sobre el Asesino de la Cinta. «Me contó también que recibió un par de llamadas, pero no habló nadie y pensó que sería una broma. Eso fue la semana antes de que desapareciera.»

El corazón de Pip reaccionó y la pistola empezó a disparar en su pecho. Tal vez Billy Karras fuera el Asesino de la Cinta. Y tal vez no. Y si —un «si» que rodeó a Pip como un agujero negro— Billy era inocente, el juego cambiaba de nuevo. En el último asalto. Y el temporizador había comenzado la cuenta atrás.

La semana antes.

«¿Quién te buscará cuando seas tú la que desaparezca?»

Página 41

Inspector Nolan: Venga, Billy, vamos a dejarnos de tonterías. Todo irá bien. Mírame. Se acabó el juego. Te sentirás mucho mejor cuando confieses. Créeme. Todo será mucho más fácil para ti si me cuentas qué pasó. Seguramente no querías que ocurriera nada de esto, ¿verdad? Y no era tu intención hacerle daño a ninguna de esas chicas, lo entiendo. Igual te hicieron algo. ¿Se portaron mal contigo, Billy?

BK: No, señor. No conozco a ninguna. No he sido yo.

Inspector Nolan: Ahora me estás mintiendo, Billy, ¿no es así? Porque sabemos que conocías a Bethany Ingham. Era tu supervisora en el trabajo, ¿verdad?

BK: Sí, lo siento, quería decir que no conocía a las demás. Pero a Bethany sí. No pretendía mentir, señor, es solo que estoy muy cansado. ¿Podríamos tomarnos un descanso?

Inspector Nolan: ¿Odiabas a Bethany, Billy? ¿Pensabas que era atractiva? ¿Querías acostarte con ella y te rechazó? ¿Por eso la mataste?

BK: No, yo... Por favor, ¿puede dejar de hacerme tantas preguntas tan rápido? Intento no confundirme para no volver a mentir accidentalmente. No odiaba a Bethany en absoluto. Me caía bien, no me interesaba como usted insinúa. Era amable conmigo. Trajo tarta al trabajo por mi cumpleaños el año pasado y le dijo a todo el mundo que me cantara el "Cumpleaños feliz". La gente no suele ser tan amable conmigo, solo mi madre.

Inspector Nolan: Entonces eres un hombre solitario, ¿eh, Billy? ¿Es lo que intentas decir? No tenías novia, ¿no? ¿Las mujeres te hacen sentir incómodo? ¿Te enfada que no quieran estar contigo?

BK: No... Señor, no puedo más. Por favor. Estoy haciendo lo que puedo. No soy un hombre solitario, simplemente no tengo muchos amigos ahora mismo, puede que algún compañero de trabajo. Censurado sec 40 (2), que trabajaba conmigo también en el equipo de Bethany, ahora es agente de policía, de hecho. Y lo único que siento hacia las mujeres es respeto. Mi madre me crio ella sola, y es lo que me ha enseñado siempre.

150

Inspector Nolan: ¿No te acuerdas?

BK: Solo digo que, a veces, cuando bebo mucho, tengo lagunas. No recuerdo prácticamente nada de lo que he hecho. Creo que tengo un problema y voy a pedir ayuda, lo prometo.

Inspector Nolan: ¿Me estás diciendo que no recuerdas ninguna de las noches en las que murieron estas mujeres? ¿No eres capaz de decirme dónde estabas en ninguna de esas fechas?

BK: No, seguramente estuviera en mi casa, pero no me acuerdo. Le estaba explicando uno de los motivos por los que lo he olvidado.

Inspector Nolan: Pero, Billy, si no te acuerdas, ¿no puede ser posible que no estuvieras en casa? ¿Que mataras a estas mujeres mientras estabas como una cuba?

BK: N-n-no estoy seguro, señor. No sé... Supongo que es posible...

Inspector Nolan: ¿Es posible que mataras a esas mujeres? Dilo, Billy.

BK: No, yo n... Es solo que, si no lo recuerdo, no puedo decirle qué estaba haciendo, señor. Eso es todo. ¿Puede darme un poco de agua o algo? Me duele la cabeza.

Inspector Nolan: Dímelo ya, Billy y acabaremos con todo esto de una vez. Entonces podrás beber agua y dormir un poco. Venga, los dos estamos muy cansados. Te sentirás mucho mejor, más ligero. Seguro que la culpa te está comiendo por dentro. Dime que lo hiciste. Puedes confiar en mí, Billy, ya lo sabes. Ya has pasado de «yo no lo hice» a «no me acuerdo». Solo hay que dar un paso más. Dime la verdad.

BK: Esa es la verdad. No lo hice, pero no recuerdo ninguna de esas noches.

Inspector Nolan: Deja de mentirme. Vieron tu furgoneta en la zona en la que encontraron el cadáver de Phillipa Brockfield, aquella misma mañana. Tu ADN está por todo el cuerpo de Tara Yates. Mira, tengo una carpeta del grosor de mi brazo llena de pruebas contra ti. Se acabó. Dime de una vez lo que hiciste y podremos acabar con todo esto.

BK: No debí haberla tocado. A Tara. Lo siento. Pensaba que estaba viva. Solo quería ayudarla. Por eso aparece mi ADN.

Inspector Nolan: Te vieron, Billy.

BK: ¿Q-que me vieron? ¿Haciendo qué?

Inspector Nolan: Ya lo sabes. Vamos a dejar de fingir. Te han pillado.
Solo tienes que decírmelo para que las familias de estas chicas puedan descansar en paz.

BK: **¿A-alguien me vio? Con** Tara… ¿antes? ¿Por la noche? **Pero yo no me acuerdo, no…** ¿Cómo puede ser que **no me acuerde si…?** No tiene sentido.

Inspector Nolan: ¿Qué no tiene sentido, Billy?

BK: Pues todo lo que me está diciendo… Todas las pruebas que tiene, parece como si… Puede ser. Seguramente lo hiciera, pero no entiendo cómo.

Inspector Nolan: A lo mejor estabas muy borracho, Billy. Tal vez no quisieras acordarte porque te arrepientes de lo que hiciste.

BK: **Puede ser. Pero** no me acuerdo. No recuerdo nada. **¿Alguien me vio?**

Inspector Nolan: Necesito que lo digas en voz alta, Billy. Dime lo que hiciste.

BK: **Creo que, quizá…** Debí de ser yo. No entiendo cómo, **pero fui yo, ¿**verdad? Fui yo quien mató a esas muje**res. Lo sient**o. No… Jamás haría algo así. Pero **tuve que ser yo.**

Inspector Nolan: Bien hecho, Billy. Muy bien. No te pongas a llorar **ahora. Sé cuánt**o lo sientes. Toma un pañuelo. Eso es. **Muy bien, iré** a por un poco de agua, pero, cuando **vuelva, tenem**os que seguir con esta conversación, **¿de acuerdo? Sa**carlo todo, los detalles. Lo has hecho **muy bien, Billy. Se**guro que ya te sientes mejor.

BK: **La verdad es que no. ¿**Va a…? ¿Se va a enterar mi **madre?**

Inspector Nolan: ¿Cómo las mataste, Billy?

BK:　　　　Envolviéndoles la cara en cinta americana. No podían respirar.

Inspector Nolan: No, Billy. No murieron así. Venga, sabes cuál es la respuesta. ¿Cómo las mataste? No fue con la cinta

BK:　　　　No... No lo sé, señor. Lo siento. ¿Las estrangulé? S-sí. Las estrangulé.

Inspector Nolan: Muy bien.

BK:　　　　Con las manos.

Inspector Nolan: No, con las manos no, ¿verdad? Utilizaste algo. ¿El qué?

BK:　　　　No s... ¿Una cuerda?

Inspector Nolan: Sí, así es. Una cuerda azul. Encontramos fibras que coinciden exactamente con las que hay en tu furgoneta.

BK:　　　　Es la que utilizamos en el trabajo. Sobre todo el equipo de arboricultores. La debí de coger del trabajo, ¿verdad?

Inspector Nolan: Como la cinta americana.

BK:　　　　Supongo.

Inspector Nolan: ¿Dónde las mataste, Billy? Después de raptarlas, ¿dónde las llevaste?

BK:　　　　No lo... ¿A la furgoneta del trabajo? Y luego pude haberlas trasladado hasta donde las encontraron.

Inspector Nolan: Pero las dejaste solas, ¿no? Después de envolverlas con la cinta americana, antes de estrangularlas. Algunas de ellas habían conseguido aflojar la cinta de las muñecas, romperla, lo que nos sugiere que pasaron un tiempo sin supervisión. ¿Dónde fuiste?

BK:　　　　Pues... conduje sin más, supongo.

Inspector Nolan: Muy bien, eso es, Billy. Y ¿qué te llevaste de Melissa Denny? Tu trofeo.

BK: Otra joya, creo.

Inspector Nolan: No, aquella vez no fue una joya. Fue otra cosa. Otra cosa que pueda llevar una mujer en su bolso.

BK: ¿La cartera? ¿El carnet de conducir?

Inspector Nolan: No, Billy. Sabes qué cogiste. Algo que seguramente utilizara todos los días.

BK: ¿Un pintalabios?

Inspector Nolan: Puede que también. Pero faltaba algo más en su bolso. Algo más grande, algo que su familia nos dijo que se llevaba a todas partes.

BK: ¿Qué...? Ah, algo... c-cepillo ¿un cepillo del pelo? ¿Es eso lo que quiere decir?

Inspector Nolan: Sí, un cepillo del pelo, ¿verdad? Uno de esos cepillos anchos. Melissa tenía mucho pelo, largo y rubio. ¿Por eso quisiste quedarte el cepillo?

BK: Supongo. Tiene sentido.

Inspector Nolan: Y ¿de qué color era el cepillo?

BK: ¿Rosa?

Inspector Nolan: Yo lo describiría más bien como morado. Morado claro. Tirando a malva.

BK: ¿Lila?

Inspector Nolan: Eso es, exacto. Y ¿dónde guardas los trofeos, Billy? El colgante de Phillipa, el cepillo de Melissa, el reloj de Bethany, los pendientes de Julia y el llavero de Tara. Hemos registrado tu casa y la furgoneta, pero no los hemos encontrado.

BK: Pues entonces creo que los debí de tirar. No lo recuerdo.

Inspector Nolan: ¿A la basura?

BK: Sí. Los envolví y los tiré a la basura.

Inspector Nolan: ¿No te los querías quedar?

BK: Por favor, ¿puedo irme a dormir? Estoy muy cansado.

Dieciséis

La ciudad dormía, pero Pip no. Y había alguien más que tampoco.

Una notificación en el teléfono. Un mensaje a través de la web. Una notificación de Twitter.

«¿Quién te buscará cuando seas tú la que desaparezca?»

Diecisiete

A su sangre le pasaba algo. Iba demasiado rápido, llenándose de espuma al entrar y salir de su pecho. Puede que los dos cafés seguidos no hubieran sido una buena idea, pero Cara se los había ofrecido, había dicho que parecía cansada a esas horas intempestivas de la mañana. Ahora a Pip le temblaban las manos y le burbujeaba la sangre al salir de la cafetería para ir a Church Street.

Se estaba quedando seca. No había dormido nada esa noche. Cero. Aunque se había tomado una pastilla entera, una dosis doble. Pero fue en vano después de haber leído la transcripción del interrogatorio de Billy Karras. Más veces de las que podía contar, reproduciendo las voces en su cabeza como una obra de teatro, con las pausas llenas por el zumbido de la grabadora. Y la voz que se había imaginado para Billy... no parecía para nada la de un asesino. Se lo oía asustado, confuso. Como ella.

Cada sombra de su habitación tomó la forma de un hombre, mirándola envuelta en el edredón. Cada luz era un par de ojos en la oscuridad: las led de la impresora y el altavoz Bluetooth que tenía sobre el escritorio. Fue incluso peor después de recibir el mensaje a las dos y media. El mundo se redujo a ella y a las sombras merodeadoras.

Pip se quedó despierta, con los ojos cada vez más secos a medida que pasaba el tiempo y ella continuaba mirando el techo oscuro. Si fuera honesta consigo misma, sincera de verdad, no podría decir que aquello fuera una confesión en absoluto. Sí, Billy dijo todas esas palabras. Sí, de su boca salió: «Fui yo quien mató a esas mujeres», pero el contexto lo cambiaba todo. Lo que pasó antes y después. Despojaba de sentido a esas palabras.

Maria no había exagerado ni había tergiversado la verdad por leer la transcripción desde la perspectiva de una madre. Tenía razón: la confesión parecía coaccionada. El inspector había acorralado a Billy hablando en círculos, reprochándole mentiras que nunca había pretendido decir. Nadie había visto a Billy con Tara Yates la noche anterior, eso no era cierto. Y, aun así, el pobre chico se lo tragó, se creyó a esta persona inventada por encima de sus recuerdos. El inspector Nolan se lo dio todo mascado, los detalles de los cuatro crímenes. Billy ni siquiera sabía cómo había matado a sus propias víctimas antes de que se lo dijeran.

Existía la posibilidad de que fuera todo un montaje. Una táctica inteligente de un asesino manipulador. Intentó consolarse con esa idea, pero aquello quedaba eclipsado cuando lo comparaba con la otra posibilidad: que Billy Karras fuera un hombre inocente. Ahora que había leído su «confesión», ya no era solo posible, había dejado de ser un débil «quizá». Notaba cómo su instinto se inclinaba, dejando atrás la duda para llegar a otras palabras. «Probable. Factible.»

Y algo no estaba bien, porque parte de ella se sintió aliviada. No, no era esa la palabra exacta. Era más bien... emocionada. Con la piel de gallina y la palabra pasando despacio por su cabeza. Su otra droga. Un nudo retorcido que ella tenía que deshacer. Pero no podía creerse esa parte sin aceptar la otra, la que venía con ella, mano a mano.

Dos caras de la misma verdad: si Billy Karras era inocente, el Asesino de la Cinta seguía suelto. Libre. Había vuelto. Y a Pip le quedaba una semana antes de que la hiciera desaparecer.

Así que tenía que encontrarlo ella antes. Desenmascarar a quien estuviera acosándola, ya fuera el Asesino de la Cinta o un imitador.

La clave estaba en Green Scene, y por ahí es por donde debía empezar. Ya había empezado. La noche anterior, el reloj del navegador marcaba más de las cuatro de la madrugada y Pip se estaba dedicando a leer todos sus viejos documentos. Buscando entre archivos y carpetas hasta que encontró el que necesitaba. El que se coló en su cabeza como un picor repentino, recordándole su existencia, su importancia, mientras ella intentaba pensar en todo lo que sabía sobre la empresa de Jason Bell.

Volvió a «Mis documentos» y a la carpeta que se llamaba «Deberes». Luego a «2.º bachillerato», y la carpeta se abrió mostrando la mitad de sus trabajos.

«PC.»

Pip hizo clic, y aparecieron líneas y líneas de documentos de Word y archivos de sonido que había creado hacía un año. JPG e imágenes escaneadas: las páginas de la agenda de Andie Bell abierta por completo en el escritorio y un mapa con notas de Little Kilton que Pip dibujó ella misma, recreando los últimos movimientos de Andie. Navegó por todos los registros de producción hasta que encontró el que quería. Otra vez ese picor. «Registro de producción. Entrada n.º 20 (entrevista con Jess Walker).»

Sí, ese era. Pip lo había releído y su corazón se había acelerado a medida que se iba dando cuenta de su importancia. Qué raro que un detalle sin relevancia por aquel entonces resultara ser tan vital ahora. Casi como si todo esto hubiera sido inevitable desde el principio. Un camino que Pip no sabía que recorrería hasta el final.

A continuación, investigó dónde estaba la sede de Green Scene y Clean Scene: un complejo de oficinas en Knotty

Green, a veinte minutos en coche de Little Kilton. Incluso lo visitó con el Street View de Google Maps sentada en la cama, conduciendo virtualmente por la calle. El complejo estaba tras un pequeño camino de tierra rodeado de árboles muy altos, capturados en la foto en un día nublado indeterminado. No podía ver gran cosa de ese camino aparte de un par de edificios industriales y coches y furgonetas aparcados, todo rodeado por una valla de metal pintada de verde oscuro. Había un cartel en la puerta principal con los logos coloridos de las dos empresas. Subió y bajó, haciéndose con el espacio pixelado como si fuera un fantasma. Podía mirar todo lo que quisiera, pero no le daría las respuestas que necesitaba. Solo las encontraría en un sitio. Y no era Knotty Green, no, sino Little Kilton.

Justo allí, de hecho, pensó al levantar la mirada y darse cuenta de que casi había llegado. Y también se percató de otra cosa. Una mujer se dirigía hacia ella, una cara que reconocía. Dawn Bell. La madre de Andie y Becca. Debía de acabar de salir de casa, con una bolsa vacía del supermercado colgando de un brazo. Llevaba el pelo rubio oscuro peinado hacia atrás y las manos escondidas bajo las mangas de la sudadera. También parecía cansada. Quizá fuera lo que le hacía este pueblo a la gente.

Estaban a punto de cruzarse. Pip sonrió y agachó un poco la cabeza, sin saber muy bien si saludarla o no, o si confesarle que estaba a punto de llamar a su puerta para hablar con su marido. La boca de Dawn tembló, como sus ojos, pero no se detuvo, sino que miró hacia el cielo mientras pasaba los dedos por la cadena de oro que colgaba de su cuello, moviendo el colgante, que brilló bajo la luz de la mañana. Se cruzaron y continuaron sus caminos. Pip miró hacia atrás, Dawn también. Sus miradas se encontraron durante un instante incómodo.

Pero ese momento desapareció de su cabeza en cuanto llegó a su destino. Se quedó mirando la casa, siguiendo con los ojos la línea torcida del tejado hasta llegar a las tres chimeneas. Viejos ladrillos punteados, abarrotados de hiedra, y un carrillón cromado sobre la puerta principal.

La residencia de los Bell.

Pip aguantó la respiración al cruzar la calle, mirando el coche verde aparcado en la entrada, junto a otro más pequeño de color rojo. Bien, Jason debía de estar en casa, no había salido aún hacia el trabajo. Tenía una sensación extraña, inquietante y sobrenatural. Como si no estuviera realmente allí, sino en el cuerpo de la Pip de un año atrás. Descolocada, fuera de lugar, como si todo volviera a empezar de nuevo. Allí, en casa de los Bell una vez más, porque solo había una persona que podía darle las respuestas que necesitaba.

Llamó con los nudillos sobre el cristal de la puerta.

Una figura emergió tras el vidrio translúcido, una cabeza borrosa que deslizó la cadena de la puerta y la abrió. Jason Bell estaba de pie en el umbral, abrochándose el cuello de la camisa y alisando las arrugas.

—Hola, Jason —saludó Pip alegre, aunque sentía la sonrisa demasiado tensa y correosa—. Disculpa que te interrumpa la mañana. ¿C-cómo estás?

Él la miró perplejo, comprobando quién era a quien tenía enfrente.

—¿Qué... qué quieres? —preguntó, bajando la mirada a los botones de los puños y apoyándose en el marco de la puerta.

—Ya sé que tienes que irte a trabajar —dijo Pip con la voz temblorosa por los nervios. Juntó las manos, pero fue una mala idea, porque le sudaban y ahora tendría que comprobar que no era sangre—. Solo quería hacerte un par de preguntas sobre tu empresa, Green Scene.

Jason se pasó la lengua por los dientes; Pip vio el bulto tras la piel de los labios.

—¿Qué pasa? —siseó entornando los ojos.

—Quería preguntarte por un par de exempleados tuyos. —Tragó saliva—. Uno es Billy Karras.

Parecía que Jason no se esperara eso. El cuello se le encogió dentro de la camisa. Se quedó sin habla durante un instante, hasta que por fin consiguió que salieran las palabras.

—¿Te refieres al Asesino de la Cinta? Es tu siguiente «entretenimiento», ¿no? Tu próxima llamada de atención.

—Algo así —respondió Pip con una sonrisa falsa.

—Evidentemente, no tengo nada que decir sobre él —zanjó Jason. Algo se le agitaba en la comisura de los labios—. He tenido que esforzarme mucho para separar a la empresa de las cosas que hizo.

—Pero están íntimamente conectadas —respondió Pip—. La historia oficial es que Billy cogió la cinta americana y la cuerda azul del trabajo.

—Escúchame bien —soltó Jason, levantado la mano, pero Pip lo interrumpió antes de que pudiera desviar la conversación.

Necesitaba respuestas, independientemente de si a él le gustaba o no.

—El año pasado hablé con una de las amigas del instituto de Becca, Jess Walker, y me contó que el 20 de abril de 2012, la noche en la que Andie desapareció, tú y Dawn estuvisteis en una cena. Pero os tuvisteis que marchar porque saltó la alarma de Green Scene. Me imagino que te llegaría un aviso al teléfono.

Jason se quedó mirándola, inexpresivo.

—Esa fue la misma noche en la que el Asesino de la Cinta mató a su quinta y última víctima, Tara Yates. —Pip no paró para respirar—. Y quería saber si eso fue lo que pasó: que el

Asesino de la Cinta entró en el almacén para coger los suministros y la alarma antirrobo saltó. ¿Llegaste a saber quién fue? ¿Viste a alguien cuando fuiste a apagar la alarma? ¿Tienes cámaras de seguridad?

—No vi... —Jason dejó de hablar. Miró al cielo detrás de Pip durante unos segundos, y cuando volvió a centrarse en ella, su cara había cambiado. Habían aparecido unas arrugas de rabia alrededor de sus ojos. Negó con la cabeza—. Escúchame. Ya está bien. Se acabó. No sé quién te crees que eres, pero esto es inaceptable. Tienes que aprender... ¿No crees que ya has interferido demasiado en las vidas de la gente, en las nuestras en especial? —dijo, golpeándose el pecho con una mano y arrugando la camisa—. He perdido a mis hijas. La prensa ha vuelto a merodear por mi casa, intentando conseguir declaraciones. Mi segunda mujer me dejó. He vuelto a este pueblo, a esta casa. Ya has hecho suficiente. Más que suficiente, créeme.

—Pero, Jason, es que...

—No vuelvas a intentar contactar conmigo jamás —dijo agarrando el borde de la puerta con la piel tensa sobre los nudillos—. Ni con nadie de mi familia. Se acabó.

—Pero...

Jason le cerró la puerta en las narices. No dio un portazo, lo hizo despacio, sosteniéndole la mirada hasta que la madera los separó. Los despegó. Escuchó el clic de la cerradura. Pero seguía allí. Pip veía su silueta a través del cristal translúcido. Se imaginó que sentía el calor de sus ojos sobre ella, aunque ya no pudiera verlos. Y su figura aún no se había movido.

Se dio cuenta de que quería que ella se marchara primero, ver cómo se alejaba. Y eso hizo. Agarró las asas de su mochila de color bronce y se fue, arrastrando los pies por el sendero.

Quizá hubiera tenido demasiadas esperanzas al traer el micrófono, el ordenador y los cascos. Debería haberse esperado esa reacción, la verdad, teniendo en cuenta lo que le había dicho Hawkins. Entendía a Jason. Sabía que no era bien recibida en muchas casas del pueblo, pero necesitaba esas respuestas. ¿Quién había hecho saltar la alarma en Green Scene aquella noche? ¿Había sido Billy, u otra persona? Su corazón todavía palpitaba muy rápido, y ahora los latidos le sonaban como un temporizador, una cuenta atrás hacia su propio final.

A mitad de camino, Pip miró hacia atrás, a la casa de los Bell. La silueta de Jason seguía allí, tras la puerta. ¿De verdad era necesario que la vigilara hasta que se perdiera de vista? Había pillado el mensaje, no iba a volver más. Había sido un error.

Dobló la esquina de High Street y su teléfono empezó a vibrar dentro de su pantalón. ¿Era Ravi? Debería estar en las prácticas a esa hora. Metió la mano en el bolsillo del vaquero y sacó el teléfono.

«Número desconocido.»

Pip dejó de andar y se quedó mirando la pantalla. Otra más. La segunda. Quizá solo se tratase de una llamada de la universidad; pero no lo era, estaba segura. ¿Qué debía hacer? En realidad, solo tenía dos opciones: botón rojo o botón verde.

Pulsó el verde y se llevó el teléfono a la oreja.

Silencio.

—¿Hola? —dijo con una voz fuerte, pero algo quebrada—. ¿Quién es?

Nada.

—¿Eres el Asesino de la Cinta? —preguntó, mirando a unos niños que se estaban peleando al otro lado de la calle con el mismo uniforme que Josh—. ¿Eres el Asesino de la Cinta?

Un sonido. Podía haber sido el coche que acababa de pasar, o una respiración en su oído.

—¿Vas a decirme quién eres? —insistió, con miedo a que se le cayera el teléfono, porque de pronto sus manos estaban pegajosas por la sangre de Stanley—. ¿Qué quieres de mí?

Pip se puso en medio de la carretera, en el cruce, aguantando la respiración para poder escuchar la de él.

—¿Me conoces? —añadió—. ¿Te conozco?

La línea crujió y se cortó la llamada. Escuchó los tres pitidos y el corazón le dio un salto con cada uno de ellos. Se había ido.

Pip bajó el teléfono y se quedó mirándolo, a dos pasos del bordillo. El mundo exterior estaba borroso, desaparecía mientras ella miraba la pantalla bloqueada del teléfono, donde él acababa de estar hacía unos segundos. Ya no albergaba ninguna duda de quién la estaba llamando.

Ella contra él.

Sálvate para salvarte.

Pip escuchó el ruido del motor demasiado tarde.

Unas ruedas chirriaron detrás de ella.

No le hizo falta mirar para saber lo que estaba pasando. Pero, en esa milésima de segundo, el instinto se apoderó de ella e impulsó sus piernas hacia la acera.

El chirrido le llenó los oídos; y los huesos y los dientes cuando el coche giró a su lado. Un pie aterrizó y derrapó debajo de ella.

Se cayó de rodillas y se protegió con un codo. El teléfono salió disparado de su mano y se estrelló contra el hormigón.

El chirrido se convirtió en un gruñido que se disipaba conforme el coche se alejaba de ella, antes de que pudiera verlo.

—¡Santo cielo, Pip! —gritó una voz sin cuerpo, aguda, en algún lugar delante de ella.

Pip parpadeó.

Tenía sangre en las manos.

Sangre de verdad, tenía un arañazo en la palma.

Se levantó, con una pierna aún en el asfalto, mientras unos pasos corrían hacia ella.

—Por Dios.

Apareció una mano de la nada, extendida delante de ella.

Pip miró hacia arriba.

Layla Mead. No, parpadeó, no era Layla. Ella no era real. La que estaba allí de pie era Stella Chapman. Su compañera del instituto, mirándola con preocupación.

—Joder, ¿estás bien? —preguntó.

Pip le agarró la mano y dejó que Stella tirara de ella para ponerla de pie.

—Estoy bien, estoy bien —respondió Pip limpiándose la sangre en los vaqueros. Esta vez sí que dejó una mancha.

—El muy gilipollas ni siquiera estaba mirando —dijo Stella, aún con la voz aguda por el susto mientras se agachaba a recoger el teléfono de Pip—. Estabas en el paso de peatones, me cago en todo.

Le dio el teléfono a Pip. Para su sorpresa, no tenía ni un rasguño.

—Debía de ir al menos a sesenta por hora. —Stella seguía hablando demasiado rápido como para que Pip se enterara—. Y por el centro, nada menos. Los que tienen coches deportivos se creen que son los putos dueños de la carretera. —Se pasó nerviosa la mano por el pelo castaño—. Ha estado a punto de atropellarte.

Pip podía escuchar aún el chirrido de las ruedas, que se habían quedado como un timbre en sus oídos. ¿Se había golpeado la cabeza?

—... tan rápido que no he podido ni intentar leer el número de la matrícula. Lo que sí he visto es que era un coche blanco. ¿Pip? ¿Estás bien? ¿Te has hecho daño? ¿Llamo a alguien? ¿A Ravi?

Ella negó con la cabeza y el zumbido de sus oídos desapareció. Tan solo estaba en su cabeza.

—Gracias, Stella.

Pero cuando la miró, cuando vio sus ojos amables y su piel bronceada, las líneas de sus pómulos..., volvió a convertirse en otra persona. Una diferente, pero la misma. Layla Mead. Igual que ella en todos los sentidos, excepto por el pelo castaño, que ahora era rubio ceniza. Y, cuando volvió hablar, tenía la voz de Charlie Green.

—Bueno, ¿qué tal todo? Hace meses que no te veo.

Pip sintió el impulso de gritarle a Charlie y hablarle de la pistola que se había dejado en su corazón. Enseñarle la sangre de sus manos. Pero en realidad no quería gritar. Necesitaba llorar y pedirle que la ayudara a entenderlo todo, a entenderse a sí misma. Rogarle que volviera y que le mostrara cómo volver a estar en paz con quien era. Que le dijera, con su voz calmada y suave, que a lo mejor estaba perdiendo esta pelea porque ya estaba perdida.

La persona frente a ella ahora le estaba preguntando que cuándo se iba a la universidad. Pip le devolvió la pregunta, y se quedaron allí, de pie en la calle, hablando despreocupadamente sobre el furo que Pip ya no estaba segura de tener. No era Charlie quien estaba delante de ella, hablando de irse del pueblo. Y tampoco era Layla Mead. Era Stella. Solo Stella. Pero, a pesar de eso, era muy difícil mirar a Solo Stella.

Dieciocho

—¿Otra vez?

Ravi no se movió, permaneció con una expresión impasible, como si estuviera detenido en el tiempo, en ese trozo de moqueta. Como si moverse en cualquier dirección, hacia delante o hacia atrás, fuera a confirmar lo que no quería oír. Si no se movía, cabía la posibilidad de que no fuera real.

Solo caminó por la habitación. Pip se lo acababa de contar. «No te rayes con lo que te voy a decir, pero hoy me han vuelto a llamar.» No quiso mandarle un mensaje antes para no distraerlo en el trabajo, pero la espera había sido dura, el secreto se le estuvo clavando bajo la piel en busca de la salida.

—Sí, esta mañana —respondió mirándole la cara, que por fin cambió. Levantó las cejas por encima de las gafas. Había vuelto a acordarse de ponérselas—. No dijo nada. Solo escuché una respiración.

—¿Por qué no me lo has contado? —Dio un paso adelante, acortando el espacio entre los dos—. Y ¿qué te ha pasado en la mano?

—Te lo estoy contando ahora —dijo, acariciándole la muñeca con un dedo—. Y no es nada, en serio. Un coche casi me atropella al cruzar la calle. Es solo un rasguño. Pero, escucha, lo de la llamada es bueno porque...

—Ah, es bueno, ¿no? Que te llame un posible asesino en serie es lo mejor. Uf, qué alivio —ironizó Ravi, fingiendo dramáticamente secarse la frente con la mano.

—¿Me puedes escuchar? —le pidió ella con los ojos en blanco. Menudo rey del drama—. Es bueno porque llevo toda la tarde investigándolo. Y mira, ¿ves? Me he descargado esta aplicación. —Pip le enseñó la pantalla del teléfono—. Se llama CallTrapper. Lo que hace es que, cuando la activas, cosa que ya he hecho, y pagas las malditas cuatro libras con cincuenta que cuesta la suscripción, si alguien te llama con un número oculto, lo desbloquea. De esa forma sabes quién te está llamando. —Pip le sonrió y metió un dedo por la presilla de sus vaqueros, como siempre le hacía él a ella—. La verdad es que la debí haber instalado después de la primera llamada, pero en ese momento no sabía muy bien qué era. Pensaba que podía tratarse de alguien que había marcado sin querer. En fin, da igual. El caso es que ya la tengo. Y la próxima vez que me llame, descubriré su número de teléfono.—Estaba demasiado alegre, era consciente.

Ravi asintió y relajó un poco las cejas.

—Hoy en día hay aplicaciones para todo —dijo—. Fantástico, ahora hablo como mi padre.

—Mira, te voy a enseñar cómo funciona. Llámame marcando antes 141 para ocultar tu número.

—Vale.

Ella miró cómo Ravi sacaba su teléfono y tecleaba sobre la pantalla. Lo que sintió en su pecho fue repentino e inesperado. Una sensación que se quedó un rato, se tomó su tiempo. Una ligera quemazón. Le resultó agradable que se supiera su número de memoria. Que algunas partes de ella viviesen dentro de él. Equipo Ravi y Pip.

Él la buscaría si desapareciera, ¿verdad? Pude que incluso hasta la encontrara.

El teléfono vibrando sobre sus manos interrumpió aquella sensación. «Número desconocido.» Se lo enseñó a Ravi.

—Entonces ahora pulso este botón dos veces para rechazar la llamada —indicó, demostrándoselo. El teléfono volvió a la pantalla de bloqueo, pero solo durante medio segundo, porque se volvió a iluminar con otra llamada. Y, esta vez, apareció el número de Ravi en la parte superior—. ¿Ves? La deriva a CallTrapper, que desbloquea el número y la vuelve a redirigir a mí. Lo mejor es que la persona que llama no tiene ni idea —dijo, pulsando el botón rojo

—No me puedo creer que me acabes de colgar.

Soltó el teléfono.

—¿Ves? Tengo a la tecnología de mi parte.

Su primera victoria en el juego, pero no podía dormirse en los laureles. Aún iba muy atrás.

—Bueno, no diría que es algo bueno —opinó Ravi—. No diré que nada es bueno después de leer el interrogatorio policial de Billy y darme cuenta de que un asesino en serie que todo el mundo piensa que lleva seis años encarcelado puede que, en realidad, esté libre y amenazando con matar brutalmente a mi novia. Pero algo es algo. —Fue hacia la cama y se sentó sin elegancia sobre el edredón—. Lo que no entiendo, de verdad, es cómo ha conseguido esta persona tu teléfono.

—Todo el mundo tiene mi teléfono.

—Sinceramente, espero que no —respondió consternado.

—Lo digo por los carteles de la desaparición de Jamie. —No pudo evitar reírse de su cara—. Los pusimos por todo el pueblo y ahí aparecía mi número de teléfono. Cualquier persona de Kilton podría tenerlo. Cualquiera.

—Es verdad —dijo, mordiéndose el labio—. No pensamos en los posibles futuros acosadores o asesinos en serie en ese momento, ¿verdad?

—No se nos pasó por la cabeza, no.

Ravi suspiró y enterró la cara entre las manos.

—¿Qué pasa? —le preguntó ella, girándose en la silla.

—¿No crees que deberías volver a ir a ver a Hawkins?

Y enseñarle el artículo del Asesino de la Cinta que habla de las palomas y el interrogatorio de Billy. Esto se nos queda grande.

Ahora fue Pip la que suspiró.

—Ravi, no pienso volver allí —aseguró—. Te quiero y eres perfecto precisamente por todas las cosas en las que no eres como yo, y haría lo que fuera para hacerte feliz, pero no puedo volver. —Entrelazó sus manos y apretó, convirtiéndolas en un enorme nudo de dedos cruzados—. Hawkins básicamente me llamó loca a la cara la última vez, me dijo que eran imaginaciones mías. ¿Qué va a hacer si le cuento que mi acosador, que no cree que exista, es un infame asesino en serie que lleva seis años en la cárcel, que confesó y se declaró culpable, pero que ahora es posible que no lo hiciera? Me pondría directamente la camisa de fuerza. —Hizo una pausa—. No me creerán. Nunca me creen.

Ravi se quitó las manos de la cara para mirar a Pip.

—Siempre he pensado que eres la persona más valiente que he conocido. Intrépida. A veces no sé cómo lo haces. Y cada vez que estoy nervioso por algo, pienso: ¿qué haría Pip en esta situación? Pero... —Soltó aire—. No sé si este es el momento para ser valiente. El riesgo es demasiado alto... Creo que estás siendo un poco imprudente y... —Se quedó callado y se encogió de hombros.

—Vale, a ver —dijo ella separando las manos—. Ahora mismo lo único que tenemos es una mala sensación. Cuando consiga un nombre y alguna prueba concreta, un número de teléfono, incluso —señaló su móvil—, entonces volveré a ver a Hawkins, te lo prometo. Y si no me cree, haré pública la información. Me da igual que puedan denunciarme. Lo pondré todo en las redes sociales, en el podcast, y entonces me escucharán. Nadie va a intentar atacarme si le cuento a cientos de miles de personas quién es y qué pretende hacerme. Esa es nuestra defensa.

Había otro motivo por el que tenía que hacerlo y además sola, por supuesto. Pero no se lo podía decir a Ravi; no lo entendería porque no tenía sentido, iba mucho más allá. No podía ponerlo en palabras, por mucho que lo intentara. Pip se lo había buscado, lo había deseado, había rogado que pasara. Un último caso, el adecuado, para arreglar todas las grietas de su interior. Y si Billy Karras era inocente, y la persona que quería hacerla desaparecer era el Asesino de la Cinta, no se le ocurría nada más perfecto. No había zonas grises en absoluto, ni siquiera un rastro de gris. El Asesino de la Cinta era lo más cercano al mal que el mundo podía ofrecerle. No tenía nada de bueno: ni errores, ni nobles intenciones que salen mal, ni redención, nada por el estilo. Y si Pip iba a pillarlo, por fin, para liberar a un hombre inocente, eso era objetivamente bueno. Nada de ambigüedad, ni de culpa. El bien y el mal colocados de nuevo en su interior. Ni armas en su corazón ni sangre en sus manos. Esto lo arreglaría todo para que volviera a la normalidad. Para que el equipo Ravi y Pip llevara una vida normal. Salvarse para salvarse. Por eso tenía que hacerlo a su manera.

—¿Te parece... mejor así? —le preguntó ella.

—Sí. —Él le sonrió—. Así mejor. Entonces, a ver, pruebas concretas. —Dio una palmada—. Doy por hecho que Jason Bell no te dio nada útil, ¿verdad?

—Ah, eso —dijo ella volviendo a pulsar el bolígrafo. Solo escuchaba: cinta cinta—. En efecto, no me contó nada y básicamente me dijo que no volviera a aparecer por su casa nunca más.

—Ya me imaginé que podría pasar eso —admitió Ravi—. Creo que los Bell son muy celosos de su privacidad. Andie nunca invitó a Sal a su casa cuando estaban juntos. Y tú eres una experta en presentarte en casas ajenas sin avisar, Sargentita.

—Pero —objetó ella— de verdad creo que la alarma de Green Scene aquella noche es la clave. Que fue el Asesino de la Cinta quien entró para coger el material que necesitaba para Tara. Y que debió de marcharse antes de que Jason Bell llegara. Ya fuera Billy u... otra persona.

—Otra persona —repitió Ravi ausente, como masticando la frase—. El retrato robot del FBI que aparece en el artículo, antes de que cogieran a Billy, decía que el Asesino de la Cinta era un hombre blanco de entre veintipocos y cuarenta y muchos.

Pip asintió.

—Así que Max Hastings está descartado. —Ravi resopló.

—Sí —dijo Pip—. Cuando se produjo el primer asesinato, él solo tenía diecisiete años. Y la noche que Tara y Andie Bell murieron, Max estaba en su casa con Sal y Naomi Ward y los demás. Pudo haber salido mientras los otros dormían, pero no creo que encaje. Y no tiene ninguna relación con Green Scene. Por mucho que quiera encerrar de por vida a ese capullo, en este caso, no es él.

—Daniel da Silva trabajaba en Green Scene, ¿no? —preguntó Ravi.

—Sí —respondió Pip apretando los dientes—. Esta misma tarde he averiguado cuánto tiempo pasó allí. —Empezó a revisar las notas de su cuaderno. Sabía la edad exacta de Daniel da Silva porque encajaba en el perfil de Charlie Green para el Niño Brunswick—. He tenido que bajar mucho en Facebook. Trabajó de conserje en el instituto de 2008 a 2009, cuando tenía unos veinte años. Luego empezó en Green Scene a finales de 2009 y se quedó allí hasta octubre de 2011, más o menos, creo, cuando empezó en la academia de policía. Entonces, tenía veintiuno cuando entró en Green Scene y veintitrés cuando lo dejó.

—Entonces ¿trabajaba allí cuando el Asesino de la Cinta mató a sus dos primeras víctimas? —indagó Ravi, apretando tanto los labios que formaban una fina línea recta.

—A las tres primeras, de hecho. A Bethany Ingham la asesinaron en agosto de 2011. Creo que era la supervisora de Dan, y también de Billy. Sospecho que el nombre censurado del interrogatorio es el de Daniel. Luego Jason Bell le ofreció un trabajo de oficina y dejó de ir a los jardines de los clientes. Eso fue a principios de 2011, por lo que he podido deducir. Ah, y se casó con Kim en septiembre de 2011. Llevaban años juntos.

—Interesante —dijo Ravi, pasando la mano por las cortinas de Pip para comprobar que estuvieran cerradas del todo.

Ella gruñó con un sonido muy oscuro que salió de lo más profundo de su garganta mientras volvía a revisar la lista de tareas pendientes en la libreta. La mayoría de los cuadrados no tenían el tic.

—Como Jason no quiso hablar conmigo, tuve que buscar a exempleados de Green Scene o Clean Scene, gente que trabajó en las oficinas que pudieran tener información sobre aquella alarma del 20 de abril de 2012. He encontrado a un par en LinkedIn y les he enviado un mensaje.

—Bien pensado.

—También quiero intentar contactar con el inspector Nolan, que ya está jubilado. Y he intentado contactar con algunos familiares de las víctimas —Iba pasando el bolígrafo por encima de los elementos de la lista según hablaba—. Creía haber dado con la dirección de correo electrónico del padre de Bethany Ingham, pero no funciona. Sí que he encontrado la cuenta de Instagram de la hermana de Julia Hunter, Caroline, la que mencionó lo de las palomas, pero lleva meses sin publicar nada —dijo, abriendo la aplicación en su teléfono para enseñárselo a Ravi—. Puede que ya lo no use, pero le he enviado un mensaje privado por si aca...

Los ojos de Pip se paralizaron en la notificación roja que acababa de aparecer en la flechita de los mensajes directos.

—Hostia puta —dijo en voz baja—. Acaba de contestar. ¡Caroline Hunter acaba de escribirme!

Ravi ya estaba de pie con las manos sobre los hombros de Pip.

—¿Qué ha dicho? —Ella notaba su respiración en la nuca.

Pip le echó un vistazo rápido al mensaje. Tenía los ojos tan cansados, tan secos, que pensaba que los escuchaba crujir.

—Dice... que puede quedar conmigo. Mañana.

Pip notó cómo sonreía sin poder evitarlo. Menos mal que Ravi estaba detrás y no la veía; le habría fruncido el ceño y le habría dicho que no era momento de celebraciones. Pero ella lo sentía así, en cierto modo. Era otra victoria para ella. Salvarse para salvarse.

Tu turno, Asesino de la Cinta.

Diecinueve

Esa tenía que ser ella, la que acababa de entrar en la cafetería, con aspecto inseguro, mirando de un lado a otro.

Pip levantó una mano y la saludó.

Caroline sonrió aliviada cuando vio la mano y la siguió hasta los ojos de Pip. Esta la miraba mientras se abría camino educadamente entre las mesas y la gente que se agolpaba en ese Starbucks, justo al lado de la estación de Amersham. No pudo evitar darse cuenta de cuánto se parecía a Julia Hunter antes de que el Asesino de la Cinta le robara la cara envolviéndola en cinta americana. El mismo pelo rubio oscuro y las cejas completamente arqueadas. ¿Por qué las hermanas se parecían mucho más cuando una de las dos estaba muerta? Andie y Becca Bell. Ahora Julia y Caroline Hunter. Dos jóvenes hermanas cargando con un fantasma allá donde fueran.

Pip apartó el cargador de su portátil para levantarse.

—Hola, Caroline —la saludó, extendiéndole la mano, incómoda.

Ella sonrió y le apretó la mano. Tenía la piel fría.

—Veo que ya estás preparada. —Señaló el ordenador de Pip y los cables que conectaban los dos micrófonos. Ella llevaba los auriculares alrededor del cuello.

—Sí, aquí en esta esquina deberíamos de estar lo bastante tranquilas —indicó Pip, volviendo a sentarse—. Muchas gracias por quedar conmigo con tan poca antelación. Ah, te he pedido un americano. —Hizo un gesto hacia la taza humeante que estaba al otro lado de la mesa.

—Gracias —dijo Caroline, quitándose el abrigo largo y sentándose en la silla de enfrente—. Estoy en mi descanso para comer, así que tenemos como una hora o así. —Sonrió, pero no del todo, moviendo ansiosa la comisura de los labios—. Ah —dijo de pronto, buscando algo en su bolso—. He firmado el consentimiento que me mandaste. —Se lo dio.

—Genial, gracias —dijo Pip, y lo metió en su mochila—. ¿Te importa que compruebe los niveles? —Deslizó uno de los micrófonos hacia Caroline y se sujetó uno de los cascos sobre una oreja—. ¿Puedes decir algo? Habla normalmente.

—Sí... eh, hola, me llamo Caroline Hunter y tengo veinticuatro años. ¿Así está...?

—Perfecto —asintió Pip, mirando cómo se movían las líneas azules del programa de grabación.

—Me dijiste que querías hablar de Julia y del Asesino de la Cinta. ¿Es para otra temporada de tu podcast? —preguntó Caroline, enrollándose un mechón de pelo en un dedo.

—Ahora mismo solo estoy en la fase de investigación de antecedentes —respondió Pip—. Pero sí, posiblemente. —Y recogiendo pruebas concretas, si resultaba que Caroline le daba el nombre del Asesino de la Cinta.

—Ya, claro. —Resopló—. Es que en las otras temporadas los casos estaban o cerrados o en curso... Pero en el de Julia... sabemos quién lo hizo y está en la cárcel recibiendo su merecido. Supongo que no sé muy bien de qué trataría el podcast. —A medida que acababa la frase la fue convirtiendo en pregunta.

—Creo que todavía no se ha contado la historia completa —explicó Pip, evitando los motivos reales.

—Entiendo, ¿porque no hubo juicio?

—Eso es, sí —Ahora las mentiras se deslizaban con muchísima facilidad por su boca—. Y de lo que quiero hablar contigo, en realidad, es de la declaración que le diste a un reportero del *Newsday UK* el 5 de febrero de 2012. ¿Te acuerdas? Sé que fue hace mucho tiempo.

—Sí, me acuerdo. —Caroline le dio un sorbo a su café—. Me tendieron una emboscada en mi casa cuando volvía de clase. Además, era el primer día que iba, solo había pasado una semana desde el asesinato de Julia. Era joven y estúpida. Pensaba que tenía que hablar con la prensa. Seguramente les diría un montón de cosas sin sentido. Recuerdo que estaba llorando. Mi padre se enfadó muchísimo después.

—Quería preguntarte, concretamente, por dos cosas que revelaste en aquella ocasión. —Pip cogió una copia del artículo y se lo pasó a Caroline. Al final había unas líneas subrayadas en rosa neón—. Mencionaste unos acontecimientos muy extraños que ocurrieron las semanas antes del asesinato de Julia. Unas palomas muertas y unas figuras hechas con tiza. ¿Puedes hablarme de eso?

Caroline asintió mientras analizaba la página y leía sus propias palabras. Cuando volvió a levantar la mirada, sus ojos parecían más pesados, más turbios.

—Sí, no sé, seguramente no fuera nada. La policía no pareció muy interesada. Pero Julia sí que pensó que era raro, lo bastante como para mencionármelo. Nuestro gato era muy viejo, prácticamente no salía de casa, hasta se cagaba en el salón en lugar de hacerlo fuera. Estaba claro que no estaba en su mejor momento de cacería, por así decirlo. —Se encogió de hombros—. Por eso nos pareció raro que matara a dos palomas y las trajera a casa. Pero supongo que sería algún otro gato del vecindario el que nos dejó el regalo.

—¿Tú las viste? —preguntó Pip—. ¿A alguna de las dos palomas?

Caroline negó con la cabeza.

—Mi madre limpió una y Julia, la otra. Mi hermana no tenía ni idea de la existencia de la primera hasta que no se quejó por tener que limpiar la sangre del suelo de la cocina. La que ella recogió no tenía cabeza, por lo visto. Recuerdo que mi padre se enfadó con ella porque metió la paloma muerta en el cubo de la basura —rememoró con una sonrisa triste.

A Pip se le encogió el estómago al pensar en su propia paloma decapitada.

—Y las figuras hechas con tiza, ¿qué me puedes contar de eso?

—Tampoco las vi. —Caroline dio otro sorbo al café y el micrófono capturó el sonido—. Julia decía que estaban en la calle, cerca de nuestra entrada. Me imagino que las lavarían antes de que yo llegara. Por aquel entonces vivíamos cerca de una familia, así que lo más seguro es que fueran los niños.

—¿Dijo Julia algo de haberlas vuelto a ver? ¿Que se acercaban cada vez más a la casa, quizá?

Caroline se quedó mirándola durante un instante.

—No, creo que no. Pero sí que parecía molesta por eso, como si no se las pudiera sacar de la cabeza. Aunque no creo que estuviera asustada.

Pip se movió y la silla crujió bajo su peso. Probablemente sí que estuviera asustada. A lo mejor se lo ocultó a su hermana pequeña. Esas tres figuras de tiza acercándose cada vez más a su casa, a ella, la cuarta. ¿Pensaría que se las estaba imaginando, como hizo Pip? ¿Se cuestionaría si las dibujaba ella misma como resultado de la falta de sueño y las pastillas?

Pip llevaba demasiado tiempo en silencio.

—Y —continuó— las bromas telefónicas, ¿qué eran?

—Llamadas de números ocultos en las que no hablaba nadie. Seguramente fueran de publicidad o una cosa por el estilo. Pero los periodistas me presionaron mucho para que les contase algo fuera de lo normal, me pusieron en un aprieto. Así que les dije lo primero que se me vino a la cabeza. No creo que tuvieran nada que ver con Bil... Con el Asesino de la Cinta.

—¿Recuerdas cuantas llamadas recibió aquella semana? —Pip se inclinó hacia delante. Necesitaba otra, al menos una más para pillarlo.

—Creo que tres, por lo menos. Suficientes como para que Julia lo comentara —dijo Caroline. Y su respuesta fue como algo físico que hizo que a Pip se le erizara el vello de los brazos—. ¿Por qué? —preguntó.

Puede que se hubiera dado cuenta de la reacción de Pip.

—Solo estoy intentando averiguar si el Asesino de la Cinta tuvo contacto con sus víctimas antes. Si las acosó o no, y sospecho de las llamadas, las palomas y la tiza —aclaró.

—No lo sé. —Los dedos de Caroline se volvieron a perder entre su pelo—. Él no lo mencionó en su confesión, ¿verdad? Si admitió todo lo demás, ¿por qué habría ocultado eso?

Pip se mordió el labio mientras pensaba en la mejor forma de proseguir. No podía decirle a Caroline que creía que era posible que el Asesino de la Cinta y Billy Karras fueran dos personas diferentes: eso sería una irresponsabilidad. Cruel, incluso. No sin tener pruebas concretas.

Así que cambió de táctica.

—Entonces ¿Julia no tenía novio cuando la asesinaron?

Caroline asintió.

—Así es —confirmó—. Solo un ex, y estaba en Portugal la noche que la mataron.

—¿Sabes si se veía con alguien? ¿Si tenía citas? —insistió Pip.

Caroline hizo un ruido evasivo con la garganta y la línea azul del programa de grabación dio el correspondiente salto.

—La verdad es que no lo creo. Andie no paraba de hacerme esa pregunta también en su momento. Julia y yo no hablábamos demasiado de chicos en casa porque mi padre

179

siempre se terminaba enterando de todo e intentaba entrometerse en la conversación para reírse de nosotras. Salía mucho a cenar con sus amigos, igual eso era un código de algo. Pero no era Billy Karras, evidentemente; la policía habría encontrado algo en su teléfono. O en el de él.

La mente de Pip se quedó paralizada, tropezándose con una palabra. No escuchó nada más de lo que dijo Caroline después.

—Un momento, ¿has dicho Andie? —preguntó con una risa nerviosa—. No te referirás a Andie B...

—Sí, Andie Bell. —Caroline sonrió con tristeza—. Ya, qué pequeño es el mundo, ¿eh? Y qué casualidad que asesinaran a dos personas que formaban parte de mi vida. Bueno, más o menos. Sé que lo de Andie fue un accidente.

Pip la volvió a notar: esa sensación escalofriante en la espalda, gélida e inevitable. Como si todo estuviera saliendo según lo estipulado desde el principio. Cerrando el círculo. Y como si ella no fuera más que una intrusa en su propio cuerpo, viendo cómo se desarrollaba el espectáculo.

Caroline la miraba con preocupación.

—¿Estás bien? —preguntó.

—S-sí, estoy bien. —Pip tosió—. Solo estaba intentando averiguar de qué conocías a Andie Bell. Me he quedado atónita, perdona.

—Ya, te entiendo. —Torció la boca con compasión—. A mí también me pasó lo mismo, fue todo un poco aleatorio, la verdad. Ocurrió un par de semanas después de que Julia muriera. Recibí un email de Andie, sin motivo aparente. No la conocía de antes. Teníamos la misma edad, íbamos a institutos diferentes, pero teníamos algún amigo en común. Creo que consiguió mi dirección de correo de mi perfil de Facebook, cuando todavía todo el mundo usaba Facebook. En fin, que era un email muy amable, diciéndome que sentía lo de Julia y que si necesitaba alguien con quien hablar, ahí estaba ella.

—¿Andie te dijo eso? —preguntó Pip.

Caroline asintió.

—Así que le respondí y empezamos a charlar. Yo no tenía ninguna buena amiga por aquel entonces, alguien con quien hablar sobre cómo me sentía, sobre Julia, y Andie se portó genial. Nos hicimos íntimas. Programábamos llamadas una vez a la semana y solíamos quedar... aquí, de hecho —dijo, mirando la cafetería y deteniéndose en una mesa junto a la ventana. Debía de ser donde se sentaban.

Caroline Hunter y Andie Bell. Pip todavía no terminaba de entender esta extraña coincidencia. ¿Por qué contactó Andie con Caroline de pronto? No le parecía algo típico de la chica a la que ella había conocido cinco años después de su muerte.

—Y ¿de qué hablabais? —se interesó Pip.

—De todo. De cualquier cosa. Para mí era como terapia, y espero de verdad que ella sintiera lo mismo, aunque es cierto que no hablaba mucho de sus problemas. Nos centrábamos en Julia, en el Asesino de la Cinta, en cómo estaban mis padres, etcétera. Murió la misma noche que Bill Karras mató a Tara Yates, ¿lo sabías?

Pip asintió.

—Una coincidencia horrible y extraña —continuó Caroline mordiéndose el labio—. Hablamos muchísimo de eso y no vivió para saber quién era. Ella también estaba desesperada por descubrirlo, creo que por mí, en cierto modo. Y me siento fatal, porque no tenía ni idea de todo lo que le estaba pasando a ella.

Pip miró de un lado a otro mientras su mente intentaba mantener el ritmo en esa inesperada bifurcación que la llevaba del Asesino de la Cinta hacia Andie Bell. Otra conexión: la empresa de su padre y, ahora, esta amistad con Caroline Hunter. ¿La policía sabía esto? ¿Conocían esta extraña conexión entre los dos casos? Si los correos procedían de una cuenta de email que la familia de Andie conocía, el inspector Hawkins debería saberlo, a no ser...

—¿Recuerdas qué dirección de correo utilizó Andie la primera vez que se puso en contacto contigo? —preguntó. La silla crujió cuando se inclinó hacia delante.

—Sí —dijo Caroline, metiendo la mano en el bolsillo de la chaqueta, colgada en el respaldo de la silla—. Era un poco rara, números y letras aleatorios. Al principio pensé que era un bot o algo. —Desbloqueó el teléfono—. Cuando murió, guardé todos los emails para no perderlos. Mira, estos son los que me escribió antes de que intercambiáramos los números de teléfono.

Le pasó el teléfono a Pip con la aplicación de Gmail abierta y una fila de correos electrónicos alineados en la pantalla. Enviados desde A2B3LK94@gmail.com, con el asunto «Hola».

Pip ojeó la previsualización de cada uno de los mensajes, leyéndolos con la voz de Andie, devolviéndola a la vida. «Hola, Caroline: No me conoces. Me llamo Andie Bell, voy al instituto Kilton, y creo que las dos conocemos a Chris Parks... Hola, Caroline: Gracias por responderme y no pensar que soy un bicho raro por ponerme en contacto contigo. Siento mucho lo de tu hermana. Yo también tengo una hermana...» Hasta el último de todos: «Hola, CH: ¿Te parece si hablamos por teléfono en lugar de enviar emails? O incluso podríamos quedar...».

Algo se removió en la mente de Pip y la empujó a volver a leer esas dos letras: CH. Le preguntó a su cabeza qué se suponía que tenía que ver ahí; eran simplemente las iniciales de la chica.

—Me alegro de que averiguaras la verdad de lo que le pasó. —Caroline interrumpió sus pensamientos—. Y de que fueras amable con ella en el podcast. Andie era una chica complicada, creo. Pero me salvó.

«Y es incluso más complicada ahora», pensó Pip, analizando otra vez la dirección de correo. Caroline tenía razón;

era una combinación extraña, casi confusa a propósito. Como un secreto. A lo mejor la abrió por eso, para comunicarse con Caroline Hunter. Pero ¿por qué?

—¿Vas a hablar con él? —se interesó Caroline, haciendo que Pip volviera a la cafetería, a esa mesa, a los micrófonos que tenían delante—. ¿Vas a entrevistar a Billy Karras?

Pip hizo una pausa, pasó los dedos por el plástico de los auriculares, que descansaban alrededor de su cuello.

—Espero poder hablar con el Asesino de la Cinta, sí —respondió.

Lo hizo con la intención de ser discreta para no tener que mentir a Caroline, pero había algo más en esas palabras. Algo rastrero y siniestro. Una promesa oscura. A ella misma, ¿o a él?

—Oye —dijo Pip pulsando el botón de *stop* del programa de grabación—, ya nos hemos quedado sin tiempo, ¿te importa si programamos otra entrevista pronto para que me hables más sobre Julia, sobre cómo era? Me has dado mucha información útil para mi investigación, muchas gracias.

—¿En serio? —preguntó Caroline confundida.

Lo había hecho, pero ella no lo sabía. Le había proporcionado a Pip una pista en el lugar más improbable.

—Sí, ha sido muy esclarecedor —dijo Pip desconectando los micrófonos.

Esas dos letras, CH, aún seguían reproduciéndose en su cabeza, junto con la voz de Andie, una voz que no había escuchado nunca.

Ella y Caroline se dieron un apretón de manos y se despidieron. Pip esperaba que Caroline no hubiera notado el temblor de sus dedos, el escalofrío que se había acomodado debajo de su piel. Y mientras Pip empujaba la puerta de la cafetería y se la sujetaba a Caroline, la golpeó una brisa fría y tuvo una revelación. Se percató de que, incluso después de todo este tiempo, Andie Bell aún guardaba un misterio más.

Foto de la agenda de Andie Bell; 12-18 de marzo de 2012

Lunes 12

~~Ge~~ Leer cap 9 del Encore Tricolore ☐

Teatro: leer La tragedia del vengado

→ AC: @ 6

Martes 13

AndieBell · AndieBell · AndieBell

AndieBell · AndieBell

- Leer La tragedia del vengador. ☐

Miércoles 14

Leer la maldita Tragedia

- Comprar regalos para EH + CB

Jueves 15

- Buscar en wikipedia el argumento de La tragedia del vengador.
- Preguntas de francés

→ I V: @ 8

Viernes 16

¡¡¡Atención, examen
de Geografía!!!

Sábado 17 y domingo 18

Sab. CH: @ 6

^ antes de F dest.

Veinte

Pip lo encontró, el picor en la nuca, el que la arañaba de delante hacia atrás y que parecía que le susurraba dos letras. CH.

Se quedó mirando el documento abierto delante de ella. «Foto de la agenda de Andie; 12-18 de marzo de 2012.» Una imagen que había copiado y pegado en «Registro de producción n.º 1: entrada 25» de su proyecto del año pasado. Una de las fotos que tomó de la agenda de Andie cuando ella y Ravi se colaron en casa de los Bell, hacía menos de un año, en busca de un teléfono de prepago que nunca encontraron.

En la fotografía entera, la original, antes de que Pip la cortara, salía también el escritorio desordenado de Andie. Un estuche de maquillaje con una goma del pelo encima con pelos rubios enredados. Y, además, la agenda del instituto Kilton del año 2011/2012, abierta por esa semana de mediados de marzo, un poco más de un mes antes de que Andie muriera.

Y ahí estaban. «CH» escritas en el sábado, y en las otras fotos que había sacado: la semana antes y la de después. Pip pensaba que ya había resuelto el código de Andie. Que CH significaba «Casa de Howie», igual que por AC se refería al aparcamiento de coches de la estación de tren, donde Andie quedaba con Howie Bowers para recoger mercancía o entregarle el dinero. Pero se equivocó. CH no tenía nada que ver con Howie Bowers. CH era Caroline Hunter. Si se refería a una llamada telefónica o a que habían quedado, era más difícil de saber. Pero había sido ella todo el tiempo, y aquí tenía la prueba. Andie había contactado con la hermana de la cuarta víctima del Asesino de la Cinta.

El picor en la nuca de Pip se convirtió en dolor de cabeza, cada vez más fuerte en la sien, mientras ella intentaba comprender qué significaba todo eso. La idea la golpeaba mientras trataba de darle sentido. ¿Qué tenía que ver Andie Bell con el Asesino de la Cinta?

Solo había un lugar en el que quizá encontraría respuestas: la otra dirección de correo de Andie, la que Pip sospechaba que era secreta. Esa chica había tenido muchos secretos durante su corta vida.

Pip por fin dejó de mirar la página de la agenda y abrió el navegador. Cerró sesión de su cuenta de Gmail e hizo clic otra vez en «Iniciar sesión».

Escribió la dirección de correo de Andie, A2B3LK94@ gmail.com, y luego hizo una pausa moviendo el ratón por la caja de la contraseña. Era imposible que pudiera averiguarla. Llevó el cursor hacia la pregunta de «¿Has olvidado la contraseña?».

Apareció una nueva pantalla que le pedía a Pip que introdujera la «última contraseña que recuerdes». El cursor parpadeaba sobre la caja vacía, riéndose de ella. Lo movió de nuevo por encima de la caja vacía y bajó hasta «Intentar una pregunta diferente».

Otra opción le ofrecía enviar un código al email de recuperación AndieBell94@gmail.com. Se le retorció el estómago: sí que tenía otra dirección de email, la principal, seguramente. La que la gente conocía. Pero Pip tampoco tenía acceso a esa, así que no podía recuperar el código de verificación. Quizá la dirección secreta de Andie permanecía así para siempre.

Pero aún no había perdido toda la esperanza. Había otra

opción, otro «Intentar una pregunta diferente» al final de la página. Hizo clic con los ojos cerrados durante medio segundo, rogándole a la máquina que por favor por favor por favor funcionase.

Cuando los volvió a abrir, la página había vuelto a cambiar.

«Responde a la pregunta de seguridad que añadiste a tu cuenta:

¿Cómo se llamaba tu primer hámster?»

Debajo había otra caja vacía pidiéndole a Pip «Introduce tu respuesta».

Ya está. No había más opciones, ni un botón de «inténtalo de nuevo». Había llegado al final. Un callejón sin salida.

¿Cómo narices iba a averiguar el nombre del primer hámster de los Bell? Un hámster que, seguramente, existiera antes de las redes sociales. Tampoco podía llamar a la puerta de nuevo para preguntarle a Jason; ya le había dicho que los dejara en paz para siempre.

Un momento.

A Pip se le aceleró el corazón. Cogió el teléfono para comprobar la fecha. Era miércoles. Al día siguiente, a las cuatro de la tarde, Becca Bell la llamaría desde la cárcel, como cada jueves.

Sí. Becca era la solución. Seguro que sabía cómo se llamaba el hámster al que Andie se refería. Y Pip podría preguntarle si sabía algo sobre la dirección de correo secundaria de su hermana, y por qué la podía haber necesitado.

Pero para las cuatro de la tarde del jueves quedaban veinticinco horas, que le parecían toda una vida, y no estaba muy desencaminada. Su vida. Pip no sabía cuánto tiempo le quedaba, eso solo lo decidía el Asesino de la Cinta o la persona que se estuviera haciendo pasar por él. Una carrera contra un temporizador que ella no podía ver. Y no había nada que hacer aparte de esperar.

Becca lo sabría.

Y, mientras tanto, podría seguir investigando las otras pistas abiertas. Enviar otro mensaje a los extrabajadores de Green Scene para que le dijeran lo que supieran de la alarma. Concertar una entrevista con el ya jubilado inspector Nolan. Le había contestado aquella mañana diciéndole que estaría encantado de hablar del caso del Asesino de la Cinta para su podcast. Todavía había cosas que Pip podía hacer, varias jugadas contra él en las próximas veinticinco horas.

Ahora le temblaban las manos. Mierda. Lo siguiente era la sangre saliéndole de las líneas de la mano. Ahora no, por favor, ahora no. Tenía que relajarse, tranquilizarse, tomarse un descanso del interior de su cabeza. ¿Y si se iba a correr? O... Miró al escritorio, al segundo cajón empezando por abajo. ¿Y las dos cosas?

Sintió el amargor de la media pastilla en la lengua cuando se la tragó sin agua e intentó bajarla con una bocanada de aire. «Respira.» Pero no podía respirar porque solo quedaban dos pastillas y media en la bolsita transparente y necesitaba más. Sin ellas no podría pensar, y en ese caso, no iba a ganar.

No quería. La última vez iba a ser la última de verdad, lo había prometido. Pero las necesitaba para salvarse. Y luego ya no las volvería a necesitar más. Ese era el trato que hizo mientras cogía el primer teléfono de prepago de la fila y lo encendía. El símbolo de Nokia iluminó la pantalla.

Fue a los mensajes e introdujo el único número que tenía guardado en cualquiera de esos teléfonos. Le envió a Luke Eaton solo dos palabras:

«Necesito más».

Pip se rio de sí misma, con una risa oscura, al darse cuenta de que la cosa negra que tenía en las manos era otra conexión más con Andie Bell. Estaba siguiendo sus pasos, seis años más tarde. Y puede que unos teléfonos secretos escondidos no fuera lo único que ella y Andie compartían.

Luke respondió en cuestión de segundos.

«¿Otra vez la última vez? Te aviso cuando las tenga.»

Pip sintió la rabia en la piel de la nuca. Se mordió el labio hasta que le dolió, mientras mantenía pulsado el botón de apagado y volvía a meter el teléfono y a Luke en el compartimento secreto del fondo del cajón. Estaba equivocado. Esta vez era diferente. Esta sí sería la última vez.

Pero el Xanax aún no le había hecho efecto; el corazón todavía le latía con fuerza dentro del pecho, por mucho que intentara negociar con él. Podría salir a correr. Debería hacerlo. Puede que la ayudase a pensar y a averiguar cuál era la conexión entre Caroline Hunter y el Asesino de la Cinta.

Se acercó hasta la cama y a la ventana detrás de ella, y se quedó mirando a través del cristal el cielo de la tarde. Era de un gris revuelto, y había manchas en la entrada porque había vuelto a llover. Qué más daba, le gustaba correr bajo la lluvia. Además, cosas peores podía encontrarse en la entrada, como cinco figuras de tiza sin cabeza yendo a por ella. No habían vuelto a aparecer, Pip lo comprobaba cada vez que salía de casa.

Pero ahora había otra cosa ahí fuera, un movimiento que tiraba de su mirada. Una persona, corriendo por la acera, pasando por delante su casa, de su entrada. Solo tardó tres segundos en desaparecer, pero fueron suficientes para que Pip supiera exactamente quién era. Llevaba una botella de agua en una mano. El pelo rubio peinado hacia atrás, apartado del rosto anguloso. Echó un vistazo rápido hacia su casa. Lo sabía. Sabía que ella vivía ahí.

Pip volvió a ver rojo, como si hubiera una erupción de violencia tras sus pupilas mientras su mente le mostraba todas las formas posibles en las que podía matar a Max Hastings. Ninguna de ellas era lo bastante mala; se merecía algo mucho peor. Las repasó todas, sus pensamientos lo perseguían por la calle, hasta que algo la devolvió a la habitación.

Su teléfono, que vibraba sobre el escritorio.

Se quedó mirándolo.

Mierda.

¿Era el número desconocido? ¿Era el Asesino de la Cinta? ¿Estaba a punto de descubrir quién la estaba acosando? La aplicación CallTrapper estaba lista para convertir esa respiración sin cuerpo en una persona real, en un nombre. No tenía por qué saber la conexión de Andie Bell con todo esto; la respuesta definitiva estaría delante de sus narices.

Rápido. Ya había dudado demasiado. Se apresuró al otro lado de la habitación para coger el teléfono.

No, no era un número desconocido. Había una secuencia de dígitos en lo alto de la pantalla: un móvil que no reconocía.

—¿Sí? —contestó, apretándose demasiado el teléfono a la oreja.

—Hola —la saludó una voz profunda y estática al otro lado de la línea—. Pip, soy yo. El inspector Richard Hawkins.

El pecho se le desinfló alrededor del corazón acelerado. No era el Asesino de la Cinta.

—Ah —dijo, recuperándose—. Inspector Hawkins.

—Esperabas a otra persona —intuyó él, sorbiendo por la nariz.

—Sí.

—Bueno, siento molestarte. —Ahora una tos. Volvió a sorber por la nariz—. Es que tengo noticias y he pensado que lo mejor era llamarte enseguida. Sé que te gustaría saberlo.

¿Noticias? ¿Del acosador que él no creía que existiera? ¿También lo habían relacionado con el Asesino de la Cinta?

Sintió una nueva ligereza en ese momento, que empezaba en el estómago y subía por el resto del cuerpo, hasta notó cómo se le levantaban los talones desnudos de la moqueta. La creía, la creía, la creía...

—Se trata de Charlie Green —continuó, llenando el silencio.

Ah. Se hundió de nuevo.

—Qu-qu... —intentó decir Pip.

—Lo hemos pillado —la informó Hawkins—. Lo acaban de arrestar. Consiguió llegar a Francia. Lo tienen los de la Interpol. Ya está. Mañana lo extraditarán y podremos condenarlo oficialmente.

Pip seguía hundiéndose. ¿Cómo podía seguir hundiéndose? Había un límite de profundidad. En cualquier momento atravesaría el suelo y se encontraría en la nada.

—A-ah... —tartamudeó.

Se hundía. Temblaba. Se miraba los pies para comprobar que no desaparecían bajo la moqueta.

—Ya no tienes de qué preocuparte. Lo tenemos —repitió Hawkins, con la voz más suave—. ¿Estás bien?

No, no lo estaba. No entendía qué quería de ella. ¿Pretendía que le diera las gracias? No, eso no era lo que tenía que pasar. Charlie no debía estar encerrado; ¿cómo la iba a ayudar desde una celda, decirle lo que estaba bien y lo que estaba mal, qué hacer para solucionarlo todo? ¿Por qué iba ella a querer eso? ¿Debería quererlo? ¿Era eso lo que sentiría una persona normal en lugar de ese agujero negro dentro de ella que se iba tragando todos sus huesos?

—¿Pip? Ya no tienes que tener miedo. No puede hacerte daño.

Quería gritarle, decirle que Charlie Green nunca había supuesto un peligro para ella, pero Hawkins no la creería.

Nunca la creía. Tal vez diera igual, quizá todavía quedara una forma de arreglarse, de salir de esa espiral antes de que llegara a su fin. Porque era allí donde se dirigía todo esto, lo sentía, y aun así no podía evitarlo. Pero igual Charlie sí.

—¿P-puedo... —empezó a decir, pero dudaba—. ¿Puedo hablar con él, por favor?

—¿Cómo dices?

—Con Charlie —aclaró, esta vez más bajo—. ¿Puedo hablar con Charlie? Me gustaría hablar con él. Necesito verlo.

Se escuchó un ruido al otro lado de la línea, un gruñido de incredulidad que salía de la garganta de Hawkins.

—Pues... —titubeó—. Me temo que no va a ser posible, Pip. Eres la única que presenció el asesinato del que se lo acusa. Y, si hay un juicio, te llamarán como testigo principal de la acusación. Así que me temo que no vas a poder hablar con él.

Pip se hundió aún más, sentía como los huesos se fusionaban con la estructura de la casa. La respuesta de Hawkins era física, afilada, y se le había clavado en el pecho. Debería haberlo sabido.

—Bueno, no pasa nada —dijo en voz baja. Sí que pasaba, pasaba de todo.

—¿Cómo... cómo va lo otro? —preguntó Hawkins con inseguridad—. Lo del acosador, por lo que viniste el otro día. ¿Ha habido más incidentes?

—Ah, no —respondió Pip inexpresiva—. Nada más. Ya está solucionado. Todo bien, gracias.

—De acuerdo. Bueno, solo quería avisarte de lo de Charlie Green antes de que lo vieras en la prensa mañana. —Hawkins carraspeó—. Y espero que estés mejor.

—Estoy bien —mintió Pip, pero apenas tenía energía ni para fingir—. Gracias por llamarme, inspector Hawkins. —Bajó el teléfono y pulsó el botón rojo.

Habían cogido a Charlie. Se había acabado. La única salvación posible que le quedaba, además de este peligroso juego contra el Asesino de la Cinta. Al menos podía tachar oficialmente el nombre de Charlie de la lista de personas que pudieran odiarla lo suficiente como para querer que desapareciera. Siempre había tenido claro que no era él, y ahora era evidente que no podía serlo: había estado en Francia todo este tiempo.

Pip volvió a mirar la pantalla de su ordenador, la página que le preguntaba cómo se llamaba el primer hámster de Andie Bell, y le pareció casi gracioso lo ridículo que era todo. Igual de gracioso y de ridículo que la noción de un cuerpo en descomposición y de cómo todos nos convertimos en uno. Desaparecer no era un misterio, era emocionante; eran cuerpos fríos con extremidades rígidas y parches morados a medida que la sangre del interior se acumulaba. Lo que Billy Karras debió de ver cuando encontró a Tara Yates. El aspecto de Stanley Forbes en la morgue, aunque ¿cómo le iba a quedar a él algo de sangre si estaba toda en sus manos? Sal Singh también, muerto en el bosque junto a su casa. Pero Andie Bell no. A ella la encontraron demasiado tarde, cuando ya casi se había descompuesto por completo, desintegrada. «Eso era lo más parecido a desaparecer», pensó Pip.

Y, aun así, Andie no había desaparecido. En absoluto. Ahí estaba otra vez, seis años y medio después, y era la única pista que le quedaba a Pip. No, no era una pista, era un salvavidas. Había una fuerza extraña y desconocida que las conectaba a través del tiempo, aunque nunca se hubiesen llegado a conocer. Pip no había podido salvar a Andie, pero tal vez Andie la salvara a ella.

Podía ser.

Aun así, Pip tenía que esperar. Y Andie Bell seguiría siendo un misterio, al menos durante las próximas veinticuatro horas y media.

Veintiuno

«Esta es una llamada a cobro revertido de Tel-Co Link de... Becca Bell... una presa de la cárcel HM Downview. Por favor, tenga en cuenta que esta llamada será grabada y está sujeta a monitorización en cualquier momento. Para aceptar, pulse 1. Para bloquear todas las fut...»

Pip pulsó 1 tan rápido que casi tira el teléfono al suelo.

—¿Hola? —Se lo volvió a llevar a la oreja mientras balanceaba la pierna sin control contra el escritorio, volcando el bote de bolígrafos que había encima—. ¿Becca?

—Hola. —La voz de Becca sonó algo distante al principio—. Hola, Pip. Sí, estoy aquí. Perdona, es que había cola. ¿Cómo estás?

—Bien —respondió ella. El pecho se le obstruía con cada respiración—. Bien, sí, como siempre.

—¿Seguro? —se interesó Becca con una ligera preocupación—. Te noto un poco nerviosa.

—Nada, es que he tomado demasiado café, ya me conoces —le quitó hierro Pip con una risa poco sincera—. ¿Cómo estás tú? ¿Qué tal ese francés?

—Bien, sí —dijo ella. Luego añadió—: *Très bon* —con una risotada—. Y esta semana han empezado las clases de yoga.

—Qué divertido.

—Sí. Fui con mi amiga, ¿te acuerdas? Te hablé de Nell, ¿verdad? dijo Becca—. Me lo pasé muy bien, aunque ahora soy consciente de lo poco flexible que soy. Supongo que tendré que practicar más.

La voz de Becca era muy alegre; como siempre. Pip podría describirla hasta casi feliz. Le parecía raro que pudiera ser más feliz allí dentro que fuera. Porque, en cierto modo, ella había elegido estar allí; se había declarado culpable aunque su equipo de abogados estaba seguro de que, de haber ido a juicio, podría haber evitado la condena. A Pip siempre le pareció extraño que alguien eligiera estar en la cárcel. A lo mejor no estaba encerrada, o ella no lo sentía así.

—Bueno —continuó Becca—, ¿qué tal todos? ¿Cómo está Nat?

—Bien —contestó Pip—. La vi hace una semana y pico. A ella y a Jamie Reynolds. Parecen estar muy bien, la verdad. Se los ve felices.

—Qué bien —dijo Becca, y Pip escuchó que una sonrisa acompañaba sus palabras—. Me alegro de que sea feliz. ¿Has tomado alguna decisión sobre el juicio por difamación?

Sinceramente: lo había olvidado por completo. El Asesino de la Cinta ocupaba demasiado espacio en su cabeza, dando vueltas a su alrededor como un rollo de cinta adhesiva. La tarjeta de Christopher Epps seguía allí, olvidada en el bolsillo de la chaqueta.

—Pues —comentó Pip— no he vuelto a hablar con mi abogado desde entonces, ni con el de Max. He estado algo distraída, pero ya les di mi respuesta. No voy a retractarme ni a pedirle disculpas. Si Max quiere que vayamos a juicio, él verá. Pero no se va a ir de rositas dos veces; no se lo permitiré.

—Yo testificaré —se ofreció Becca—, si al final hay juicio. Sé que ya te lo dije. La gente tiene que saber lo que es, aunque no sea un juicio penal, aunque no sea justicia de verdad.

Justicia. La palabra con la que Pip siempre tropezaba, la que traía la sangre a sus manos. Esa palabra era su cárcel, su jaula. Un solo vistazo hacia abajo y, sí, ahí estaba Stanley, desangrándose sobre sus palmas. Podía hablar con Becca de él si quisiera, ella también lo conocía, y no como el Niño Brunswick. Becca y Stanley incluso habían salido un par de veces antes de decidir que era mejor que solo fueran amigos. Ella sabía escuchar, aunque no lo entendiera. Pero no, Pip no tenía tiempo para eso. Ahora no.

—Becca, eh... —empezó, incómoda—. La verdad es que necesito preguntarte una cosa. Bastante urgente. A ver, sé que no va a parecerlo, pero lo es. Es importante, pero no puedo explicarte por qué, por teléfono no.

—Vale —dijo Becca. Había desaparecido parte del brillo de su voz—. ¿Estás bien?

—Sí, sí —respondió Pip—. Es solo... A ver, es que necesito saber cómo llamó Andie a su primer hámster.

Becca soltó una carcajada, no se lo esperaba.

—¿Qué?

—Es... una pregunta de seguridad. ¿Te acuerdas de cómo llamó a su primer hámster?

—¿Una pregunta de seguridad para qué? —preguntó Becca.

—Creo que Andie tenía una dirección de correo secreta que la policía no encontró nunca.

—AndieBell94 —dijo Becca, pronunciando todas las palabras juntas—. Esa era su dirección de correo. Y, desde luego, la policía preguntó por ella en su momento.

—Me refiero a otra. Y no puedo entrar si no respondo la pregunta de seguridad.

—¿Otra dirección? —Becca dudó—. ¿Por qué estás investigando de nuevo a Andie? Qu... ¿Qué pasa?

—Creo que no puedo decírtelo —murmuró Pip, apoyándose sobre la rodilla para parar de mover la pierna—. Están grabando la llamada. Pero puede ser algo... importante para mí. —Hizo una pausa y escuchó la ligera respiración de Becca al otro lado—. Una cuestión de vida o muerte —añadió.

—*Roadie*.

—¿Qué? —preguntó Pip.

—*Roadie*, así se llamaba el primer hámster de Andie. —Becca sorbió por la nariz—. No sé de dónde se sacó ese nombre. Se lo regalaron por su sexto cumpleaños, creo. O por el séptimo. A mí me regalaron uno un año después y lo llamé *Toadie*. Y luego nos regalaron a nuestro gato, *Monty*, que se comió a *Toadie*. Pero su hámster era *Roadie*.

Pip tamborileó con los dedos sobre la mesa.

—¿R-O-A-D-Y? —preguntó.

—No. I-E —respondió Becca—. ¿Es por...? ¿Va todo bien? ¿De verdad?

—Se arreglará —aseguró Pip—. Eso espero. ¿Te comentó alguna vez Andie algo de una tal Caroline Hunter? ¿Una amiga?

Se produjo un silencio al otro lado de la línea, excepto por el murmullo de fondo de las voces cercanas.

—No —dijo por fin Becca—. No me suena. Nunca he conocido a ninguna Caroline. Y Andie nunca invitaba a nadie a casa. ¿Por qué? ¿Quién es?

—Becca, escúchame —dijo Pip, moviendo nerviosa los dedos contra el teléfono—. Tengo que irme, lo siento. Hay algo que... Puede que no me quede mucho tiempo. Pero te lo explicaré todo cuando acabe. Te lo prometo.

—Ah, vale..., sí, no pasa nada —aceptó, con una voz para nada feliz—. ¿Vendrás a visitarme el sábado? Te he puesto en la lista.

—Sí —dijo Pip, aunque su mente ya había empezado a alejarse de Becca y había vuelto a la pantalla del ordenador y a la pregunta de seguridad que la estaba esperando—. Sí, allí estaré —repitió ausente.

—Buena suerte —le deseó Becca—. Y avísame para que sepa que estás bien. Cuando puedas.

—Lo haré —dijo Pip, y ahora ella también lo oía, el nerviosismo en su voz—. Gracias, Becca. Adiós.

Esa vez sí que se le cayó el teléfono al pulsar el botón de colgar demasiado fuerte. Se le resbaló de las manos llenas de sangre. Pip lo dejó allí, en el suelo, y empezó a teclear. La R, luego a O, y así. *Roadie*. El primer hámster de Andie Bell.

La sangre invisible manchaba el teclado a medida que Pip guiaba con el pulgar el cursor hacia el botón «Siguiente».

Se cargó una página que le pedía que introdujera una nueva contraseña y que volviera a escribirla en la caja de abajo para confirmar. La sensación en su pecho volvió a cambiar, como un burbujeo al entrar en contacto con su piel. ¿Qué contraseña debía utilizar? «Lo que sea. Cualquier cosa, date prisa.»

Lo primero que se le vino a la cabeza fue asesinoCinta6. Al menos así no la olvidaría.

La volvió a escribir abajo e hizo clic en confirmar.

Se abrió una bandeja de entrada con muy pocos emails, apenas llenaban la pantalla.

Pip soltó aire. Ahí estaba. La cuenta de correo secreta de Andie Bell. Preservada después de todo este tiempo. Sin tocar, excepto por ella. Pip notaba otra vez esa sensación en la espalda, como si se hubiera escapado de su propio tiempo, desconectada.

Enseguida le quedó claro por qué Andie había creado esta cuenta. Los únicos emails que envió y que recibió eran de Caroline Hunter. Lo que todavía no estaba claro era su conexión con el Asesino de la Cinta.

Pip fue haciendo clic sobre todos los emails, leyendo los mismos mensajes que Caroline le había enseñado, pero esta vez desde el lado de Andie. No había nada nuevo. Ninguna explicación. Ningún salvavidas. Solo ocho mensajes y todos con el mismo asunto: «Hola».

Tenía que haber algo más. Lo que fuera. Andie debía ayudarla. Por eso todo la llevaba de nuevo a ella, cerrando el círculo. Pip hizo clic en una de las primeras carpetas, «Social». No había nada, una página vacía. Intentó la tercera: «Publicidad», y la pantalla se llenó con líneas y líneas de emails. Todos del mismo remitente: Consejos de defensa personal. Andie debía de estar suscrita a la lista de correo. Había estado recibiendo estos emails una vez a la semana, incluso bastante después de haber muerto. ¿Por qué leía Andie una *newsletter* de defensa personal? Pip se estremeció. ¿Sospechaba estar en peligro? ¿Alguna parte de ella sabía que no iba a pasar de los diecisiete? ¿Esa misma sensación que vivía dentro de Pip?

Pip comprobó el resto de carpetas. No había nada en la papelera, ni en los mensajes eliminados. Joder. «Vamos, Andie.» Tenía que haber algo. Por favor. Había una conexión, y Pip debía encontrarla. Lo sabía, lo presentía. Las cosas tenían que colocarse donde siempre habían debido estar.

Se le movió la mano de pronto cuando sus ojos se fijaron en un número. Un pequeño 1 junto a la carpeta «Borradores». Muy pequeño y tenue, como si intentara esconderse de los ojos curiosos de Pip.

Un borrador sin enviar. Escrito por Andie. ¿Qué era? ¿Un mensaje sin terminar para CH? O podía no ser nada en absoluto, estar en blanco. Pip hizo clic para abrir la carpeta y, ahí estaba, esperándola en la parte de arriba de la pantalla. Un email sin enviar, y ya sabía que no estaba en blanco. La fecha de la derecha lo marcaba como guardado el 21 de febrero de 2012. El asunto decía: «de anon».

Pip sintió una presión en el pecho y un ruido extraño en su respiración mientras se secaba la sangre de las manos y abría el correo.

A quien corresponda:

Sé quién es el Asesino de la Cinta.

Nunca lo he dicho en voz alta, a nadie, ni a mí misma. Ha sido simplemente un pensamiento en mi cabeza, cada vez más grande, ocupando cada vez más espacio, hasta que se ha convertido en lo único en lo que puedo pensar. Incluso escribirlo aquí es un paso muy importante, me hace sentir un poco menos sola. Pero estoy sola en esto. Muy sola.

Sé quién es el Asesino de la Cinta.

O el Estrangulador de Slough. Sea como sea como se llame, sé quién es. Y me encantaría poder enviar este email. Darle una pista anónima a la policía con su nombre, aunque ni siquiera sé si tienen dirección de correo electrónico. Jamás me atrevería a llamar. No sería capaz de decirlo. Me da mucho miedo. Estoy asustada cada segundo que paso despierta, y cuando estoy dormida, también. Cada vez me cuesta más fingir cuando está en casa, hablando con nosotras como si todo fuera normal, mientras cenamos. Pero sé que no puedo enviar esto. ¿Cómo iba a poder enviarlo? ¿Quién me iba a creer? La policía no. Y si él descubre que lo he dicho, me mataría, igual que a ellas. Porque se enteraría, por supuesto. Es prácticamente uno de ellos.

Esto es simplemente para practicar. Y a lo mejor me hace sentir mejor saber que podría enviarlo, aunque no sea así. Hablarlo conmigo misma, fuera de mi cabeza.

Sé quién es el Asesino de la cinta.

Lo vi. Lo vi con Julia Hunter. Estoy 100% segura de que era ella. Iban agarrados de la mano. Lo vi darle un beso en la mejilla. Él no sabe que los vi. A mí no me sorprendió demasiado verlos juntos. Y luego, seis días después, ella estaba muerta. Él la mató. Sé que fue él. Lo supe en cuanto vi su cara en las noticias. Ahora todo encaja, todos los detalles. Debí haberme dado cuenta antes.

No sé por qué contacté con CH. Pensé que igual ella también lo sabía, o que sospechaba quién había asesinado a su hermana, y yo tendría alguien con quien hablar del tema. Pensar juntas qué hacer. Pero ella no tiene ni idea. No sabe nada. Y yo, no sé por qué, pero siento que tengo una responsabilidad para con ella, que debo asegurarme de que esté bien. Si alguien le pusiera la mano encima a Becca me destrozaría.

No puedo decírselo a Sal. Seguramente ya piense que estoy bastante loca. Le he escondido muchas cosas porque él es una de las únicas cosas buenas que me quedan en la vida y tengo que protegerlo. Nunca lo dejo venir, por si acaso.

Tengo una sensación abrumadora de amenaza constante, de que, si no huyo de este pueblo, terminará matándome. Él va a matarme. Ya me mira de forma diferente, o igual empezó a hacerlo hace años. Espero que no mire a Becca así. Aunque tengo un plan, hace ya un tiempo que lo he trazado, solo tengo que pasar desapercibida. Llevo casi un año ahorrando el dinero que consigo con Howie. Está escondido, nadie lo encontrará. Aunque la he cagado con los estudios, menuda estupidez, joder. Esa habría sido la forma más fácil de escapar, una universidad muy lejos de aquí. Nadie habría sospechado nada. Pero la única en la que he entrado está cerca, y tendría que vivir en Kilton. No puedo quedarme en casa.

Sal ha entrado en Oxford. Ojalá me pudiera ir con él. No está tan lejos, pero es suficiente. Igual todavía puedo hacer algo para irme yo también. Si no es demasiado tarde. Tengo que salir de aquí. Lo que sea. Sé que el señor Ward le ha ayudado a encontrar un piso, igual puede ayudarme a mí también. Cualquier cosa. Cueste lo que cueste.

Y, cuando esté lejos y a salvo, entonces volveré a por Becca. Antes tiene que terminar el instituto, eso lo primero, es muy inteligente. Pero si consigo irme a vivir a un sitio lejos de aquí, ella podría mudarse conmigo, y cuando las dos estemos lejos y a salvo, quizá le diga a la policía quién es. Tal vez entonces sea cuando mande por fin este email, de anon, cuando ya no pueda llegar hasta nosotras, cuando no sepa dónde estamos.

Ese es mi plan, al menos. No tengo nadie con quien hablarlo, además de mí misma, pero es lo mejor que puedo hacer. Ahora tengo que borrar esto, por si acaso.

Me viene demasiado grande, pero creo que puedo hacerlo.

Salvarnos. Poner a Becca a salvo. Sobrevivir.

Solo tengo que m

Veintidós

Ravi deslizó hacia arriba y hacia abajo otra vez, negando con la cabeza. Pip veía el reflejo de las palabras de Andie en el color oscuro de sus ojos. Lo veía mucho más claro ahora que se estaban llenando de lágrimas. Él también notaba el peso de su fantasma, no era solo cosa suya. Una chica muerta compartida, partida en dos; solo había dos personas en el mundo que lo sabían. Esas no fueron las últimas palabras de Andie Bell, pero las sentían como tal, sin duda.

—No me lo creo —dijo por fin, tapándose la cara con las manos—. No me lo puedo creer. Andie... Esto lo cambia todo. Todo.

Pip suspiró. Notaba una tristeza atroz en el estómago, y seguía hundiéndose en el suelo, arrastrando con ella al fantasma de Andie. Pero agarró a Ravi de la mano, sujetándola fuerte para que los sostuviera.

—Lo cambia todo y no cambia nada —opinó ella—. Andie no sobrevivió. No la mató el Asesino de la Cinta, sino todo de lo que intentaba escapar. Howie Bowers. Max Hastings. Elliot Ward. Becca. Por esto pasó todo. Todo. El círculo se cierra —añadió en voz baja.

El principio era el final y el final era principio, y el Asesino de la cinta era los dos.

Ravi se secó los ojos con la manga.

—Pero es que... —Se le rompió la voz, oprimiendo sus siguientes palabras—. No sé cómo me siento. Es... muy triste. Y nosotros... nos hemos equivocado con ella. Antes no entendía qué veía Sal en Andie, pero... Dios, tuvo que pasar muchísimo miedo. Y sentirse muy sola. —Miró a Pip—. Ya no hay nada más, ¿no? El 21 de febrero. Justo después fue cuando acudió por primera vez al señor Ward y...

—Cueste lo que cueste —dijo Pip, como si fuera un eco de las palabras de Andie, y volvió a sentir de nuevo esa increíble cercanía a ella. Las separaban cinco años, nunca habían mediado palabra y, aun así, allí estaba, cargando con Andie sobre su pecho. Dos chicas muertas que caminan, más parecidas de lo que Pip podría haberse imaginado jamás—. Estaba desesperada. Nunca entendí muy bien por qué, pero nunca habría imaginado algo así. Pobre Andie.

Era una frase muy poco apropiada, pero ¿qué otra cosa quedaba?

—Era valiente —intervino Ravi—. Me recuerda un poco a ti. —Una pequeña sonrisa—. Está claro que los hermanos Singh tienen el mismo tipo.

Pero la mente de Pip se había marchado, había vuelto corriendo al año anterior. A Elliot Ward de pie, frente a ella, y la policía de camino.

—Elliot me dijo algo el año pasado que acabo de entender. —Hizo una pausa para volver a reproducir la escena en su cabeza—. Me contó que, cuando Andie fue a su casa, antes de empujarla y que se golpeara la cabeza, le dijo que tenía que salir de su casa, de Little Kilton, porque la estaba matando. Las señales estaban ahí... Y no las vi.

—Y lo hizo —dijo Ravi mirando de nuevo la pantalla, al último rastro de Andie Bell, su último secreto al descubierto—. La mató.

—Antes que él —puntualizó Pip.

—¿Quién es? —preguntó Ravi, pasando un bolígrafo por la pantalla del portátil—. No da ningún nombre, pero hay mucha información, Pip. Tiene que haber alguna prueba. Es alguien a quien conocía toda la familia Bell, incluidas Andie y Becca. Cosa que tiene sentido, teniendo en cuenta la conexión con la empresa de Jason, Green Scene, ¿verdad?

—Alguien que solía ir a su casa, e incluso cenaba con ellos —resaltó Pip, subrayando la frase con el dedo.

Chasqueó la lengua, como si otro viejo pensamiento volviera a la vida.

—¿Qué? —preguntó Ravi.

—El año pasado fui a hablar con Becca a la oficina del *Kilton Mail*. Fue cuando Max y Daniel da Silva eran mis principales sospechosos del asesinato de Andie. Hablamos de Dan porque descubrí que fue uno de los agentes que hizo el registro inicial de su casa cuando Andie desapareció. Y Becca me dijo que era muy amigo de su padre. Jason le había conseguido el trabajo en Green Scene y luego lo había ascendido a la oficina, y había sido él quien le había propuesto que se presentara al examen de policía. —Pip volvía a estar desconectada, flotando a través del tiempo, de entonces a ahora, del principio al final—. Me dijo que Daniel iba muy a menudo a su casa después del trabajo y que a veces se quedaba a cenar.

—Entiendo —dijo Ravi con la voz grave.

—Daniel da Silva. —Pip pronunció su nombre otra vez, poniéndolo a prueba en la lengua, intentando de algún modo que todas las sílabas encajaran dentro de Asesino de la Cinta.

—Y luego está esto. —Ravi volvió a la parte de arriba del borrador—. Donde habla de ir a la policía, pero teme que no la vayan a creer y que él lo descubra. Esta parte me confunde. —Señaló la frase—. «Porque se enteraría, por supuesto. Es prácticamente uno de ellos.» ¿Uno de quiénes?

Pip repasó las frases en su cabeza, inclinándolas para verlas desde un ángulo diferente.

—Un agente de policía. No estoy segura de qué quiere decir con «prácticamente».

—A lo mejor se refería a que era novato, como Daniel da Silva. —Ravi completó lo que ella estaba pensando.

—Daniel da Silva —repitió Pip, probando, mirando cómo se disipaba su respiración en el cuarto, haciéndose con el nombre.

Y ¿qué pasaba con Nat?, preguntó el otro lado del cerebro. No podía decirse que Dan y ella estuvieran muy unidos, pero no dejaba de ser su hermano mayor. ¿De verdad podía Pip pensar algo así de él? Ya lo había considerado, desde luego, en el caso del asesinato de Andie, y en la desaparición de Jamie. ¿Qué problema había ahora? Ella y Nat eran muy amigas, habían congeniado, estaban unidas: esa era la diferencia. Y él estaba casado. Y tenía un bebé.

—¿No ibas a hablar también con el inspector jubilado? —dijo Ravi tirándole del jersey para llamar su atención.

—Sí, pero lo canceló a última hora —le contó Pip, y sorbió por la nariz—. Lo hemos pasado a mañana por la tarde.

—Vale, bien.

Ravi asintió con la cabeza, ausente, volviendo a mirar el email sin enviar de Andie.

—Solo necesito que me suene el teléfono —dijo Pip, mirando directamente al móvil sobre el escritorio, desapercibido—. El Asesino de la Cinta solo tiene que llamarme una vez más. Y entonces la app me dará su teléfono y seguramente podré descubrir quién es. Si se trata de Daniel o... —Se calló de pronto, mirando el teléfono con los ojos entornados, rogándole que sonara, deseándolo tan fuerte que casi podía escuchar el eco del tono de llamada.

—Y entonces podrías volver a hablar con el inspector Hawkins —completó Ravi—. O hacerlo público.

—Y se acabaría —acordó Pip.

Más que acabado. Normal. Arreglado. Adiós a la sangre en sus manos, a las pastillas y a hacerlo todo a escondidas.

Estaría salvada. Sería normal. El equipo Ravi y Pip podría hablar de cosas normales, como edredones y horarios de cine y tener tímidas charlas sobre el futuro. Su futuro.

Pip había pedido una salida, un último caso, y algo le había respondido. Ahora era aún más perfecto, encajaba todavía mejor. Porque el Asesino de la Cinta era el origen. El final y el principio. El monstruo en la oscuridad, el creador, la fuente. Todo lo que había pasado llevaba de vuelta a él.

Absolutamente todo.

Andie Bell sabía quién era y estaba aterrorizada, por eso vendía drogas para Howie Bowers, para ahorrar y escapar, para alejarse de Kilton. Proporcionó Rohypnol a Max Hastings, que lo utilizó para violar a su hermana pequeña, Becca. Andie acudió a Elliot Ward en su plan desesperado de huida a Oxford con Sal. Elliot creyó que la había matado accidentalmente, por lo que, para encubrirlo, asesinó a Sal, el hermano de Ravi, en el bosque. Pero Elliot no mató a Andie. Fue Becca Bell, tan enfadada e impactada por el papel de su hermana en su propia tragedia que se quedó paralizada y la dejó morir de aquella herida en la cabeza, ahogándose con su propio vómito. Pasaron cinco años y llegó Pip para destapar todas esas verdades. Elliot en la cárcel; Becca también, aunque no debería estarlo; Max en libertad, aunque debería estar entre rejas. Y, lo más importante, Howie Bowers encerrado. Howie le había dicho a su compañero de celda que conocía al Niño Brunswick. Este se lo contó a su primo, que se lo dijo a un amigo, que se lo reveló a un amigo, que publicó el rumor en internet. Charlie Green lo leyó y vino a Little Kilton. Jamie Reynolds desapareció. Stanley Forbes recibió seis balazos en el pecho y se desangró en las manos de Pip.

Tres historias diferentes, pero un nudo que las conecta todas. Y, en el centro, sonriéndole desde la oscuridad, estaba el Asesino de la Cinta.

Nombre del archivo:

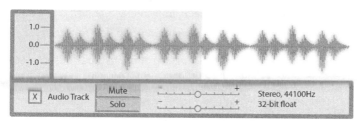 Entrevista con el inspector Nolan sobre el Asesino de la Cinta.wav

Pip: Señor Nolan, muchas gracias por acceder a entrevistarse conmigo. Y siento quitarle tiempo en un viernes por la tarde.

Inspector Nolan: Por favor, llámame David. Y no te preocupes. Disculpa por haber cancelado la cita de ayer. Me surgió una partida de golf a última hora, ya sabes cómo son estas cosas.

Pip: Por supuesto, lo comprendo. No tenemos límite de tiempo ni nada. Antes de empezar, ¿cuánto tiempo lleva jubilado?

Inspector Nolan: Tres años. Lo dejé en 2015. Sí, ya sé qué vas a decir: golf, revivir mis mejores años... Soy un cliché del policía jubilado. Hasta he probado la cerámica. Mi mujer me obligó.

Pip: Pinta bastante bien. Bueno, como le he dicho en los emails, quería hablar con usted del caso del Asesino de la Cinta.

Inspector Nolan: Sí, sí. El más importante de mi carrera. Una salida por la puerta grande. Aunque fue terrible lo que les hizo a esas mujeres, por supuesto.

Pip: Debió de ser memorable. Los asesinos en serie no son muy comunes.

Inspector Nolan: La verdad es que no. Y hacía décadas que no teníamos un caso como ese por aquí. El Asesino de la Cinta fue muy importante para todos. Y de lo que más orgulloso me siento es de que consiguiéramos que confesara. Bueno, además del nacimiento de mis hijas. [Risas]

Pip: Billy Karras estuvo en la sala de interrogatorios cinco horas antes de su confesión, es decir, toda la noche. Supongo que estaría muy cansado, agotado. ¿Tiene alguna duda sobre su declaración? Quiero decir, lo primero que hizo a la mañana siguiente, después de dormir un poco, fue retractarse.

Inspector Nolan: Absolutamente ninguna duda. Estaba presente cuando confesó. Nadie admitiría haber hecho esas cosas tan horribles si no fuera verdad. Yo también estaba muy cansado y no confesé ser un asesino en serie, ¿verdad? Y no creo que lo entiendas, pero después de tantos años trabajando como inspector, sabía que me estaba diciendo la verdad. Eso se ve en los ojos. Siempre me doy cuenta. Acabas por notar cuando estás en presencia del mal, créeme. Billy se retractó a la mañana siguiente porque tuvo tiempo de pensar en las consecuencias. Es un cobarde. Pero es culpable, no me cabe ninguna duda.

Pip: He hablado con la madre de Billy Karras, Maria...

Inspector Nolan: La que faltaba.

Pip: ¿Por qué dice eso?

Inspector Nolan: Me he encontrado varias veces con ella. Es una mujer muy fuerte. No tiene culpa de nada, por supuesto; ninguna madre pensaría que su hijo es capaz de hacer las cosas tan terribles que hizo Billy.

Pip: Pues ha estado investigando sobre confesiones falsas. ¿Hay alguna parte de usted que pueda pensar que es posible que la declaración de Billy lo fuera? ¿Que solo dijo esas cosas por la presión a la que se lo sometió en el interrogatorio?

Inspector Nolan: Bueno, a ver, sí, creo que confesó por la presión a la que lo sometí, pero eso no significa que no sea una confesión real. Si fuera la única prueba, entonces podría plantearme esa idea, pero había muchas otras evidencias que vinculaban a Billy con los asesinatos, tanto forenses como circunstanciales. Además, acuérdate de que se declaró culpable. Tu podcast no va a tratar de demostrar la inocencia de Billy, ¿verdad?

Pip: No, en absoluto. Solo quiero contar la verdadera historia del Asesino de la Cinta con todos los detalles.

Inspector Nolan: Mejor así, porque de otra forma no habría aceptado hacer esta entrevista. No quiero que me dejes como un estúpido.

Pip: Ni en sueños, David. Sigamos. Muchas de las pruebas que vinculaban a Billy con el caso parecen estar relacionadas con su empleo. Trabajaba como jardinero en una empresa llamada Green Scene. Me preguntaba si usted sabía de las conexiones de Green Scene con los asesinatos antes de que Billy fuera el principal sospechoso.

Inspector Nolan: Sí. La investigamos justo después del asesinato de Bethany Ingham —la tercera víctima—, porque trabajaba allí. Luego, cuando Billy asesinó a Julia Hunter, nos dimos cuenta de que un par de los sitios donde había dejado los cuerpos eran lugares en los que habían contratado a Green Scene. Pedimos una orden para registrar las instalaciones y recuerdo que el dueño colaboró en todo momento y fue de gran ayuda. Entonces descubrimos que utilizaban la misma marca de cuerda azul y de cinta americana que había usado el Asesino de la Cinta. Ahí nos marcamos un triple, la verdad. Entonces empezamos a investigar a los empleados, pero tampoco se puede hacer gran cosa sin una posible causa. Y en ese momento apareció Billy Karras, que encontró a Tara Yates y supimos casi enseguida que era a quien buscábamos.

Pip: ¿Hubo algún sospechoso antes de Billy? ¿Antes del asesinato de Tara? ¿Alguien relacionado con Green Scene?

Inspector Nolan: Teníamos varias personas de interés, pero nada concreto ni sustancial.

Pip: Me imagino que no me dará ningún nombre, ¿no?

Inspector Nolan: Sinceramente, ni me acuerdo.

Pip: Entendido. He hablado con Caroline Hunter, la hermana pequeña de Julia, y me ha contado varios hechos extraños que ocurrieron en su casa las semanas precedentes al asesinato de Julia. Alguien metió unas palomas muertas en su casa, aparecieron unas figuras dibujadas con tiza en su entrada, y recibió varias llamadas telefónicas. ¿Centraron la investigación en algún momento en estos hechos? ¿Informaron las familias del resto de las víctimas de incidentes similares?

Inspector Nolan: Sí, ya me acuerdo de las palomas muertas. Era su hermana pequeña, es verdad. A nosotros nos hablaba de eso constantemente. Preguntamos a los amigos y familiares de las demás chicas, pero no habían oído nada parecido. Le preguntamos a Billy si había tenido contacto con las víctimas antes de raptarlas. Nos dijo que las había estado observando para saber cuándo estaban solas, etcétera, pero no había contactado con ellas. Ni mediante pájaros muertos, ni mediante llamadas, ni de ninguna otra forma. Así que me temo que no estaban relacionadas con el caso. Aunque hacen que la historia sea más interesante, para serte sincero.

Pip: Muy bien. Gracias. Pasemos ahora a los trofeos. Sabe exactamente qué se apropió el Asesino de la Cinta de cada víctima. Artículos personales que llevaban encima cuando las raptaron: pendientes, un cepillo del pelo, etcétera. Pero nunca se hallaron los trofeos en posesión de Billy, ¿verdad? ¿No le preocupa?

Inspector Nolan: No. Nos dijo que los había tirado. Seguramente estén en algún vertedero a las afueras. Jamás aparecieron.

Pip: Pero ¿los trofeos no son artículos que el asesino se queda para recordar el crimen y para retrasar la necesidad de volver a matar? ¿Qué sentido tendría tirarlos?

Inspector Nolan: No nos lo dijo, pero es muy evidente, ¿no crees? Sabía que íbamos a por él después de lo de Tara, así que se deshizo de las pruebas antes de que consiguiéramos la orden de registro y rebuscáramos en su casa. No creo que quisiera tirarlos.

Pip: Entiendo, sí. Volviendo a Tara, ¿por qué iba a llamar Billy la atención de esa forma, diciendo que había encontrado el cadáver? Puede que no estuviera en el radar antes de eso, ¿para qué atraer las miradas de ese modo? Es básicamente lo que hizo que lo cogieran.

Inspector Nolan: Esto se explica mediante un patrón que se ha visto en muchos casos de asesinos en serie similares a este. Los criminales muestran mucho interés en sus propios casos: siguen la cobertura en la prensa, hablan de ello con sus amigos y familiares... No soy psiquiatra, pero está relacionado con el narcisismo. Se creen muy inteligentes y se exponen delante de todo el mundo. Algunos de ellos hasta intentan intervenir en la investigación policial de alguna forma: dando consejos u ofreciéndose a ayudar en los equipos de búsqueda. Y eso era lo que estaba haciendo Billy. Encontró heroicamente el cuerpo de Tara para poder intervenir en el caso y quizá averiguar lo que sabíamos en aquel momento.

Pip: Ya veo.

Inspector Nolan: Sé que no tiene demasiado sentido para ti ni para mí, para la gente normal, pero es una de las características que teníamos en mente en la investigación. Es curioso, de hecho [risas], pero lo pensamos porque había un agente de la policía de Thames Valley que no paraba de hacer preguntas sobre el caso. No formaba parte de la investigación, era un novato, si no recuerdo mal, y estaba destinado en otra comisaría, no en Wycombe, pero mostraba demasiado interés en lo que había pasado y en lo que estábamos haciendo. Ya me entiendes. Era nuevo y muy curioso, saltaron algunas alarmas. Eso fue antes de que apareciera Billy. Por eso estábamos preparados para algún tipo de intervención del agresor.

Pip: Anda, ¿sí? ¿Dónde estaba destinado este agente?

Inspector Nolan: Creo que en la comisaría de Amersham. El caso del Asesino de la Cinta lo llevábamos en Wycombe, ya que estábamos en el centro de todos los lugares donde había dejado los cadáveres. Pero, claro, Julia Hunter era de Amersham, así que trabajamos con los agentes de allí. Con uno de mis antiguos compañeros, al que creo que conoces, el inspector Hawkins. Es un buen hombre. En fin, ya tienes una anécdota para tu programa. Un agente novato muy interesado y del que llegamos a pensar lo peor. [Risas]

Pip: Y este agente... ¿se llamaba Daniel da Silva?

Inspector Nolan: [Tos] Vamos a ver, no puedo darte su nombre. Además, si te lo dijera, no podrías publicarlo, por la protección de datos y todo eso. ¿Cuántas preguntas más tienes? Me temo que voy a tener que irme pronto...

Pip: Pero era Daniel da Silva, ¿verdad?

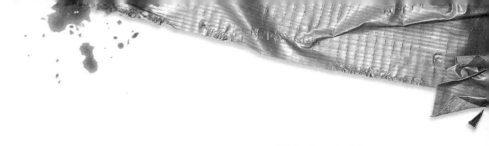

Veintitres

Decapitada. La paloma muerta que sostiene en las manos no tiene cabeza. Pero es muy esponjosa, y los dedos de Pip se marcan en su cuerpo. Porque es el edredón retorcido en su puño, no un cadáver de pájaro, y Pip estaba despierta. En la cama.

Se había dormido. Se había dormido de verdad. Estaba muy oscuro y ella había estado durmiendo.

Entonces ¿por qué se había despertado? Le pasaba constantemente, conciliaba un sueño tan poco profundo que no paraba de entrar y salir. Pero esto era diferente. Algo la había sacado del sueño.

Un ruido.

Estaba allí en ese mismo instante.

¿Qué era?

Pip se sentó, dejando que el edredón resbalara por su cintura.

Un siseo, muy suave.

Se frotó los ojos.

Un traca-traca-traca, como un tren moviéndose despacio, meciéndola para que volviera a dormirse.

No, no era un tren.

Pip parpadeó otra vez. La habitación fue tomando forma con un brillo fantasmagórico. Salió de la cama, el aire frío le pinchaba los pies descalzos.

Había algo saliendo de la impresora inalámbrica de su escritorio. Las luces led del panel parpadeaban.

Traca-traca-traca.

Emergió un trozo de papel de la parte de abajo, con tinta negra fresca impresa.

Pero...

No podía ser. No había enviado nada a imprimir.

Su cabeza, desorientada por el sueño, era incapaz de comprender. ¿Seguía soñando?

No, el sueño era la paloma. Esto era real.

La impresora terminó y escupió un trozo de papel con un golpe final.

Pip dudó.

Algo la empujó hacia delante. Un fantasma en su espalda. Andie Bell, quizá.

Se acercó a la impresora y se inclinó hacia delante, como si estuviera cogiéndole la mano a alguien. O alguien cogiera la suya.

La página se había impreso del revés; no podía leerlo desde allí.

La agarró entre los dedos y la hoja se movió como las alas de la paloma decapitada.

Le dio la vuelta y las palabras se enderezaron.

Y una parte de ella supo qué era antes de leerlo. Parte de ella lo supo.

«¿Quién te buscará cuando seas tú la que desaparezca?
P.D.: Este truco lo aprendí de ti. Temporada 1, episodio 5.
¿Preparada para mi próximo truco?»

La hoja estaba cubierta de sangre de Stanley, que no era real; salía de las manos de Pip, que no estaban allí. No, las manos sí estaban allí, pero el corazón le había desaparecido, se había tirado por la escalera de su columna vertebral y se coagulaba en el ácido de sus tripas.

Nonononononononononononononono.

¿Cómo era posible?

Pip se dio la vuelta con los ojos muy abiertos, la respiración acelerada, aspirando cada sombra. Cada una de ellas era el Asesino de la Cinta antes de dejar de serlo. Estaba sola. Él no estaba allí. Pero ¿cómo...?

Miró frenéticamente la impresora. Era inalámbrica. Cualquier persona dentro del perímetro podría enviar algo.

Lo que significaba que tenía que estar cerca.

El Asesino de la Cinta.

Estaba allí.

¿Fuera o dentro de la casa?

Pip miró la hoja sobre su mano. «¿Preparada para mi próximo truco?» ¿Qué quería decir con eso? ¿Cuál era el truco? ¿Hacerla desaparecer?

Debería mirar por la ventana. Puede que él estuviese allí, en la entrada. El Asesino de la Cinta, de pie en el centro de un círculo de palomas muertas y figuras hechas con tiza.

Pip se giró y...

Un grito metálico llenó la habitación.

Fuerte.

Increíblemente fuerte.

Pip se apretó los oídos con las manos y tiró la hoja al suelo.

No, no era un grito. Guitarras, chirriando y llorando, arriba y abajo, demasiado rápido mientras una batería martilleaba al mismo ritmo, introduciendo el pulso por el suelo hasta sus talones.

Y luego venían los gritos. Voces. Profundas y demoniacas, ladrando tras ella en con una tensión inhumana.

Pip gritó, pero no se oía. Estaba segura de que estaba ahí, pero su voz estaba perdida. Enterrada.

Se giró hacia donde el alarido era más fuerte, escuchando a través de sus manos. Era su escritorio. Esta vez el otro lado.

Unas luces led parpadeaban.

Sus altavoces.

Los altavoces Bluetooth a todo volumen, retumbando con *death metal* en mitad de la noche.

Pip gritó, abalanzándose hacia el sonido, tropezando con sus propios pies hasta que cayó al suelo de rodillas.

Tenía que destaparse una oreja. Sentía el sonido como algo físico que le taladraba el cerebro. Alcanzó la regleta de cuatro enchufes bajo su escritorio. Agarró el cable. Tiró de él.

Silencio.

Pero no del todo.

Un zumbido igual de fuerte seguía sonando en sus oídos.

Y un grito en la puerta abierta.

—¡Pip!

Volvió a chillar y se apoyó en el escritorio.

Había una figura en el umbral. Demasiado grande. Con demasiadas extremidades.

—¿Pip? —repitió el Asesino de la Cinta con la voz de su padre, y entonces un brillo amarillento iluminó la habitación cuando encendió la luz.

Eran su madre y su padre, de pie, en pijama, en el umbral de su puerta.

—¿Qué narices ha sido eso? —preguntó él con los ojos muy abiertos.

No solo estaba enfadado. También aterrorizado. ¿Lo había visto alguna vez tan asustado?

—Victor —lo calmó su madre con una voz más suave—. ¿Qué ha pasado? —Usó un tono más firme para Pip.

Otro sonido se unió al pequeño fantasma en los oídos de Pip, un pequeño gemido al otro lado del pasillo que se convirtió en sollozos.

—Josh, cariño. —La madre de Pip abrió los brazos y lo envolvió en cuanto apareció también en la puerta. El pecho se le estremecía—. No pasa nada, cariño. Ya sé que te has asustado mucho. Ha sido solo un ruido muy fuerte.

—P-p-pen-pensaba que e-era un h-ho-hombre malo —dijo, perdiendo el control entre lágrimas.

—¿Qué coñ..., qué narices ha sido eso? —le preguntó su padre—. Habrás despertado a todo el vecindario.

—No lo... —Pero su mente no estaba concentrada en formar palabras.

Saltaba de «vecindario» a «fuera» a «dentro del perímetro». El Asesino de la Cinta había activado sus altavoces a través del Bluetooth. Tenía que estar justo al otro lado de la ventana, en la entrada.

Pip se puso de pie dando tumbos, se tiró encima de la cama y abrió las cortinas.

La luna colgaba baja en el cielo. Su luz le daba un espeluznante brillo plateado a los árboles, a los coches, al hombre que salía corriendo de la entrada de su casa.

Pip se quedó paralizada, medio segundo de más, y la silueta desapareció.

El Asesino de la Cinta.

Ropa oscura y una cara de tela oscura.

Llevaba una máscara.

De pie justo delante de su ventana.

«Dentro del perímetro.»

Pip tenía que irse, debía salir tras él. Ella era más rápida. Había aprendido a huir de todo tipo de monstruos.

—¡Pip!

Se dio la vuelta. No podría pasar al lado de sus padres. Estaban bloqueando el camino y ya era demasiado tarde.

—Danos una explicación —exigió su madre.

—Y-y... —Pip tartamudeó. «Ah, nada, solo era el hombre que va a matarme, no hay de qué preocuparse»—. No sé mucho más que vosotros —mintió—. A mí también me han despertado los altavoces. No sé qué ha pasado. Se debe de haber conectado el teléfono y era un anuncio de YouTube o algo. No lo sé. No he sido yo. —Pip no sabía cómo había conseguido decir tantas palabras sin respirar—. Lo siento. Los he desenchufado. Estarán defectuosos. No volverá a ocurrir.

Hicieron más preguntas. Más y más, y ella no sabía qué responder. Sería su culpa si los vecinos se quejaban, le dijeron, y si Josh estaba de mal humor al día siguiente.

De acuerdo, lo aceptaba.

Pip volvió a acostarse y su padre apagó la luz con un «Te quiero» cansado. Sus oídos chamuscados escucharon cómo intentaban convencer a Josh para que volviera a meterse en la cama. Pero no se iba a ir. Dormiría con ellos.

Pip, en cambio..., no iba a pegar ojo.

El Asesino de la Cinta había estado allí. En su casa. Luego había desaparecido en la oscuridad. Y ella... era su número seis.

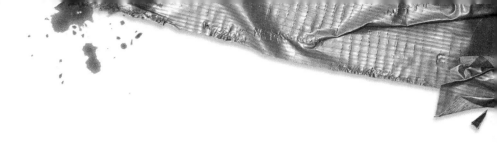

Veinticuatro

El grito seguía allí dentro, inhumano y enfadado, atrapado en los huesos de Pip. El traca-traca-traca de la impresora fantasma resonaba en sus oídos. Ambos peleaban contra la pistola en su corazón. Ni siquiera salir a correr los apartaría o la distraería. Una carrera tan intensa que pensaba que se iba a partir por la mitad y toda la violencia y la oscuridad que llevaba dentro se derramaría sobre la acera. Miraba hacia atrás en busca de Max Hastings, de su pelo recogido y su mirada de regodeo, pero no estaba allí.

Salir a correr fue una mala idea. Ahora sentía que no se podía mover, tumbada en la alfombra de su habitación. Envuelta en aire frío. Embalsamada. No había dormido nada. Se había tomado el último Xanax casi inmediatamente después de que sus padres se hubiesen ido de su habitación la noche anterior. Había cerrado los ojos y el tiempo había dado un salto, pero no tenía la sensación de haber dormido, sino más bien de haberse ahogado.

Ahora no le quedaba ninguna. Nada de nada. Cero apoyos.

Eso consiguió que se moviera, por fin. Se arrastró hasta el escritorio. Varios enchufes colgaban debajo. Había desconectado todo lo que había en la habitación. La impresora. Los altavoces. El ordenador. La lámpara. El cargador del móvil. Todos los cables se arrastraban sin vida.

Abrió el segundo cajón, metió la mano dentro y sacó el

primer teléfono de prepago. El mismo que había utilizado para escribir a Luke el miércoles. Era sábado y todavía no había tenido noticias suyas. Y ya no le quedaba nada.

Encendió el teléfono y empezó a escribir, frustrada por lo lento que era. Tenía que pulsar cuatro veces el siete para llegar a S. «Se me han acabado. Necesito más. YA.»

¿Por qué no le había contestado todavía? Ya lo debería haberlo hecho. Esto no podía irse también al traste, como todo lo demás. Tenía que dormir bien esa noche; ya notaba que su cerebro iba más lento, conectando perezoso un pensamiento con otro. Volvió a colocar el teléfono en el cajón, sobresaltada por un zumbido de su móvil oficial.

Otra vez Ravi. «¿Has vuelto de correr?»

Había insistido en ir a verla cuando lo había llamado, todavía adormilada por las pastillas, y le había contado lo que había pasado con la impresora y los altavoces. Pero Pip le había dicho que no. Tenía que salir a correr para aclararse las ideas. Y luego debía hablar con Nat da Silva sobre su hermano. A solas. Ravi terminó cediendo, pero siempre y cuando estuviera todo el día pendiente del móvil. Y era incuestionable: Pip se quedaría en su casa esa noche. A cenar también. No había más que hablar, se lo dijo con su voz seria. A Pip le pareció una idea lógica, pero ¿y si el Asesino de la Cinta lo sabía?

A ver, paso a paso. Para esa noche quedaba una eternidad, y para ver a Ravi también. Le envió un mensaje rápido con un «Sí, estoy bien. Te quiero». Pero ahora tenía que centrarse en su siguiente tarea: hablar con Nat.

Era lo primero que tenía que hacer y lo último que quería hacer. Hablar con Nat. Si lo decía en voz alta, se haría real. «Nat, ¿crees que existe alguna posibilidad de que tu hermano sea un asesino en serie? Sí, ya lo sé, es muy típico de mí acusar a los miembros de tu familia de asesinato.»

Ahora ella y Nat eran amigas. Su familia elegida. Entre la violencia y la tragedia, pero elegida, al fin y al cabo. Pip contaba con los dedos de la mano a la gente que la buscaría si desapareciera, y Nat era una de ellas. Perderla sería mucho peor que quedarse sin un dedo. ¿Y si esa conversación presionaba demasiado ese vínculo hasta que terminase rompiéndose?

Pero ¿qué otra cosa podía hacer? Todas las señales apuntaban a Daniel da Silva: encajaba en el perfil, había trabajado en Green Scene y podía haber sido perfectamente quien hubiese hecho saltar la alarma mientras Jason Bell estaba cenando; había mostrado extremo interés en el caso como agente, era «prácticamente uno de ellos», alguien cercano a los Bell a quien Andie podía temer, alguien con motivos para odiar a Pip.

Todo encajaba. Era el camino más fácil.

Los disparos en su pecho. Sílabas rápidas que sonaban como cinta cinta.

Pip volvió a mirar el teléfono. Joder. ¿Cuándo habían dado las tres? No había salido de la cama —su único lugar seguro— hasta mediodía porque las pastillas pesaban demasiado en su pecho. Además, había corrido mucho, demasiado. Ahora tenía dudas y hablaba consigo misma en lugar de ir adonde debía.

No le daba tiempo a ducharse. Se quitó la camiseta sudada y se puso una sudadera gris, cerrando la cremallera hasta arriba sobre su sujetador deportivo. Metió la botella de agua y las llaves en la mochila abierta y sacó los micrófonos USB. La conversación con Nat no debía escucharla nadie más. Jamás. Entonces se acordó de que esa noche se quedaba en casa de Ravi: cogió ropa interior y una muda para el día siguiente y guardó el cepillo de dientes. Aunque igual volvía por allí antes, para comprobar si Luke tenía alguna pastilla para ella. Esa idea la avergonzaba. Pip cerró la mochila y se la colocó en el hombro, cogió los auriculares y el teléfono y salió de la habitación.

—Me voy a ver a Nat —le dijo a su madre al final de la escalera, limpiándose la sangre de Stanley de las manos sobre las mallas oscuras—. Luego me quedaré a cenar en casa de los Singh, y puede que a dormir también, ¿vale?

—Sí, vale —aceptó su madre, suspirando porque Josh había empezado a quejarse de algo en el salón—. Pero tendrás que volver en cuanto te levantes. Le hemos prometido a tu hermano que mañana iríamos a Legoland. Se ha puesto contento durante dos segundos.

—Vale —dijo Pip—. Será divertido. Adiós. —Dudó un instante frente a la puerta—. Te quiero, mamá.

—Ah. —Su madre parecía sorprendida, y la miró con una sonrisa que le llegaba a los ojos—. Yo también te quiero, cariño. Nos vemos mañana. Saluda a Nisha y a Mohan de mi parte.

—Lo haré.

Pip cerró la puerta. Miró el muro de ladrillo bajo su ventana, justo donde él había estado anoche. Había vuelto a llover por la mañana, así que no estaba segura, pero juraría haber visto unas marcas blancas borrosas. A lo mejor siempre habían estado allí. O a lo mejor no.

Dudó otra vez junto al coche, y luego pasó de largo. No debía conducir; no era seguro. Todavía tenía las pastillas en la sangre, ralentizándola, y el mundo parecía casi un sueño. De otro tiempo, de otro lugar.

Se puso los auriculares sobre la cabeza y empezó a caminar por Martinsend Way. Ni siquiera quería escuchar nada, simplemente activó la cancelación de ruido e intentó flotar de nuevo a ese lugar libre, sin ataduras. Desaparecer. Donde los disparos y los traca-traca y los gritos de la música no pudieran encontrarla.

Caminó por High Street, pasando por enfrente de El Sótano de los Libros. Pasó por delante de la cafetería, vio a Cara dentro dándole a alguien un par de vasos para llevar, y Pip leyó las palabras en los labios de su mejor amiga: «Cuidado, que queman». Pero no se podía parar. Dejó Church Street a la izquierda, donde, justo al doblar la esquina, estaba la casa de los Bell. No obstante, Andie no estaba en esa casa, sino allí, con Pip. Girando hacia la derecha. Por Chalk Road hasta Cross Lane.

Los árboles se estremecían sobre ella. Allí siempre parecía que hacían eso, como si supieran algo que ella desconocía.

Llegó hasta la mitad, con los ojos fijos en la puerta azul conforme fue apareciendo. La casa de Nat.

No quería hacerlo.

Tenía que hacerlo.

Este juego mortal entre ella y el Asesino de la Cinta la traía allí, y ella iba con una jugada de retraso.

Se paró en la acera justo enfrente de la casa y dejó caer la mochila hasta el codo para poder meter dentro los auriculares. La volvió a cerrar. Cogió aire y se dirigió a la puerta.

Le sonó el teléfono.

En el bolsillo de la sudadera. Vibrando contra su cadera.

Pip metió la mano y cogió el móvil, lo sacó y se quedó mirando la pantalla.

«Número desconocido.»

Se le puso el corazón en la boca.

Era él, lo sabía.

El Asesino de la Cinta.

Ya lo tenía. Jaque mate.

Pip salió corriendo, pasando por delante de la casa de Nat, con el teléfono aún vibrando entre sus manos. Cuando perdió de vista la casa de los Da Silva, presionó dos veces el botón lateral para redirigir la llamada a CallTrapper.

La pantalla se quedó en negro.

Un paso.

Dos.

Tres.

La pantalla se volvió a iluminar con la llamada entrante. Pero esta vez no decía «Número desconocido». Había dígitos en la parte de arriba, desenmascarados. Un número que Pip no reconocía, pero eso daba igual. Era el enlace directo con el Asesino de la Cinta. Con Daniel da Silva. Una prueba concreta. Se acabó el juego.

No hacía falta que aceptara la llamada; podía dejarlo sonar. Pero su pulgar ya se había movido hacia el botón verde, lo había pulsado y se estaba llevando el teléfono a la oreja.

—Hola —contestó Pip, caminando por Cross Lane, hasta donde las casas se desvanecían y los árboles se espesaban sobre la calle. Ya no se estremecían; la estaban saludando—. ¿Quieres que te llame Asesino de la Cinta, o prefieres Estrangulador de Slough?

Un sonido al otro lado de la línea. Irregular y suave. No era el viento. Era él, respirando. No sabía que se había acabado el juego, que ella ya había ganado. Que esta tercera y última llamada había sido su error fatal.

—Yo creo que prefiero el Asesino de la Cinta —continuó Pip—. Encaja mejor, más que nada porque no eres de Slough. Eres de aquí. De Little Kilton. —Pip estaba en racha. Las copas de los árboles ya cubrían el sol de la tarde y la carretera se había llenado de sombras—. Me gustó mucho tu truco anoche. Muy impresionante. Y sé que tienes una pregunta para mí: quieres saber quién me buscará si desaparezco. Pero yo tengo otra para ti.

Hizo una pausa.

Otra respiración al otro lado. Él estaba esperando.

—¿Quién te visitará cuando estés en la cárcel? —preguntó—. Porque allí es adonde vas.

Al otro lado del teléfono, un sonido gutural, la respiración atascada en su garganta.

Tres pitidos en el oído de Pip.

Había colgado.

Ella se quedó mirando el teléfono, con la comisura de los labios casi formando una sonrisa. Lo tenía. El alivio fue instantáneo, desapareció ese terrible peso de los hombros y volvía a estar anclada al mundo; al mundo real. A una vida normal. Equipo Ravi y Pip. No podía esperar para contárselo. Lo tenía delante; solo debía estirar el brazo y cogerlo. Un sonido entre una tos y una risa le atravesó los labios.

Fue a las llamadas recientes y sus ojos se clavaron de nuevo en aquel número. Probablemente fuera un teléfono de prepago, teniendo en cuenta que no lo habían pillado nunca, pero a lo mejor no. Tal vez fuese su teléfono real, y a lo mejor lo cogía sin pensar, respondiendo con su nombre. O un buzón de voz lo delataría. Pip tenía que ir a ver a Hawkins con esa información, lo había prometido, pero antes quería saberlo. Necesitaba ser quien lo encontrara, conocer por fin su nombre y desentrañarlo todo. Daniel da Silva. El Asesino de la Cinta. El Estrangulador. Se lo había merecido. Había ganado.

Y quizá él debería saber lo que se siente. El miedo, la incertidumbre. Su pantalla iluminándose con un «Número desconocido». Esa duda de si responder o no. No sabría que era ella. Estaría enmascarada, igual que él.

Seguía caminando por la calle, bajo los árboles. La casa de Nat había quedado olvidada, muy atrás. Pip copió el número en el teclado. Delante, tecleó 141, la máscara. Sintió un escalofrío al mover el pulgar sobre el botón verde.

Ese era el momento.

Pulsó el botón.

Se llevó el teléfono a la oreja una vez más.

Lo escuchó sonar.

Un momento, no. Algo no iba bien.

Pip dejó de andar y bajó el móvil.

No solo escuchaba el tono de llamada en su teléfono.

También lo oía con la otra oreja. En ambas. Estaba aquí.

El estridente timbre sonaba justo detrás de ella.

Más fuerte.

Y más fuerte.

No tenía tiempo de gritar.

Pip intentó girarse a mirar, pero dos brazos aparecieron de la nada detrás de ella. La cogieron. El móvil seguía sonando cuando soltó el suyo.

Una mano chocó contra su cara, sobre su boca, bloqueando el grito antes de que saliera. Un brazo alrededor de su cuello, doblado por el codo, apretando, apretando.

Pip forcejeó. Respiró, pero no le llegaba aire. Intentó soltarse el brazo del cuello y quitarse la mano de la boca, pero cada vez tenía menos fuerza y se le vaciaba la cabeza.

No entraba aire. Se le atascaba en el cuello. Las sombras se profundizaban a su alrededor. Forcejeó. «Respira, respira.» No podía. Explosiones tras sus ojos. Lo volvió a intentar y notó que se separaba de su propio cuerpo. Se despellejaba.

Oscuridad. Y ella, desapareciendo dentro.

Veinticinco

<pre>
        O
        S
R O S O C O S C U
        U
        R
        O
        S
      C   C
    U   U
  R   R
O   O
S   S
</pre>

Veintiséis

Pip emergió de la oscuridad, abriendo lentamente un ojo y luego el otro. Era un sonido lo que la guiaba hasta la salida, algo golpeando junto a su oreja.

Aire. Tenía aire. La sangre volvía a su cerebro.

Había abierto los ojos, pero no conseguía darle forma a las siluetas que la rodeaban. Aún no. Había una desconexión entre lo que veía y lo que comprendía. Y lo único que entendía en aquel momento era el dolor, que le abría la cabeza y le retorcía el cráneo.

Pero podía respirar.

Podía escucharse respirar. Y de pronto dejó de hacerlo: el mundo gruñó y rugió a sus pies. Conocía ese ruido. Lo entendía. Un motor arrancando. Estaba en un coche. Tumbada bocarriba.

Dos parpadeos más y de pronto las formas de su alrededor cobraron sentido, su mente volvió a abrirse. Estaba en un espacio cerrado y estrecho; tenía una moqueta áspera bajo una mejilla y una lona rígida sobre su cuerpo le bloqueaba la luz.

Estaba en el maletero de un coche. Sí, eso es, le dijo a su cerebro recién nacido. Y lo que había oído era la puerta cerrándose.

Debía de haber estado inconsciente solo unos segundos. Medio minuto como mucho. El coche estaría justo detrás de ella, preparado. La arrastró. El maletero abierto, bostezando, listo para tragársela.

Sí, eso era lo más importante que tenía que recordar. Su mente se estaba poniendo al día.

El Asesino de la Cinta la había atrapado.

Estaba muerta.

Todavía no: estaba viva y podía respirar, menos mal. Pero estaba muerta en todos los sentidos que importaban. Prácticamente.

Una chica muerta que camina. Aunque no estaba caminando; no podía levantarse.

Le entró el pánico, cálido y espumoso, e intentó dejarlo salir, intentó gritar. Pero, un momento, no podía. Solo se escapaban sonidos amortiguados, no lo bastante fuertes como para llamarlo siquiera un grito. Algo le cubría la boca.

Se llevó la mano para ver qué era..., pero ¿qué pasaba?, tampoco podía hacer eso. Tenía las manos atadas a la espalda. Atrapadas. Juntas.

Giró una mano todo lo que pudo, dobló el dedo índice para notar lo que rodeaba sus muñecas.

Cinta americana.

Debería habérselo imaginado. Tenía una tira sobre la boca. No podía separar las piernas; debía de tener también los tobillos atados, aunque no podía verlo ni aunque levantara la cabeza.

Algo nuevo se le desintegraba en la boca del estómago. Una sensación primitiva, antigua. Un terror que iba más allá de las palabras que lo contenían. Estaba por todas partes: detrás de sus ojos, debajo de su piel. Como todos los millones de partes de ella desapareciendo y apareciendo a la vez, parpadeando, existiendo y dejando de existir.

Iba a morir.

Ibaamoriribaamoriribaamoriribaamoriribaamorir.

Igual se moría simplemente por esa sensación. El corazón le latía tan rápido que ya no sonaba como una pistola, pero no podía seguir así. Se terminaría rindiendo. Se iba a rendir.

Pip intentó gritar otra vez, apretando la palabra «ayuda» contra la cinta americana, pero rebotó. Un grito perdido en la oscuridad.

Todavía quedaba una chispa de Pip dentro de todo el terror, y ella era la única que podía ayudar. «Respira. Respira», se intentó decir. ¿Cómo iba a respirar si estaba a punto de morir? Pero inspiró hondo. Cogió aire y lo soltó por la nariz, y sintió cómo se movilizaba por dentro, ordenando números, empujando esa sensación demasiado fuerte al lugar oscuro de su cabeza.

Necesitaba un plan. Pip siempre tenía un plan, aunque fuera a morir.

Esta era la situación: era sábado, aproximadamente las cuatro de la tarde, y Pip estaba en maletero del coche del Asesino de la Cinta. Daniel da Silva. La estaba llevando al lugar en el que planeaba matarla. Estaba atada de pies y manos. Esos eran los hechos. Y había más; Pip siempre tenía más hechos.

El siguiente era particularmente pesado, particularmente difícil de escuchar, aunque saliera de su propia cabeza. Algo que había aprendido en un podcast de crímenes reales, algo que jamás pensó que necesitaría saber. La voz de su cabeza se lo repitió claramente, sin pausas, sin pánico: «Si alguna vez te secuestran, debes hacer todo lo posible para evitar que te trasladen. En el momento en el que estás en una segunda ubicación, tus probabilidades de supervivencia se reducen a menos de un uno por ciento».

A Pip la estaban trasladando. Había perdido su oportunidad, esa pequeña ventana de supervivencia abierta durante los primeros segundos ya se había cerrado.

Menos de un uno por ciento.

Pero, por algún motivo, ese número no la hizo volver a entrar en pánico. Pip se sentía más tranquila, en cierto modo. Una calma extraña, como si asignarle un número hiciera que fuese más fácil de aceptar.

No era definitivo que fuese a morir, sino que había muchas probabilidades de que muriera. Era casi una certeza, no había espacio suficiente para la esperanza.

Vale, respiró. ¿Qué podía hacer?

Todavía no estaba en la segunda ubicación.

¿Llevaba el teléfono encima? No. Se le había caído cuando él la había agarrado. Lo había oído chocar contra el asfalto. Pip levantó la cabeza y analizó el maletero, que vibraba a medida que avanzaban por un camino más árido. Ahí no había nada más que ella. Seguramente él le hubiese quitado la mochila. Bueno, ¿qué más?

Debería haber intentado visualizar el camino por el que iban, tomar una nota mental de los giros que daba el coche. La había cogido al final de Cross Lane, donde los árboles eran más densos. Había escuchado arrancar el motor y no había notado que el coche girara, así que había debido de continuar por esa calle. Pero el terror la había cegado y no había prestado atención al viaje. Diría que ya llevaban unos cinco minutos de trayecto. A lo mejor ni siquiera seguían en Little Kilton. Pero Pip no veía de qué le servía nada de eso.

Entonces ¿qué podía ayudarla? «Venga, piensa.» Si mantenía la mente ocupada, no iría a buscar ese lugar oscuro en el que vivía el terror. Pero se le ocurrió otra pregunta mejor. Esa pregunta.

«¿Quién te buscará cuando seas tú la que desaparezca?»

Ya nunca sabría la respuesta, porque estaría muerta. Pero no, no debía pensar eso, se dijo, cambiándose de lado para liberar la presión sobre sus brazos. Conocía la respuesta, era una certeza muy profunda, que viviría más que ella. Ravi la buscaría. Su madre. Su padre. Josh. Cara, que era más una hermana que una amiga. Naomi Ward. Connor Reynolds. Jamie, igual que ella lo había buscado a él. Nat da Silva. Incluso Becca Bell.

Pip era afortunada. Y mucho. ¿Por qué nunca se había parado a pensar en la suerte que tenía? Toda esa gente se preocupaba por ella, independientemente de si lo merecía o no.

Ahora sentía algo nuevo. No era pánico. Era un poco menos intenso, más pesado, más triste, se movía más despacio y dolía muchísimo más. No los volvería a ver jamás. A ninguno. Ni la sonrisa torcida de Ravi, ni su risa ridícula o sus cientos de formas de decirle que la quería. Nunca volvería a escucharlo llamarla Sargentita. Jamás se reencontraría con su familia, ni con sus amigos. Pip no sabía que esos últimos momentos con todos ellos habían sido su despedida.

Sus ojos rebosaron y se derramaron, cayendo por las mejillas hasta la áspera moqueta. ¿Por qué no se hundía? ¿Por qué no desaparecía? Pero en algún sitio en el que el Asesino de la Cinta no pudiera atraparla.

Al menos le había dicho a su madre que la quería antes de salir de casa. Al menos su madre había tenido ese pequeño momento al que agarrarse. Pero ¿y su padre? ¿Cuándo había sido la última vez que se lo había dicho a él? ¿Y a Josh? ¿Se acordaría su hermano de ella cuando fuera mayor? ¿Y qué pasaba con Ravi? ¿Cuándo le había dicho a él que lo quería? No lo suficiente, nunca era suficiente. ¿Y si él no lo sabía en realidad? Esto lo iba a destrozar. Pip gritó más fuerte. Las lágrimas se acumulaban alrededor de la cinta sobre su boca. «Por favor, no dejéis que piense que es culpa suya.» Era lo mejor que tenía ella, y ahora ella siempre sería lo peor que le había pasado a él. Un dolor en el pecho que nunca olvidaría.

Él la buscaría. No la encontraría, pero atraparía a su asesino, Pip estaba segura. Ravi vengaría su muerte. Justicia: una palabra escurridiza, pero la necesitarían para que, en algún momento, todos pudieran aprender a continuar sin ella y llevarle flores a la tumba una vez al año. Un momento, ¿qué día era? Ni siquiera sabía la fecha de su muerte.

Gritó y gritó más fuerte, hasta que las partes más racionales de su mente tomaron el mando y la sacaron de la desesperación. Sí, Ravi encontraría a su asesino, descubriría quién era. Sin embargo, había una diferencia entre saberlo y poder demostrarlo. Una diferencia enorme; Pip lo había aprendido por las malas.

Eso sí lo podía hacer. Urdir un plan, para mantener la mente ocupada. Pip podía ayudarlos a encontrar a su asesino, a meterlo entre rejas. Solo tenía que dejar las pistas suficientes en ese maletero. Pelo. Piel. Cualquier cosa que llevase su ADN. Cubrir este coche con sus rastros, su última marca en el mundo, una flecha que apuntase hacia él.

Sí, podía hacer eso. Se estiró hacia atrás y frotó la cabeza contra la moqueta. Más fuerte. Más fuerte, hasta que le doliese y sintiera cómo se le soltaban los pelos del cuero cabelludo. Bajó un poco más y lo volvió a hacer.

Siguiente: piel. No había mucha disponible: solo la cara y las manos. Dobló el cuello, apoyó una mejilla contra la moqueta y la movió de atrás hacia delante. Gritó del dolor, pero continuó, con la mejilla en carne viva. Si sangraba sería incluso mejor. Dejaría un buen charco, a ver cómo se libraba el asesino de eso. Luego pasó a las manos, moviéndolas torpemente contra la cinta americana. Se raspó los nudillos contra la moqueta y contra la parte de atrás de los asientos.

¿Qué más podía hacer? Se sumergió en los casos que había estudiado. Le vinieron dos sílabas a la cabeza, una palabra tan obvia que no comprendía cómo no se le había ocurrido antes. Huellas. La policía se las había tomado para descartarla como sospechosa tras la muerte de Stanley. Sí, exacto. La tela de araña de las yemas de sus dedos sería la red con la que apretar cada vez más al Asesino de la Cinta hasta que lo capturaran. Pero necesitaba una superficie dura, la moqueta no serviría.

Pip miró a su alrededor. Estaba la ventana trasera, pero la lona oscura que tapaba el maletero le impedía alcanzarla. Un momento. Los laterales del coche, junto a su cabeza y sus pies, estaban cubiertos de plástico. Eso serviría. Pip encogió las piernas y apretó las deportivas contra la moqueta, deslizándose hacia arriba y hacia un lado, y repitió ese movimiento, hasta que estaba encogida contra un costado y tenía el plástico al alcance de las manos atadas.

Lo hizo con una mano y luego con la otra. Colocó y apretó cada dedo en el plástico varias veces. Arriba y abajo, donde llegara. Los pulgares fueron los más difíciles, por culpa de la cinta, pero consiguió tocar con las puntas. Una huella parcial, al menos.

Vale, y después, ¿qué? El coche pareció responderle, dando un salto cuando las ruedas pasaron por encima de algo. Otro giro brusco. ¿Cuánto tiempo llevaba ya conduciendo? ¿Qué cara pondría Ravi cuando le dijeran que ella estaba muerta? «No, para.» No quería tener esa imagen en la cabeza. En sus últimas horas le apetecía recordarlo sonriente.

Él le había dicho que era la persona más valiente que conocía. Pip no se sentía valiente en ese momento. Para nada. Sin embargo, la versión de sí misma que vivía en la cabeza de Ravi sí lo era. A la que acudía a preguntar «¿Qué haría Pip?». Ella lo intentó con el Ravi que vivía en su cabeza. Acudió a él y le preguntó: «¿Qué me dirías que hiciera si estuvieras aquí conmigo?».

Ravi contestó.

Le diría que no se rindiera, aunque las estadísticas y la lógica la animasen a hacerlo. «Que le den a ese "menos de un uno por ciento". Eres Pippa Fitz-Amobi, la puta ama. Mi Sargentita. Pippus Maximus. No hay nada que no puedas hacer.»

«Es demasiado tarde», le respondió ella.

Él le aseguró que no era demasiado tarde. Todavía no estaba en la segunda ubicación. Aún tenía tiempo, y ganas de luchar.

«Levántate, Pip. Levántate. Tú puedes.»

Levantarse. Eso podía hacerlo.

Podía. Ravi tenía razón. Todavía no estaba en la segunda ubicación; continuaba en el coche. Y podía usarlo para su beneficio. Sus probabilidades de sobrevivir eran mucho más altas en un accidente que en la segunda ubicación. El vehículo parecía estar de acuerdo con ella. Las ruedas rugían cada vez más contra el camino de gravilla, insistiéndole.

«Haz que se estrelle. Sobrevive.» Ese era el nuevo plan.

Sus ojos se fueron hasta el final de la puerta del maletero. No había ningún cerrojo para abrirla y salir rodando. La única vía de escape eran los asientos de atrás y, desde allí, se debería lanzar sobre él para que perdiera el control del vehículo.

Vale, tenía dos opciones. Darle una patada al asiento de atrás, lo bastante fuerte como para romperlo y doblarlo; o pasar por encima, por el hueco entre los reposacabezas y el techo. Para eso, tenía que retirar la lona negra.

Pip eligió la opción dos. La lona estaba rígida —la tocó con las rodillas—, pero solo podía estar sujeta por los lados con algún gancho o mecanismo. Lo único que tenía que hacer era reajustar su posición, tumbarse y patear la esquina hasta que se soltara.

El vehículo se detuvo.

Una parada demasiado larga como para ser solo un cruce. Joder.

Pip abrió mucho los ojos. Contuvo la respiración para poder escuchar. Un sonido; la puerta de un coche abriéndose.

¿Qué estaba haciendo? ¿La iba a abandonar? Esperó a que se cerrara la puerta, pero ese sonido no llegó, al menos durante unos segundos. Y, cuando lo hizo, el coche volvió a arrancar, despacio. No lo bastante rápido como para estrellarlo.

No obstante, solo tardaron siete segundos en volver a detenerse. Y esta vez, Pip escuchó cómo echaba el freno de mano.

Habían llegado.

La segunda ubicación.

Era demasiado tarde.

«Lo siento mucho», le dijo Pip al Ravi de su cabeza. Y «Te quiero». Por si acaso podía hacérselo llegar al de verdad.

La puerta del coche se abrió. La puerta del coche se cerró.

Pasos sobre la gravilla.

El terror había vuelto y se derramaba por el lugar oscuro de su mente, donde ella pensaba que lo había encerrado.

Pip se hizo una bola subiendo las rodillas al pecho.

Esperó.

La puerta del maletero se abrió.

Estaba allí. Pero lo único que ella podía ver era su ropa oscura, hasta el pecho.

Apareció una mano, que tiró de la lona que tenía encima, arrebujándola contra el asiento trasero.

Pip lo miró.

Una silueta contra el sol de la tarde.

Un monstruo a plena luz del día.

Pip parpadeó para ajustar los ojos al brillo.

No era un monstruo, sino solo un hombre. Había algo familiar en la forma de sus hombros.

El Asesino de la Cinta mostró su rostro. Le enseñó a Pip el brillo de su sonrisa.

No era la cara con la que pensaba encontrarse.

Era Jason Bell.

Veintisiete

Jason Bell era el Asesino de la Cinta.

El pensamiento gritaba muy fuerte en la cabeza de Pip, más intensamente que el terror. Pero no tenía tiempo de volver a considerarlo.

Jason se inclinó y la agarró por el codo. Pip retrocedió por el olor metálico del sudor que manchaba su camiseta. Intentó mover las piernas para darle una patada, pero Jason debió de leerle las intenciones en los ojos. La agarró con fuerza por las rodillas, paralizándole las piernas. Con la otra mano, tiró de ella para sentarla.

Pip gritó, pero el sonido salió amortiguado contra la cinta americana. Alguien debía oírla. Alguien tenía que poder oírla.

—Nadie puede oírte —la informó Jason, como si también estuviera incrustado en su cabeza, junto a Ravi, que ahora le decía que corriera. «Corre. Huye.»

Pip se liberó las piernas y se empujó con los nudillos. Aterrizó de pie en la gravilla e intentó dar un paso, pero tenía los tobillos atados demasiado fuerte y se cayó hacia delante.

Jason la cogió y la puso derecha. La agarró por un brazo y apretó fuerte.

—Eso es, buena chica —susurró ausente, como si en realidad no la estuviera viendo—. Muévete o tendré que arrastrarte. —No gritó, ni habló con voz firme; no hacía falta. Tenía el control y lo sabía. Esa era su motivación.

Empezó a andar, así que ella también. Pasos minúsculos contra la cinta americana. Se movían muy despacio, así que Pip utilizó ese tiempo para mirar a su alrededor y estudiar el entorno.

Había árboles. A su derecha y detrás de ella. Rodeándolos, una gran verja metálica pintada de verde oscuro. Una puerta justo tras ellos, que Jason debió de abrir cuando se bajó del coche la primera vez. Todavía estaba abierta, de par en par. Tentándola.

Jason la llevaba a un edificio de aspecto industrial —con placas de hierro en los laterales—, pero había otro diferente a la izquierda. Un momento. Pip conocía ese sitio. Estaba segura. Volvió a analizarlo todo: la verja metálica verde, los árboles, los edificios. Y, por si no le había quedado lo bastante claro, había cinco furgonetas con el logo estampado en los lados. Pip había estado allí antes. No, no había estado. Al menos no literalmente. Solo como un fantasma, recorriendo la calle a través de la pantalla de su ordenador.

Estaban en Green Scene.

El complejo se encontraba junto a una carretera rural en mitad de la nada, a las afueras de Knotty Green. Jason tenía razón: nadie la escucharía gritar.

Pero eso no impidió que lo volviera a intentar a medida que se acercaban a la puerta metálica del lateral del edificio.

Jason sonrió, enseñándole de nuevo sus brillantes dientes.

—Nada de eso —la amenazó, rebuscando en el bolsillo delantero.

Sacó algo afilado y brillante. Era un llavero sobrecargado, con llaves de diferentes formas y tamaños. Seleccionó una larga y delgada con dientes afilados.

Murmuró algo para sí mientras acercaba la llave a la cerradura plateada que había en medio de la puerta. Aflojó un poco el otro brazo, el que la sujetaba.

Pip aprovechó la oportunidad.

Le dio un golpe con el codo para que la soltara.

Libertad. Era libre.

Pero eso no la llevó muy lejos.

No pudo dar ni un paso antes de que la mano de Jason volviera a tirar de ella, sujetándola por los brazos atados a la espalda, como si llevara una correa.

—Deja de intentarlo —le aconsejó Jason, volviendo a centrarse en la cerradura. No parecía enfadado; la expresión de la curva de su boca era más bien divertida—. Sabes igual que yo que no merece la pena.

Pip lo sabía. «Menos de un uno por ciento.»

La puerta se abrió con un ruido metálico y Jason empujó hacia dentro. Las bisagras chirriaron.

—Vamos.

Arrastró a Pip a través del umbral. El interior estaba oscuro, lleno de sombras altas y rígidas. Solo había una pequeña ventana arriba del todo, a la derecha, por la que apenas entraba luz. Jason pareció volver a leerle la mente y pulsó un interruptor en la pared. Las luces industriales parpadearon con un vago zumbido. La sala era larga y estrecha y fría. Parecía como una especie de almacén: había grandes estanterías metálicas en ambas paredes, cubas de plástico enormes apiladas en las baldas, con unos grifos pequeños en la parte de abajo. Pip lo analizó todo; diferentes tipos de herbicidas y fertilizantes. Había dos canales en el suelo de hormigón, bajo las estanterías, que cubrían todo el largo de la estancia.

Jason tiró de ella por los brazos, provocando que arrastrase los talones de las deportivas contra el suelo.

La soltó.

Pip cayó con fuerza sobre el hormigón, en frente de las estanterías de la derecha. Consiguió sentarse y lo miró. Se alzaba sobre ella. El aire le entraba y le salía demasiado fuerte y demasiado rápido por la nariz, y el sonido de su respiración en su mente se convertía en cinta, cinta, cinta.

Ahí estaba. La verdad es que se le hacía raro que tuviera un aspecto tan normal. En sus pesadillas era mucho más grande.

Jason sonrió para sí, negando con la cabeza al recordar algo divertido.

Levantó un dedo y caminó hacia un cartel que decía: «¡Cuidado! Químicos tóxicos».

—¿Te acuerdas de esa alarma que tanto te interesaba? —Hizo una pausa—. Fue Tara Yates la que la hizo saltar. Sí —añadió mirando a Pip a los ojos—. También malinterpretaste eso. Fue ella la que la activó. Estaba atada aquí, en esta misma sala. —Miró el almacén, llenándolo de recuerdos oscuros que Pip no podía ver—. Aquí estuvieron todas. Aquí murieron. Pero Tara, no sé cómo, consiguió quitarse la cinta de las muñecas cuando la dejé sola. Empezó a moverse de un lado a otro e hizo que se disparase la alarma. Se me había olvidado desactivarla.

Se le volvió a arrugar la cara, como si estuviera hablando de pequeños errores, de esos de los que te puedes reír como si no hubieran pasado. A Pip se le erizaron los pelos de la nunca al mirarlo.

—Todo salió bien. La cogí a tiempo —continuó—. Tuve que acelerar todo lo demás para volver a la cena, pero al final salió bien.

Bien. La palabra que Pip usaba para expresar cómo se sentía. Una palabra vacía con todo tipo de elementos oscuros escondidos tras ella.

Ella intentó hablar. Ni siquiera sabía qué pretendía decir, solo que quería intentarlo antes de que fuera demasiado tarde. No podía atravesar la cinta, pero el sonido deforme de su voz era suficiente, le recordaba que todavía seguía allí. Ravi también estaba presente, se lo había dicho. Se quedaría con ella hasta el final.

—¿Qué dices? —preguntó Jason, aún caminando de un lado a otro—. Ah, no. No tienes de qué preocuparte. He aprendido de mi error. La he desactivado. También las cámaras de seguridad, tanto las de dentro como las de fuera. Están todas apagadas, así que no tienes nada de lo que preocuparte.

Pip hizo un ruido con la garganta.

—Se quedarán apagadas el tiempo que haga falta. Toda la noche. Todo el fin de semana. Y por aquí no vendrá nadie hasta el lunes por la mañana, así que tampoco te preocupes por eso. Estamos tú y yo solos. A ver, voy a echar un vistazo.

Jason se acercó a ella. Pip se apartó de él y se pegó contra la estantería. Él se arrodilló a su lado y miró detenidamente la cinta que le ataba las muñecas y los tobillos.

Las tocó y murmuró para sí:

—No, no van a servir. Están muy sueltas. Tenía un poco de prisa por meterte en el coche. Va a hacer falta volver a atarte —comunicó, dándole palmaditas en el hombro—. No vaya a ser que te marques un Tara.

Pip aspiró por la nariz. El olor a sudor le provocó una arcada. Estaba demasiado cerca.

Jason se incorporó, haciendo un ruido gutural al levantarse. Pasó a su lado, y avanzó hasta unas baldas. Pip giró la cabeza para seguirlo con la mirada, pero solo lo vio volver con algo entre las manos.

Un rollo de cinta gris.

—Ya está —dijo, arrodillándose de nuevo y tirando del extremo del rollo.

Pip no veía lo que estaba haciendo a su espalda, pero sus dedos la tocaron y notó un escalofrío recorriéndole la espalda, frío y enfermizo. Pensó que a lo mejor vomitaba y que si lo hacía, se ahogaría. La misma muerte que Andie Bell.

Ella apareció en su mente, su fantasma se sentó a su lado y le agarró la mano. Pobre Andie. Sabía lo que era su padre. Tuvo que volver cada día a una casa en la que vivía un monstruo. Murió intentando huir de él, para proteger a su hermana. Y, en ese momento, dos recuerdos diferentes se abalanzaron sobre el cerebro de Pip. Fusionándose y convirtiéndose en uno. Un cepillo del pelo. Pero no un uno cualquiera. El morado que encontró sobre el escritorio de Andie —el que aparece en la esquina de las fotos que tomaron Pip y Ravi—, era de Melissa Denny, la segunda víctima de Jason. El trofeo que le quitó para rememorar su muerte. Se lo había regalado a su hija adolescente; seguramente sintiese una emoción siniestra cuando la veía usarlo. Qué puto enfermo.

El recuerdo terminó allí, igual de rápido que el golpe de dolor de sus muñecas. Jason le había arrancado la cinta, llevándose vello y piel con ella. Libertad otra vez. Desatada. Debería luchar. Ir a por el cuello. Clavarle las uñas en los ojos. Pip gruñó y lo intentó, pero la agarraba demasiado fuerte.

—¿Qué te he dicho? —insistió Jason en voz baja, agarrándola por los brazos retorcidos. Los levantó a su espalda, demasiado alto, y luego los volvió a bajar, apretando el interior de sus muñecas contra la pata metálica de la estantería.

La cinta americana estaba fría y pringosa cuando la pasó por una muñeca, luego por detrás de la pata y alrededor de la otra muñeca.

Pip se concentró en intentar separar las manos todo lo posible para que la cinta no estuviera tan apretada, pero Jason fue rápido y dio otra vuelta. Y otra. Y otra.

—Mucho mejor —dijo, intentando sacudirle las muñecas, que no se movieron—. Bien agarrada. No te irás a ningún sitio, ¿a que no?

La cinta sobre su boca se hinchó con otro grito.

—Sí, ahora me iba a poner con eso, no te preocupes —comentó Jason, alcanzando los pies de Pip—. Siempre estás preocupada. Y gritona. Como todas. Sois muy escandalosas.

Se arrodilló junto a sus piernas para agarrarlas y luego le rodeó los tobillos con más cinta adhesiva, por encima de la primera. Esta vez más apretada, dándole dos vueltas.

—Así bastará. —Se giró para mirarla con los ojos entornados—. Normalmente ahora te daría una oportunidad para hablar. Para pedir perdón antes de... —Se calló y se quedó mirando el rollo de cinta, pasando los dedos suavemente por el borde. Jason se inclinó hacia su cara—. No hagas que me arrepienta —dijo, agarrando con fuerza la cinta sobre sus mejillas y tirando de ella para liberarle la boca.

Pip aspiró todo el aire. Notó algo diferente cuando le entró por la boca. Más espacio, menos terror.

Ahora podía gritar si quería. Pedir ayuda. Pero ¿para qué? Nadie la escucharía, y no iban a ir a venir a por ella. Estaban los dos solos.

Una parte de Pip quería mirarlo y preguntarle: «¿Por qué?». Sin embargo, no había ningún porqué, Pip lo sabía. No era Elliot Ward, ni Becca, ni Charlie Green, a quienes sus razones los habían sacado de la oscuridad hasta una confusa zona gris. Ese espacio humano de buenas intenciones o malas decisiones o errores o accidentes. Había leído el perfil criminal y aquello le había dicho todo lo que necesitaba saber. El Asesino de la Cinta no tenía ninguna zona gris, ningún porqué; por eso le había parecido tan apropiado. El caso perfecto: salvarse para salvarse. Esta vez no salvaría a nadie, y mucho menos a ella. Había perdido, iba a morir y no había ningún porqué en el caso de Jason Bell. Solo un por qué no. Pip y las otras cinco antes que ella eran, de algún modo, intolerables para él. Eso era todo. No eran asesinatos, sino una exterminación. No iba a conseguir ninguna información si preguntaba.

Otra parte de ella, el lado más espinoso en el que hibernaba la rabia, quería gritarle que se fuera a tomar por culo, y seguir chillando hasta que él se viera obligado a matarla.

Nada de lo que ella pudiera decir iba a detenerlo o a herirlo. Nada. A no ser...

—Ella te descubrió —soltó Pip con la voz cruda y magullada—. Andie. Sabía que tú eras el Asesino de la Cinta. Te vio con Julia y ató cabos.

Pip vio aparecer nuevas arrugas alrededor de los ojos de Jason y un espasmo en la boca.

—Sí, era consciente de que eras un asesino. Meses antes de morir. De hecho, por eso murió. Estaba intentando huir de ti. —Pip tomó otra bocanada de aire—. Incluso antes de descubrir quién eras, creo que ya sabía que tenías algún problema. Por eso nunca llevaba a nadie a casa. Llevaba un año ahorrando dinero para escapar, para vivir lejos de ti. Iba a esperar a que Becca terminara el instituto y luego iba a volver a por ella para llevársela. Y, cuando por fin estuvieran en un sitio donde tú no las pudieras encontrar, Andie iba a denunciarte a la policía. Ese era su plan. Te odiaba con toda su alma. Igual que Becca. No creo que ella sepa quién eres en realidad, pero también te detesta. Lo he averiguado. Por eso eligió ir a la cárcel. Para estar lejos de ti.

Las palabras salieron como disparos. En su voz se escondían las seis balas que lo habrían llenado de agujeros. Entornó los ojos para destriparlo con la mirada, pero él no se derrumbó. Se quedó allí, de pie, con una expresión extraña en la cara. Los ojos le iban de un lado a otro mientras asimilaba lo que ella le acababa de decir.

Y suspiró.

—Bueno —dijo con tristeza—. Andie no debería haber hecho eso. Se metió en mis asuntos; no le correspondía. Y ahora los dos sabemos por qué murió. Porque no escuchaba. —Se golpeó en un lado de la cabeza, junto a la oreja, demasiado fuerte—. Me pasé toda su vida intentando enseñarle, pero nunca me hacía caso. Igual que Phillipa y Melissa y Bethany y Julia y Tara. Demasiado escandalosas. Todas. Tenéis que escucharme. Ya está. Prestar atención y hacer lo que se os manda. ¿Por qué os cuesta tanto?

Raspó nervioso el extremo de la cinta americana.

—Andie —dijo su nombre en voz alta, pero para él—. ¿Sabes? Renuncié a todo por ella. Tuve que hacerlo cuando desapareció. La policía estaba demasiado cerca, era demasiado arriesgado. Estaba acabado. Encontré a alguien que me escuchaba. Habría sido el final. —Se rio de forma siniestra, en voz baja, señalando a Pip con el rollo de cinta—. Y entonces apareciste tú. Y también eras muy escandalosa. Demasiado. Te entrometiste en la vida de la gente. En la mía. Perdí a mi segunda mujer, la única que me escuchaba, porque te escuchó a ti. Eras una prueba, solo para mí, y supe que no podía fracasar. La última. Demasiado ruidosa. Tienen que verte, no escucharte. ¿No te ha enseñado eso tu papaíto? —Apretó los dientes—. Y hete aquí, intentando interferir en mi vida de nuevo con tus últimas palabras, hablándome de Andie. No me duele, ¿sabes? No puedes hacerme daño. Eso solo demuestra que yo tenía razón. Sobre ella y sobre Becca. Sobre todas. Os pasa algo.

Pip no podía hablar. No sabía cómo, al ver a este hombre andando de un lado a otro delante de ella, delirando. Escupiendo saliva con cada palabra, con las venas ramificándose por su cuello.

—Ah. —Habló de pronto, con los ojos muy abiertos, brillando de placer, y con una sonrisa traviesa—. Yo sí que tengo algo que puede hacerte daño a ti. ¡Ja! —Jason dio una palmada muy fuerte, y Pip se estremeció por el ruido y se golpeó la cabeza con el metal de la estantería—. Sí. Una última lección antes de que te marches. Y entonces entenderás lo perfecto que ha sido todo, lo bien que ha encajado. Que este final ya estaba escrito. Y yo recordaré siempre tu mirada.

Pip lo miró, confusa. ¿Qué lección? ¿De qué estaba hablando?

—Fue el año pasado —Jason empezó a relatar su historia mirándola a los ojos—. Casi a finales de octubre, creo. Becca no me hacía caso, otra vez. No me hablaba ni me respondía a los mensajes. Así que decidí acercarme a la casa una tarde, a mi casa, aunque por aquel entonces estaba viviendo con mi otra mujer, la que me escuchaba. Les llevé comida a Becca y Dawn. ¿Me dieron las gracias? Dawn sí, ella siempre ha sido muy débil. Pero Becca se comportaba de forma extraña. Distante. Volví a hablar con ella sobre obedecer mientras comíamos y me di cuenta de que me estaba ocultando algo. —Paró de hablar y se pasó la lengua por los labios resecos—. Entonces, salí de casa, pero no me fui; me quedé en el coche, vigilando. Y, quién lo iba a decir, al cabo de poco más de diez minutos, Becca salió de casa con un perro. Su secretito. No les di permiso para comprar una mascota. No me lo consultaron. Yo ya no vivía allí, pero, aun así, ellas tenían que escucharme. Te puedes imaginar lo furioso que me puse. Así que salí del coche y seguí a Becca hasta el bosque mientras ella paseaba a su perro nuevo.

A Pip le dio un vuelco el corazón, que se precipitó por sus costillas y aterrizó bruscamente en la boca del estómago. No no. Eso no. Por favor. Que no fuera por donde ella creía que estaba yendo.

Jason sonrió al ver su reacción. Estaba disfrutando de cada momento.

—Era un Golden retriever.

—No —dijo Pip en voz baja, con un dolor físico en el pecho.

—En fin, me quedé mirando a Becca mientras paseaba al

perro —continuó—. Le soltó la correa, le dio un golpecito y le dijo «Vete a casa», algo que me pareció muy raro en ese momento. Eso me confirmaba que Becca no se merecía un perro si no era capaz de cargar con la responsabilidad. Y entonces empezó a lanzarle palos, y el perro se los devolvía todos. Y luego le lanzó uno lo más fuerte que pudo, entre los árboles, y el perro fue a buscarlo. Becca volvió corriendo a casa. El perro no la encontraba. Estaba confuso. En ese momento, claro, ya sabía que mi hija no estaba preparada para tener una mascota, porque no me había pedido permiso, porque no me hacía caso. Así que me acerqué al perro. Era un animalillo muy simpático.

—No —repitió Pip, esta vez más fuerte, intentando tirar de la cinta adhesiva.

—Becca no estaba preparada y no me había escuchado. Tenía que aprender la lección. —Jason sonrió, alimentándose de la desesperación en la cara de Pip—. Así que llevé al simpático perro hasta el río.

—¡No! —gritó Pip.

—¡Sí! —Se rio, con una carcajada igual de fuerte que el grito de ella—. Ahogué a tu perro. Evidentemente, no sabía que era tuyo por aquel entonces. Lo hice para castigar a mi hija. Y entonces lanzaste tu podcast, que me trajo muchos problemas, y hablaste de él. *Barney*, ¿verdad? Pensabas que había sido un accidente y no culpaste a Becca por lo que pasó. Pues bien —volvió a dar una palmada—, no fue un accidente. Yo maté a tu perro, Pip. Qué curiosos los misterios del destino, ¿no crees? Nos unieron desde entonces. Y ahora estás aquí.

Pip parpadeó y el color de Jason desapareció, al igual que el del almacén. Ahora todo era rojo. Rojo rabia. Rojo violento. El rojo escondido tras sus pupilas. Rojo como la sangre de sus manos. Rojo como su sangre cuando muriera.

Ella le gritó. Un alarido sin fondo, bruto y visceral.

—¡Que te jodan! —gritó enfadada. Las lágrimas de desesperación le caían hasta la boca—. ¡Que te jodan! ¡Que te jodan!

—Ya hemos llegado a ese punto, por lo que veo —comentó Jason con otra expresión en la cara.

—¡Que te jodan! —A Pip se le estremeció el pecho por la fuerza de tanto odio.

—Muy bien.

Jason caminó hacia ella. Sonó un ruido desgarrador cuando arrancó un trozo de cinta del rollo.

Pip se llevó las piernas al pecho y le dio una patada con los pies atados.

Jason la esquivó con facilidad. Se arrodilló a su lado, despacio, seguro.

—Nunca escuchas —insistió, acercándose a su cara.

Pip intentó apartarse, tiró tan fuerte que pensó que iba a arrancarse las manos y a dejarlas allí, atadas a la estantería cuando ella se liberara. Jason le empujó la frente con una mano y la sujetó contra la pata de metal.

Pip se resistió. Intentó pelear. Intentó agitar la cabeza de un lado a otro.

Jason le pegó la cinta en la oreja derecha. La pasó por encima de la cabeza, la apretó sobre la otra oreja y la pegó debajo de la barbilla.

Más desgarro. Más cinta.

—¡Que te jodan!

Jason cambió de ángulo, le pasó la cinta en horizontal por la barbilla y le rodeó la nuca, pegándosela en el pelo.

—Deja de moverte —dijo frustrado—. Lo estás estropeando.

Enrolló la cinta por encima de la barbilla, otra fila, atrapando el labio inferior.

—Nunca escuchas —repitió Jason entornando los ojos, concentrado—. Así que ahora no vas a poder oír. Ni hablar. Ni siquiera mirarme. No te lo mereces.

La cinta adhesiva le atrapó los labios, robándole de nuevo sus gritos. Más arriba, pegada bajo la nariz.

Jason pasó la cinta por detrás de la cabeza otra vez y subió un poco para dejar libres las fosas nasales. Las respiraciones de pánico entraban y salían. La cinta la rodeaba cada vez más, por encima de la nariz, hasta la parte de debajo de los ojos.

Jason volvió a cambiar de dirección, llevando el rollo de cinta hacia arriba para cubrirle la cabeza. Una vuelta y otra. Le tapó la frente. Hacia abajo y por detrás.

La cinta le cubrió las cejas.

Otra vez por la parte posterior de la cabeza.

Solo quedaba una cosa.

Una última tira sobre su cara.

Pip vio cómo lo hacía. Lo miró hasta que él le arrebató la vista, al igual que había hecho con el resto de la cara, solo cerrando los ojos en el último momento, cuando él apretó la cinta por encima de ellos.

Jason dejó de sujetarle la cabeza, de modo que podía volver a moverla, pero no era capaz de ver.

Otro sonido desgarrador. La presión de sus dedos sobre la sien de Pip cuando pegó los extremos.

Ya estaba terminada. La máscara de la muerte.

Sin cara.

En la oscuridad.

En silencio.

Desaparecida.

Veintiocho

Sin cara. En la oscuridad. En silencio. Demasiado silencio. Pip ya no escuchaba la respiración de Jason, ni olía el fuerte tufo metálico de su sudor al respirar con dificultad por la nariz. Debía de haberse apartado de ella.

Pip dejó de respirar, sondeando la sala con las orejas tapadas, sintiendo el hormigón en las piernas encogidas. Escuchó unos pasos amortiguados que se alejaban de ella, en dirección a la puerta por la que él la había arrastrado.

Escuchó.

El chirrido del metal al abrirse la puerta. El de las bisagras viejas. Más pasos que hacían crujir la gravilla del exterior. Otra vez el chirrido de las bisagras y el ruido sordo de la puerta cerrándose. Silencio, unas cuantas respiraciones y luego otro sonido mucho más leve: unas llaves arañando la cerradura. Otro ruido sordo.

¿Se acababa de ir? Se había marchado, ¿verdad?

Pip forcejeó mientras escuchaba con atención el tenue sonido de los zapatos y de la gravilla. Un sonido familiar: la puerta de un coche cerrándose. El rugido de un motor al despertar y las ruedas alejándose de ella.

Se estaba marchando. Se había ido.

La había dejado allí encerrada, pero Jason se había largado. El Asesino de la Cinta no estaba.

Pip olfateó. A lo mejor no se había ido. A lo mejor todo esto era algún tipo de prueba y seguía sentado en la sala con ella, vigilándola. Aguantando la respiración para que ella no lo escuchara. Esperando a que hiciera algún tipo de movimiento en falso. Escondido en la oscuridad de sus ojos tapados.

Pip hizo una prueba y carraspeó. Su voz vibró contra la cinta americana, haciéndole cosquillas en los labios. Volvió a gruñir, más fuerte, intentando darle sentido a la impenetrable oscuridad que la rodeaba. Pero no era capaz. Estaba desahuciada, retenida contra aquella enorme estantería metálica, sin cara, envuelta en cinta. Quizá él siguiese allí con ella, no lo podía descartar. Pero había escuchado el coche, ¿no? No podía ser nadie más que Jason. Y entonces, otro recuerdo se cayó de su cerebro deteriorado. Las palabras de la transcripción. El inspector Nolan preguntándole a Billy Karras por qué había dejado a sus víctimas solas durante un tiempo. Era evidente por el desgaste de la cinta que les ataba los pies y las manos. El asesino se había marchado. Esto formaba parte de su plan, de su rutina, de su *modus operandi*. Jason se había ido, pero volvería para matar a Pip.

Vale, estaba sola, eso le había quedado claro, pero no podía quedarse con ese alivio momentáneo. Tenía que pasar al siguiente problema. El terror no estaba encerrado, como ella, en la recámara de su cabeza. Estaba en todas partes. En sus ojos tapados y en las orejas cubiertas. En cada latido de su corazón sobreutilizado. En la piel en carne viva de sus muñecas y en la incómoda inclinación de sus hombros. En el agujero de su estómago y en la profundidad de su alma. Puro y visceral; el miedo como nunca lo había experimentado. Inevitable. La transición entre estar viva y dejar de estarlo.

Sus respiraciones eran cada vez más cortas, demasiado breves, chorros de pánico que entraban y salían. Joder. Se le estaba taponando la nariz, notaba cómo cada respiración le costaba más que la anterior. No debería haber llorado, no debería haber llorado. El aire entraba a duras penas, abriéndose camino por dos agujeros cada vez más estrechos. No tardarían en estar completamente bloqueados y ella terminaría ahogándose. Así es como acabaría todo. Una chica muerta que camina. Una chica muerta que no respira. Al menos así, el Asesino de la Cinta no conseguiría matarla; al menos no a su manera, con una cuerda azul alrededor del cuello. Puede que fuera mejor así, algo que se escapase de su control y se acercase al de ella. Pero no quería morir, joder. Pip inspiró y expiró con fuerza. Se sintió aturdida, como si hubiera dejado de tener cabeza, y tan solo contase con dos fosas nasales cada vez más cerradas.

Apareció un nuevo coro en su cabeza. «Voy a morir. Voy a morir. Voy a morir.»

«Hola, Sargentita.» Ravi había vuelto a aparecer dentro de su cabeza y le susurraba al oído tapado.

«Voy a morir», le dijo ella.

«Yo creo que no —contestó él, y Pip supo que lo decía con una ligera sonrisa y con el hoyuelo en la mejilla—. Solo tienes que respirar. Pero más despacio, por favor.»

«Pero mira.» Pip le enseñó sus ataduras: los tobillos, las manos sujetas a una pata de metal muy frío, la máscara que le cubría la cara.

Ravi era consciente de la situación, había estado allí durante todo el proceso.

«Me voy a quedar contigo hasta el final —le prometió, y a ella le entraron ganas de llorar otra vez, pero no podía, tenía los ojos pegados—. No estarás sola, Pip.»

«Eso ayuda», le contestó ella.

«Para eso estoy. Siempre. Equipo Ravi y Pip. —Él sonrió detrás de los ojos de la chica—. Hemos hecho muy buen equipo, ¿verdad?»

«Gracias a ti.»

«Y a ti también. —Él le agarró la mano atada a la espalda—. Aunque es verdad que yo aportaba toda la belleza. —Se rio de su propia broma; o igual era una broma de ella—. Pero tú siempre has sido la valiente. Meticulosa hasta extremos irritantes. Determinada hasta la imprudencia. Siempre tenías un plan, sin importar lo que pasara.»

«Para esto no —admitió Pip—. He perdido.»

«No pasa nada, Sargentita. —Le volvió a coger la mano y apretó. Empezó a notar un cosquilleo en los dedos por el ángulo extraño en el que estaban doblados—. Solo necesitas un plan nuevo. Es lo que mejor se te da. No vas a morir aquí. Él se ha ido, y ahora tienes tiempo. Aprovéchalo. Piensa en un plan. ¿No te gustaría volver a verme a mí y a todos los que te importan?»

«Sí», le contestó ella.

«Pues más te vale ir empezando.»

Sería mejor ir empezando.

Respiró hondo. Ya tenía la nariz más despejada. Ravi llevaba razón: le habían dado tiempo y debía aprovecharlo. Porque en cuanto Jason Bell volviera a cruzar aquella puerta de bisagras chirriantes, no habría más oportunidades. Ninguna. Estaría muerta. Pero esta Pip, la que estaba allí sola y atada a esa estantería de metal, solo estaba muy probablemente muerta. No tenía muchas opciones, pero sí más que la Pip del futuro cercano.

«Está bien —le dijo a Ravi, pero en realidad se lo dijo a sí misma—. Un plan.»

No podía ver, pero sí comprobar qué había a su alrededor. No tenía nada cerca cuando el Asesino de la Cinta le había tapado los ojos, pero igual había dejado algo por allí una vez terminada la máscara. Algo que ella pudiera usar. Pip movió las piernas atadas formando un arco, de un lado al otro, haciendo fuerza con los brazos para llegar más lejos.

No, por allí no había nada, solo hormigón y el canalón que corría bajo las estanterías.

Daba igual, tampoco esperaba encontrar nada, «No vuelvas a caer en la desesperación». De todos modos, Ravi no la dejaría. Vale. No se podía mover, estaba atrapada en esa estantería. ¿Había algo allí que le sirviera? Cubas de herbicida y fertilizante que no le valían para nada, aunque pudiera cogerlas. A ver, ¿qué podía alcanzar? Pip movió los dedos para que recobraran la sensibilidad. Tenía los brazos atados a su espalda, más altos de lo que deberían estar. Las muñecas pegadas con cinta a la pata metálica, justo por encima de la balda más baja. Eso era lo que sabía, lo había interiorizado antes de que Jason Bell le arrebatara la cara. Pip giró las muñecas contra la cinta y exploró con dos dedos. Sentía el metal frío de la pata de la estantería y, si estiraba un poco el dedo corazón, notaba la intersección donde se unían la pata y la balda.

Ya estaba. No alcanzaba nada más. Esa era toda la ayuda que tenía.

«A lo mejor es suficiente», dijo Ravi.

Y a lo mejor lo era. Porque, en alguna parte de esta intersección entre la balda y la pata, tenía que haber un tornillo que las mantuviera unidas. Y un tornillo podría significar la libertad. Pip podría pinzarlo con el índice y el pulgar y hacer agujeros en la cinta que le ataba las muñecas. Seguir agujereando y rasgando hasta liberarse.

Pues eso era. Ese era el plan. Sacar el tornillo de la estantería.

Pip volvió a tener esa sensación, como si hubiera una presencia desconocida a su alrededor. Y no era solo el Ravi de su cabeza. Algo frío y malicioso. Pero el tiempo no esperaba a nadie y estaba claro que no la iba a esperar a ella tampoco. ¿Cómo iba a coger el tornillo?

Pip solo podía tocar la parte superior de la balda con

un dedo; necesitaba deslizar las muñecas para poder meter el dedo por debajo. La cinta adhesiva estaba pegada alrededor de sus muñecas, pegándolas a esta parte concreta de la pata. Pero si se movía, quizá, solo quizá, podía conseguir que la cinta se despegara del metal. Estaba en un lateral. Con un contacto de unos dos centímetros. Si conseguía despegar la cinta de ahí, sería capaz de deslizar las manos arriba y abajo. Con un poco de esfuerzo podría conseguir un poco de espacio dentro de la cinta, dentro de la garra de Jason. Podía hacerlo. Pip sabía que sería capaz.

Dobló más las piernas para poder impulsarse hacia atrás, contra la estantería. Empujó más. Las puntas de los dedos rozaban el borde de una de las cubas. Siguió empujando y estirándose y girándose y notó cómo cedía. Sintió que una parte de la cinta se despegaba del metal.

«Eso es, sigue así, Sargentita», la animó Ravi.

Pip empujó aún más fuerte, se estiró aún más. La cinta le cortaba la piel. Y, despacio, despacio, la cinta se despegó de la pata.

«¡Sí!», susurraron ella y Ravi a la vez.

No deberían haberlo hecho, porque no se había liberado. Pip seguía pegada a la pata, con las muñecas aún atadas con fuerza a su alrededor. Aún probablemente muerta. No obstante, había conseguido algo: movimiento arriba y abajo entre dos baldas si deslizaba la cinta por la pata.

Pip no perdió más tiempo y bajó las muñecas todo lo que pudo, hasta tener las manos justo encima de la balda de abajo. Tocó la esquina con los dedos y notó algo: pequeño, duro, de metal. Tenía que ser la tuerca. Pip apretó fuerte con el dedo. Notaba el extremo del tornillo que sobresalía de la tuerca. No era tan punzante como le habría gustado, pero bastaría. Podía usarlo para romper la cinta.

Siguiente paso: sacar el tornillo. No iba a ser fácil. Pip se dio cuenta cuando empezó a girar las manos. No había forma de llevar ninguno de los pulgares a ese lado de la pata. Tendría que usar otros dos dedos. De la mano derecha, claro. Era la que tenía más fuerza. Colocó el corazón y el índice alrededor de la tuerca, apretó e intentó girar. Estaba muy dura, joder. Y ¿para qué lado tenía que girarla? ¿Hacia la izquierda, es decir, su derecha?

«Tranquila. Tú inténtalo —le dijo Ravi—. Insiste hasta que ceda.»

Pip lo intentó. E insistió. Pero no funcionaba. No se movía. Volvía a estar muerta.

Probó hacia el otro lado, pero era muy complicado por la posición en la que estaba. Jamás lo conseguiría. Necesitaba los pulgares: ¿cómo podía alguien hacer esto sin los pulgares? Apretó los dedos contra el metal y giró. Le dolía, se le clavaba en los huesos, y si se rompía los dedos... bueno, tenía más. De pronto, la tuerca giró. Muy poco, pero se había movido.

Pip paró un momento para estirar los dedos doloridos y para contárselo a Ravi.

«Bien, vas bien —le dijo él—. Pero tienes que seguir, no sabes cuánto tiempo más estará fuera.»

Podía haber pasado ya media hora desde que Jason se había marchado, Pip no tenía forma de saberlo, y el terror movía el tiempo de forma extraña. Toda una vida en segundos, y al contrario. La tuerca apenas se había soltado; iba a tardar un rato y no se podía concentrar.

Volvió a mover los dedos apretados alrededor de la pieza de metal y giró. Era muy cabezota, solo se movía cuando Pip lo daba todo y, aun así, se desplazaba lo más mínimo. Cada vez que cedía, ella tenía que recolocar los dedos.

Mover. Agarrar. Girar.

Mover. Agarrar. Girar.

Era un desplazamiento mínimo, con una sola mano, pero Pip notaba caer el sudor desde el interior de los brazos hasta la tela de la sudadera. Resbalándose contra la cinta en la sien y en el labio superior. ¿Cuánto tiempo había pasado ya? Minutos. ¿Más de cinco? ¿Más de diez? La tuerca se estaba soltando, cediendo un poco más a cada giro.

Mover. Agarrar. Girar.

Ya debía de haber dado una vuelta entera. Estaba cada vez más suelta contra el tornillo, y contra sus dedos. Ahora podía girarla en cuartos de circunferencia.

Medios círculos.

Un giro completo.

Otro.

La tuerca se soltó del tornillo y se le quedó en la punta de los dedos.

«Sí», susurró Ravi en su cabeza cuando Pip dejó caer la tuerca al suelo, con un pequeño tintineo metálico en la oscuridad desconocida.

Ahora tenía que sacar el tornillo y cortarse la cinta de las muñecas. Ya solo estaba probablemente muerta, no muy probablemente. Podía sobrevivir. Era posible. La esperanza destiñó un poco las oscuras líneas del terror.

«Con cuidado», le advirtió Ravi mientras buscaba con los dedos el extremo del tornillo.

Pip lo empujó y lo subió por el agujero. Tenía que presionar con fuerza, porque el tornillo tenía encima todo el peso de las cubas de aquella balda. Volvió a empujar y el extremo desapareció por el agujero.

«Vale, respira.» Movió una vez más las manos y alcanzó la parte frontal de la pata metálica. Así estaba mejor: ya podía utilizar el pulgar. Pip buscó el bulto del tornillo, lo encontró con el dedo y lo agarró con el índice y el pulgar.

No lo sueltes.

Apretó y sacó el tornillo con el chirrido de dos metales arañándose.

La balda se inclinó hacia delante al perder el soporte frontal.

Algo fuerte y pesado se deslizó y la golpeó en el hombro.

Pip se estremeció.

Soltó un poco el tornillo durante un segundo.

Escuchó un pequeño tintineo metálico sobre el hormigón, botando una vez, dos veces, alejándose rodando.

Hacia la oscuridad desconocida.

Veintinueve

Nonononononononono.

El aire entraba y salía agitado por su nariz, siseando contra los bordes de la cinta.

Pip movió las piernas para buscar en lo desconocido, por un lado y por el otro. No había nada más que hormigón. El tornillo había desaparecido, estaba fuera de su alcance. Y ella volvía a estar muerta.

«Lo siento —le dijo al Ravi de su cabeza—. Lo he intentado. De verdad. Quería volver a verte.»

«No pasa nada, Sargentita —le respondió él—. No pienso irme a ninguna parte. Y tú tampoco. Los planes cambian continuamente. Piensa.»

¿Qué quería que pensara? Esa había sido su última oportunidad, el único resquicio de esperanza, y ahora el terror se estaba alimentando también de eso.

Ravi se sentó con ella, espalda con espalda, pero en realidad era la pesada cuba de herbicida lo que reposaba sobre sus hombros, resbalándose por la esquina suelta de la balda. El metal crujió y se deformó.

Pip intentó cogerle la mano a Ravi y tocó la esquina. Notó que había un hueco mínimo entre la balda torcida y la pata de la estantería a la que debía estar unida. Era diminuto, pero lo bastante grande como para que cupiera una uña, así que también pasaría la cinta americana que apretaba sus muñecas.

Pip aguantó la respiración mientras lo intentaba. Bajó las manos e introdujo la cinta por ese hueco. Se quedó enganchada en la balda, así que agitó las manos hasta que se soltó. Deslizó sus ligaduras por debajo de la balda, de modo que solo estaba atada la parte más baja de la estantería. Lo único que la mantenía allí era esa parte de la pata y el suelo sobre el que se apoyaba. Si pudiera levantar de alguna forma la estantería, podría pasar la cinta por debajo y liberarse.

Arrastró los pies atados para palpar la zona, con cuidado para que la cuba no se cayera. Se le hundieron las piernas en el canal que recorría el suelo de hormigón. Era buena idea, en realidad. Si pudiera arrastrarse hacia delante y llegar al canalón, habría espacio debajo de la pata para poder soltarse. Pero ¿cómo iba a arrastrar la estantería? Estaba pegada a ella por las muñecas y tenía los brazos a la espalda. Si no había sido capaz de usarlos para forcejear contra Jason Bell, era imposible que pudiera levantar ese mueble tan pesado. No era tan fuerte y, si pretendía sobrevivir, debía ser consciente de sus límites. Esa no era la forma de salir de allí.

—¿Y cuál es? —intervino Ravi.

Una idea: la cinta americana se había desgarrado con la balda torcida cuando había bajado las manos. Si seguía pasándola por el hueco, se seguiría desgarrando y a lo mejor conseguiría hacer pequeños agujeros en las ataduras. Pero eso le iba a llevar un rato, como el que ya había pasado aflojando la tuerca y sacando el tornillo. Jason podría volver en cualquier momento. Pip debía de llevar aproximadamente una hora sola, tal vez más. Sola, aunque Ravi estuviese allí. Pensaba con su voz. Era su salvavidas. Su piedra angular.

El tiempo era un obstáculo. La fuerza de sus brazos, otro. ¿Qué le quedaba?

Las piernas. Tenía las piernas libres. Y, al contrario de los brazos, sí que eran fuertes. Llevaba meses corriendo para huir de los monstruos. Quizá fuera demasiado débil para tirar de la estantería, pero igual era capaz de empujarla.

Pip volvió a explorar lo desconocido con las piernas, estirándose hasta la pata trasera de la estantería. A través de la tela de las deportivas notó que no estaba pegada a la pared. Se encontraba separada unos centímetros, al menos el ancho de su pie. No había mucho espacio, pero sería suficiente. Si conseguía empujar la estantería hacia atrás, se volcaría y se recostaría contra la pared. Entonces, las patas delanteras quedarían levantadas, como un insecto bocarriba. Ese era el plan. Un buen plan. Y quizá viviría para volver a ver a todo el mundo.

Pip balanceó las piernas hacia delante y clavó los talones en el hormigón, utilizando el borde del canalón para impulsarse. Hizo fuerza con los hombros contra la estantería, aún sujetando la cuba para que no se resbalara.

Hizo fuerza con los talones y se levantó del suelo.

«Vamos», se dijo. Y ya no tenía que hablarse con la voz de Ravi. La suya era suficiente. «Venga.»

Pip chilló por el esfuerzo, y su voz sonó amortiguada por la máscara de la muerte.

Apoyó la cabeza contra la pata de la estantería y empujó más.

Notó un movimiento, o igual solo era un engaño de la esperanza.

Acercó un pie, luego el otro, y volvió a llevarlos hasta el canalón, empujando fuerte los hombros contra la estantería. Le temblaron los músculos de las piernas y sintió que el estómago se le desgarraba, pero sabía que era eso o la muerte, y empujó y empujó y empujó.

La estantería cedió.

Se cayó hacia atrás. El metal repicó al chocar contra el ladrillo. La cuba por fin cayó con un ruido sordo, abriéndose al chocar contra el hormigón. Las otras se resbalaron y se precipitaron contra la pared. Un olor químico muy intenso llenaba la sala, y un líquido le mojaba las piernas.

Pero todo eso daba igual.

Pip bajó las ataduras por la pata de metal. Y allí, abajo del todo, estaba la libertad. Solo se había levantado un par de centímetros del suelo, o eso es lo que parecía, pero era más que suficiente. Deslizó la cinta por el extremo y fue libre.

Libre, pero no del todo.

Pip se alejó de las estanterías y del líquido que se acumulaba a su alrededor. Se tumbó de lado, se llevó las piernas al pecho y pasó las manos atadas por encima de los pies. Ya tenía los brazos delante.

La cinta se despegó con facilidad. Una mano salió por el hueco que había dejado la pata, y luego liberó la otra.

La cara. Lo siguiente era la cara.

A ciegas, fue tocando la máscara de cinta americana, buscando el extremo que había dejado Jason. Allí estaba, junto a la sien. Tiró de él y la cinta se fue despegando con un fuerte ruido. Le tiraba de la piel, de las pestañas y de las cejas, pero Pip se la arrancó rápido y abrió los ojos. Parpadeó y miró el frío almacén y la estantería destrozada. Continuó tirando y arrancando. El dolor era agonizante, tenía la piel en carne viva, pero era un dolor bueno, porque significaba que iba a vivir. Se sujetó el pelo para evitar arrancarlo de raíz, pero la cinta se llevó algunos mechones.

Desenrolló y desenrolló.

Por encima de la cabeza y por debajo de la nariz. Se liberó la boca y cogió aire con fuerza. La barbilla. Una oreja, la otra.

Pip tiró la máscara al suelo. La cinta americana, larga y serpenteante, estaba llena de pelo y pequeñas manchas de sangre.

Jason le había robado la cara, pero ella la había recuperado.

Pip se inclinó y se desató los tobillos, luego se levantó. Le temblaban las piernas y casi se desplomaron al sentir su peso.

Ahora la sala. Solo tenía que salir de allí y estaría viva, prácticamente. Se escabulló hasta la puerta, pero se tropezó con algo en el camino. Miró hacia abajo: era el tornillo que se le había caído. Había rodado casi hasta la salida. Pip agarró el picaporte y tiró de él hacia abajo, sabiendo que era inútil. Había escuchado a Jason encerrarla. Pero había una puerta al otro lado del almacén. No daría al exterior, pero sí a alguna parte.

Pip fue corriendo hacia ella. Las deportivas rechinaron contra el suelo de hormigón, tropezó y perdió el control hasta chocar contra una mesa que había junto a la puerta. Encima de esta había una caja de herramientas que se movió haciendo un ruido metálico. Pip se enderezó y tiró del picaporte de la puerta. Estaba cerrada con llave. Joder.

Se fue hacia el otro lado, hacia la cuba de herbicida. El líquido oscuro se derramaba en el canalón como un río maldito. En él se reflejaba una línea brillante, pero no era de las luces del techo. Provenía de la ventana, arriba, enfrente de ella, que dejaba pasar las últimas luces de la tarde. O las primeras. Pip no sabía qué hora era. Y la estantería volcada contra la pared llegaba hasta arriba, como si de una escalera se tratase.

La ventana era pequeña y no parecía que estuviera abierta, pero Pip cabía por ella, estaba segura. Y, si no, haría lo que fuera por caber. Subiría hasta allí y saltaría al exterior. Solo necesitaba algo con lo que romper el cristal.

Miró a su alrededor. Jason había dejado el rollo de cinta americana en el suelo, junto a la puerta. A su lado había una bobina de cuerda azul. La cuerda azul. Cuando se dio cuenta, se estremeció. Era la que el Asesino de la Cinta iba a utilizar para matarla. Iba. Aunque todavía podría usarla si llegara en ese mismo instante.

¿Qué más había allí? Solo ella y un montón de herbicidas y fertilizantes. Un momento. Su mente dio un salto hacia el otro lado del almacén. Había una caja de herramientas.

Corrió de nuevo hacia allá. Le dolían las costillas y el pecho. Había una nota pegada en la caja de herramientas. En ella decía, con frases torcidas, «J, el equipo rojo sigue llevándose las herramientas del azul. Dejo esto aquí para Rob. L.».

Pip quitó las presillas y abrió la tapa. Dentro había un montón de destornilladores y tornillos, cinta métrica, alicates, un taladro pequeño y una especie de llave. Pip metió la mano. Abajo del todo había un martillo. Uno muy grande.

—Lo siento, equipo azul —murmuró mientras lo sacaba.

Pip se puso frente a la estantería volcada, su estantería, y miró atrás una vez más, a la sala en la que sabía que podía haber muerto. Donde las otras murieron. Las cinco. Entonces empezó a subir. Clavó el pie en la balda inferior, como si fuera un peldaño, y se impulsó hacia el siguiente. Todavía le quedaba fuerza en las piernas, que se movían rápido por la adrenalina.

Cuando llegó a la última balda, perdió un poco el equilibrio frente a la ventana. Tenía un martillo en la mano y había un cristal sin romper delante de ella; Pip tenía experiencia con esto. Su brazo sabía qué hacer, se acordaba, y se echó hacia atrás para coger impulso. Golpeó la ventana, que se rajó formando una tela de araña que se extendía por todo el cristal reforzado. Golpeó otra vez, y entonces el martillo atravesó el cristal, que se hizo añicos a su alrededor. Quedaron trozos en el marco, pero los arrancó uno por uno para no cortarse. ¿A qué distancia estaba del suelo? Tiró el martillo y lo vio caer contra la gravilla. No estaba muy alto. No le pasaría nada si doblaba las rodillas.

Ahora solo estaban ella y un agujero en la pared, y algo la esperaba al otro lado. No algo. Todo. La vida, una vida normal, y el equipo Ravi y Pip y sus padres y Josh y Cara y todos. Puede que incluso la estuvieran buscando, aunque no llevara mucho tiempo desaparecida. Tal vez algunas partes de ella ya no estuvieran, partes que quizá no recuperaría, pero ella todavía estaba allí. E iba a volver a casa.

Pip se agarró al marco de la ventana y se impulsó hacia delante, con las piernas levantadas Se agachó un poco para pasar los hombros y la cabeza. Miró hacia abajo, a la gravilla, al martillo, y saltó.

Cayó de pie, con fuerza, y el impacto le subió por las piernas. Sintió un dolor en la rodilla izquierda, pero era libre, estaba viva. Respiró tan fuerte que casi parecía una risa. Lo había conseguido. Había sobrevivido.

Pip se paró a escuchar. El único sonido era el del viento entre los árboles, una brisa que ahora también le entraba a ella por la nariz y la boca, y soplaba por sus costillas. Pip se agachó y cogió el martillo, sujetándolo a un lado, por si acaso. Pero en cuanto dobló la esquina del edificio, vio que el complejo estaba vacío. El coche de Jason no estaba y la puerta volvía a estar cerrada. La valla metálica era muy alta, demasiado, jamás podría treparla. Pero la parte de atrás del jardín estaba bordeada por árboles y seguramente la valla no los rodeara.

Nuevo plan: solo tenía que seguir los árboles. Seguir los árboles, encontrar una calle, una casa, a alguien, llamar a la policía. Eso era todo. Quedaba lo más fácil. Tan solo mover un pie delante del otro.

Un pie delante del otro, el crujido de la gravilla. Pasó por delante de las furgonetas aparcadas, de grandes contenedores y máquinas, camiones con cortacéspedes y una pequeña carretilla elevadora. Un pie delante del otro. La gravilla se convirtió en arena, que se convirtió en el crujido de las hojas. El último rayo de sol ya se había escondido, pero la luna había salido temprano y vigilaba a Pip. Estaba sobreviviendo: un pie delante del otro, no hacía falta más. Las deportivas y las hojas crujían bajo sus pies. Soltó el martillo y continuó entre los árboles.

Un nuevo sonido la detuvo.

El rugido distante del motor de un coche. La puerta cerrándose detrás de ella, a lo lejos. El chirrido del portón.

Pip se escondió detrás de un árbol y miró hacia los edificios.

Dos luces amarillas le guiñaban entre las ramas a medida que avanzaban. Escuchó las ruedas sobre la gravilla.

Era el Asesino de la Cinta. Jason Bell. Había vuelto. Había regresado para matarla.

Pero no la encontraría allí, solo a las partes que ella había dejado atrás. Pip se había ido, había escapado. Lo único que tenía que hacer era encontrar una casa, a una persona, y llamar a la policía. Eso era lo fácil. Podía hacerlo. Se dio la vuelta, dejando las luces atrás, en lo desconocido. Siguió avanzando, acelerando el paso. Solo tenía que llamar a la policía y contárselo todo; que el Asesino de la Cinta había intentado matarla y que sabía quién era. Incluso podía llamar al inspector Hawkins directamente, seguro que lo entendía.

Vaciló un instante, con un pie flotando sobre el suelo.

Un momento.

¿Lo entendería?

Qué va. Nunca entendía nada. Y ni siquiera era cuestión de comprender, era cuestión de creer. Se lo había dicho a la cara, amablemente, pero el mensaje le había llegado igualmente: que se lo estaba imaginando. Que no tenía un acosador, que eran imaginaciones suyas, que veía peligro en cada esquina a causa del trauma que había vivido. Él había formado parte de ese trauma, porque no la había creído cuando había acudido a decirle lo que le había pasado a Jamie.

Era un patrón que se repetía. No, no era un patrón, era un círculo. El final era el principio. Hawkins no la había creído antes, en dos ocasiones, ¿por qué pensaba que ahora sí?

La voz de su cabeza ya no era Ravi, sino el inspector. Lo dijo amablemente, pero el mensaje le llegó igualmente: «El Asesino de la Cinta está en la cárcel. Lleva años encerrado. Confesó». Eso es lo que él diría.

«Billy Karras no es el Asesino de la Cinta —le contestaría Pip—. Es Jason Bell.»

Hawkins negó con la cabeza dentro de la suya.

«Jason Bell es un hombre respetable. Padre, marido. Ya ha sufrido bastante por lo que le pasó a Andie. Hace años que lo conozco, a veces jugamos al tenis. Es amigo mío. ¿No crees que me habría dado cuenta? Él no es el Asesino de la Cinta y no supone ningún peligro para ti, Pip. ¿Sigues yendo a terapia? ¿Te están ayudando?»

«Le estoy pidiendo ayuda a usted.»

Se la pedía una y otra vez, pero ¿cuándo aprendería? ¿Cuándo rompería el círculo?

Y, si sus peores miedos eran ciertos, si la policía no la creía y no arrestaba a Jason, entonces ¿qué? El Asesino de la Cinta seguiría en libertad. Jason podría volver a raptarla, porque era muy escandalosa y tenía que hacerla callar de alguna forma. Él se saldría con la suya. Como sucedía siempre. Él. Max Hastings. Por encima de la ley, porque la ley estaba mal. Dejaban tras de sí una legión de chicas muertas y de ojos sin vida.

—No me creerán —se dijo Pip, con su propia voz esta vez—. Nunca nos creen.

Lo dijo en voz alta, para escucharlo. Para entenderlo. Estaba sola. Charlie Green no era quien tenía todas las respuestas; era ella. No necesitaba que él se lo dijera para saber qué debía hacer.

Romper el círculo. Tenía que encargarse ella, aquí y ahora. Y solo había una forma de hacerlo.

Pip se dio la vuelta, las hojas crujieron bajo sus pies y se enganchaban a la suela blanca de sus zapatos.

Y caminó de vuelta.

Entre los árboles oscuros. La luz de la luna brillaba sobre la superficie del martillo que había dejado caer, mostrándole el camino. Se agachó para recogerlo y lo agarró con fuerza.

Las hojas secas dieron paso al césped, a la arena, a la gravilla, atenuando sus pasos, presionando los pies sin hacer ruido. Quizá ella fuera muy escandalosa para su gusto, pero no la iba a escuchar llegar.

Delante de ella, Jason había salido del coche y caminaba hacia la puerta por la que la había arrastrado. Sus pasos disimulaban los de ella. Cada vez más y más cerca. Él se paró, y ella también, esperando. Esperando.

Jason se metió la mano en el bolsillo y sacó el montón de llaves. Aprovechando el ruido del metal, Pip se acercó.

Tenía que romper el círculo. El final era el principio y él era los dos. El origen. Todo terminaría donde había empezado.

Giró una llave y la puerta se abrió con un «clac». El sonido resonó en el pecho de Pip.

Jason empujó el portón, que se abrió mostrando el almacén iluminado de amarillo. Dio un paso adelante y se detuvo en el umbral. Miró hacia arriba y dio un paso atrás con la mirada fija al frente. Contempló la escena: la estantería volcada, la ventana rota, un río de herbicida derramado, metros de cinta americana desenrollada.

Pip estaba justo detrás de él.

—¿Qué coñ...? —dijo él.

Su brazo sabía qué hacer.

Pip lo echó hacia atrás y blandió el martillo.

Chocó contra la base del cráneo.

Con un sonido desagradable de metal sobre hueso.

Él se tambaleó. Incluso se atrevió a soltar un grito ahogado.

Pip volvió a enarbolar el martillo.

Un crujido.

Jason se cayó hacia delante y se golpeó contra el hormigón, protegiéndose con una mano.

—Por favor... —susurró.

Pip echó hacia atrás el codo. Tenía la cara rociada de sangre.

Se inclinó sobre él y volvió a armar el brazo que sostenía el arma.

Otra vez.

Y otra.

Y otra.

Y otra.

Y otra.

Y otra.

Hasta que dejó de moverse. Ni un espasmo, ni en los dedos ni en las piernas. Solo un río, esta vez rojo, que se le derramaba lentamente por la cabeza desfigurada.

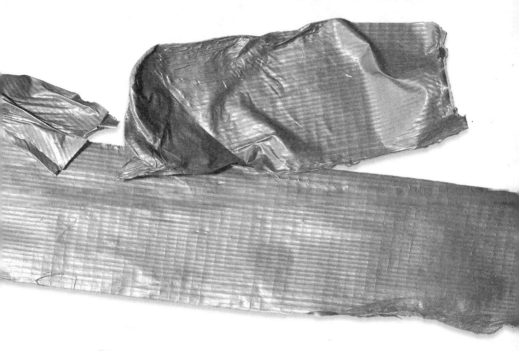

Segunda parte

Treinta

Estaba muerto.

Jason Bell, el Asesino de la Cinta: eran la misma persona y estaba muerto.

No hacía falta que Pip comprobara si se le hinchaba el pecho, ni que le buscase el pulso para saberlo. Quedaba claro solo con mirarlo; con contemplar lo que quedaba de su cabeza.

Ella lo había matado. Había roto el círculo. Ya nunca volverá a hacerle daño, ni a ella ni a nadie.

No era real y ella tampoco, recostada contra la pared junto a la estantería volcada, agarrándose las piernas al pecho. Su reflejo retorcido brillaba sobre el martillo tirado en el suelo mientras ella se balanceaba de atrás adelante. Era real, estaba justo delante de ella, y ella también estaba allí. Estaba muerto, ella lo había matado.

¿Cuánto tiempo llevaba ya allí sentada, yendo de adelante atrás? ¿A qué estaba esperando, a que él cogiera aire y se levantara? No, eso no. Había tenido que elegir entre ella o él. No había sido defensa propia, sino una elección, una decisión que había tomado ella. Él estaba muerto y eso era bueno. Era lo correcto. Como debía ser.

¿Y ahora qué iba a pasar?

No había ningún plan. Nada más allá de romper el círculo, de sobrevivir. Y matarlo a él había sido la forma de continuar con vida. Ahora que ya estaba hecho, ¿cómo hacía para seguir sobreviviendo? Le repitió la pregunta al Ravi que vivía en su cabeza. Le pidió ayuda porque él era la única persona a la que sabía hacerlo. Pero se había quedado callado. No había nadie más allí, solo un pitido en sus oídos. ¿Por qué la había dejado? Todavía lo necesitaba.

Pero él no era el Ravi de verdad, sino sus pensamientos envueltos en su voz, su salvavidas al borde de la muerte. Sin embargo, ya no estaba al borde de la muerte. Había sobrevivido, y volvería a verlo. Necesitaba hacerlo. En ese mismo instante. La situación la sobrepasaba.

Pip se levantó del suelo, intentando no mirar las manchas de sangre de sus mangas. Ni las de las manos. Esta vez era de verdad. Merecida. Se las limpió en las mallas oscuras.

Desde el otro lado del almacén había visto una forma rectangular en el bolsillo de Jason. Su iPhone, sobresaliendo de la tela. Pip se acercó con cuidado, sorteando el río rojo que reflejaba las luces del techo. No quería acercarse por miedo a que su proximidad lo devolviese a la vida, pero tenía que hacerlo. Necesitaba el teléfono para llamar a Ravi, para que pudiera venir y decirle que todo saldría bien, que pronto volvería a la normalidad, porque eran un equipo.

Estiró la mano para coger el móvil. «Espera, Pip, un momento. Piénsalo.» Se quedó quieta. Si utilizaba el teléfono de Jason para llamar a Ravi, dejaría un rastro, involucrando irremediablemente a su novio en la escena. Jason era un asesino, pero también un hombre asesinado, y daba igual que se lo mereciera, eso a la justicia no le importaba. Alguien tendría que pagar por esa cabeza hecha añicos. No. Pip no podía involucrar a Ravi de ningún modo en lo que había ocurrido. Eso era impensable.

Pero no sería capaz de continuar sin él. Eso también era impensable. Una soledad demasiado oscura y profunda.

Sintió las piernas débiles cuando pasó por encima del

cuerpo de Jason y se tropezó al salir a la gravilla. Aire fresco. Respiró hondo el aire del crepúsculo, pero estaba contaminado por el olor metálico de la sangre.

Caminó, seis, siete pasos hacia el coche, pero ese olor la seguía, se había agarrado a ella. Pip se giró para mirar su oscuro reflejo en la ventana del coche. Tenía el pelo enmarañado y desgarrado. La cara despellejada e inflamada por la cinta. La mirada distante y, al mismo tiempo, muy presente. Y esas pecas eran nuevas. Restos de sangre de Jason.

Su reflejo le pareció profundo y aturdido. Le temblaban las rodillas. Se miró y luego observó su interior, a través del negro de los ojos. Y luego más allá de ella: había algo en el cristal que atraía su atención, el brillo de la luz de la luna en la superficie, mostrándole de nuevo el camino. Era su mochila. La de color bronce, en el asiento de atrás del coche de Jason.

Él se la había quitado cuando la había raptado.

No era mucho, pero era suya, y se sintió como si se hubiera rencontrado con una vieja amiga.

Pip buscó el picaporte de la puerta y tiró. Se abrió. Jason lo debía de haber dejado abierto y las llaves estaban esperando en el contacto. Su intención era acabar rápido, pero Pip acabó con él primero.

Entró y sacó su mochila. Quería abrazar a esa parte de su versión anterior, la de antes de estar al borde de la muerte, y cogerle prestada un poco de su vida. Pero no podía hacer eso, la llenaría de sangre. La dejó en el suelo y abrió la cremallera. Aún estaba todo allí. Todo lo que había guardado cuando salió de casa aquella tarde: la ropa para quedarse en casa de Ravi, el cepillo de dientes, una botella de agua, su bolso. Metió la mano, sacó la botella de agua y dio un sorbo largo. Tenía la boca seca por los gritos bajo la cinta, pero si bebía más, tendría náuseas. Volvió a guardar la botella y se quedó mirando lo que había dentro de la mochila.

Su teléfono no estaba allí. Ya lo sabía, pero la esperanza había escondido parte de su memoria. Su teléfono estaba destrozado; en el suelo, abandonado en Cross Lane. Era imposible que Jason lo hubiera cogido, por el mismo motivo: una conexión irrevocable con la víctima. Llevaba mucho tiempo saliendo impune de esto; sabía ese tipo de cosas, igual que ella.

Pip casi se cae de rodillas, pero un nuevo pensamiento la agarró a tiempo, y otra vez la luna, brillando sobre algo en el asiento del copiloto. Sí, el Asesino de la Cinta sabía este tipo de cosas, por eso nunca lo pillaron. Y por eso utilizaba un teléfono de prepago para llamar a sus víctimas. Si no hubiera sido así, se habría descubierto su conexión con el caso al investigar la muerte de la primera víctima. Pip lo sabía ahora porque lo estaba viendo, ahí delante. Tirado en el asiento del copiloto. Un pequeño Nokia cuadrado, igual que el suyo, con el reflejo de la luna en la pantalla para llamar su atención, indicándole el camino. Pip abrió el coche y se quedó mirándolo. Jason Bell tenía un teléfono de prepago. Pagado en efectivo, para que nadie lo pudiera rastrear, ni ella, ni Ravi, a no ser que alguien lo encontrara. Pero nadie lo encontraría; ella lo destruiría después.

Pip se agachó y cogió el teléfono. Pulsó el botón central y la pantalla retroiluminada de verde la miró. Todavía tenía batería. Pip miró hacia arriba y le dio las gracias a la luna, casi llorando de alivio.

Los números de la pantalla le dijeron que eran las 18.47. Y ya. Eso era todo. Había estado días en el maletero de ese coche, meses en aquel almacén, atrapada dentro de la cinta americana durante años y, aun así, todo había ocurrido en menos de tres horas. Las 18.47 de una tarde normal de principios de septiembre, con un atardecer teñido de rosa y una brisa fresca. Y un cuerpo sin vida a sus espaldas.

Pip navegó por el menú para comprobar la lista de llamadas recientes: a las 15.51 el teléfono había recibido una llamada de «Número desconocido», la suya. Y justo antes, había llamado a Pip. Iba a tener que destruir el teléfono igualmente, por esa conexión entre ella y el hombre muerto en el suelo, pero ese era su camino hacia Ravi, hacia la ayuda.

Pip tecleó el número de Ravi, pero dudó antes de apretar el botón verde. Lo pensó mejor y lo borró, marcando en su lugar el teléfono fijo de su casa. Así la conexión no era tan directa con él, si es que alguien encontraba el móvil.

Pip pulsó el botón verde y se llevó el pequeño teléfono a la oreja.

Sonó. Esta vez solo a través del teléfono. Tres tonos y luego un clic. Un crujido.

—Hola, residencia de los Singh —dijo una voz aguda muy alegre. Era la madre de Ravi.

—Hola, Nisha, soy Pip —dijo ella con la voz un poco áspera.

—Anda, ahí estás. Ravi te estaba buscando. Preocupándose en exceso, como siempre. Mi chico sensible. —Se rio—. Me ha dicho que vienes a cenar, ¿verdad? Mohan quiere que juguemos a Tabú. Por lo visto ya te ha seleccionado para su equipo.

—Um. —Pip carraspeó—. La verdad es que no sé si voy a poder ir esta noche. Me ha surgido una cosa. Lo siento mucho.

—Vaya, qué lástima. ¿Estás bien, Pip? Te noto un poco rara.

—Sí, no, estoy bien. Un poco resfriada, eso es todo. —Sorbió por la nariz—. ¿Está Ravi?

—Sí, sí, aquí está. Un momentito.

Pip la escuchó llamarlo.

Y, de fondo, oyó el sonido distante de su voz. Pip se tiró al suelo con los ojos llorosos. No hacía mucho que pensaba que jamás volvería a escuchar su voz.

—¡Es Pip! —escuchó que gritaba Nisha, y la voz de Ravi sonó más cerca: más próxima y frenética.

Escuchó a Nisha darle el teléfono.

—¿Pip? —dijo al otro lado de la línea, como si no se lo creyera.

Ella dudó un momento, llenándose con su voz, dándole la bienvenida. Ahora se daba cuenta de cuánto la había echado de menos y del miedo que sentía al pensar en no volver a escucharla jamás.

—¿Pip? —dijo él, más fuerte.

—S-sí, soy yo. Estoy aquí. —Era difícil hacer pasar las palabras alrededor del nudo de la garganta.

—Dios mío —susurró Ravi. Lo escuchó subir la escalera hasta su habitación—. ¿Dónde cojones te has metido? Llevo horas llamándote. No para de saltarme el buzón de voz. Tenías que decirme dónde estabas en todo momento. —Parecía enfadado—. He llamado a Nat y me ha dicho que ni siquiera habías ido a su casa. Acabo de volver de la tuya, por si estabas allí, y he visto tu coche, pero a ti no, así que probablemente tus padres ahora estén preocupados porque pensaban que estabas conmigo. Estaba a punto de llamar a la policía, Pip. ¿Dónde coño te habías metido?

Estaba enfadado, pero ella no podía evitar sonreír, apretándose más el teléfono a la oreja, acercándolo a él. Ella había desaparecido y él la había buscado.

—¡¿Pip?!

Se podía imaginar la mirada que debía de tener: los ojos severos y las cejas muy juntas, esperando una explicación.

—T-te quiero —murmuró, porque nunca lo decía lo suficiente y era importante. No sabía cuándo había sido la última vez que lo había dicho y, si lo decía otra vez, esa tampoco sería la última—. Te quiero. Lo siento.

Ravi dudó y cambió el tono.

—Pip —dijo. La severidad había desaparecido de su voz—. ¿Estás bien? ¿Qué sucede? Pasa algo, lo noto. ¿Qué es?

—No sabía cuándo había sido la última vez que te lo había dicho. —Se secó los ojos—. Es importante.

—Pip —trató de tranquilizarla—. ¿Dónde estás? Dímelo ahora mismo.

—¿Puedes venir? —preguntó ella—. Te necesito. Necesito ayuda.

—Sí —contestó él con firmeza—. Voy enseguida. Pero dime dónde estás. ¿Qué ha pasado? ¿Tiene algo que ver con el Asesino de la Cinta? ¿Sabes quién es?

Pip miró los pies de Jason, que sobresalían de la puerta. Sorbió por la nariz y se centró.

—Es... Estoy en Green Scene. La empresa de Jason Bell, en Knotty Green. ¿Sabes dónde está?

—¿Por qué estás allí? —Su voz sonó más aguda, confusa.

—Ravi, no sé cuánta batería le queda a este teléfono. ¿Sabes dónde está?

—¿Desde qué teléfono me llamas?

—¡Ravi!

—Sí, sí —gritó él también, aunque no sabía por qué—. Sé dónde está, puedo buscarlo.

—No, no, no —se apresuró a decir Pip. Tenía que conseguir que lo entendiera sin contárselo. No podía mirarlo en el internet—. No, Ravi, no puedes usar el teléfono para llegar hasta aquí. Tienes que dejar el móvil en casa, ¿de acuerdo? No lo traigas. No lo traigas.

—Pip, ¿qu...?

—Tienes que dejar el teléfono en casa. Mira el camino en Google Maps, pero no escribas Green Scene en el buscador, hagas lo que hagas. Simplemente búscalo en el mapa.

—Pip, ¿qué está pa...?

Ella lo interrumpió porque se le acababa de ocurrir otra cosa.

—No, espera, Ravi. No puedes ir por ninguna carretera importante. Nada de carreteras principales. Ninguna. Tienes que coger las secundarias, solo las pequeñas. Las principales tienen cámaras de tráfico. No puedes aparecer en las cintas de videovigilancia. Solo carreteras secundarias, Ravi, ¿lo entiendes? —Habló con urgencia. El impacto ya había desaparecido, lo había dejado atrás junto al cuerpo sin vida.

Pip escuchó el clic de la pantalla táctil de Ravi de fondo.

—Sí —dijo—. Lo estoy mirando. Vale, por ahí. Por Watcher Lane hasta Hazlemere —murmuró en voz baja—. Por las calles residenciales, y a la derecha por esa carretera secundaria. Sí —repitió—. Sí, podré encontrarlo. Me lo voy a escribir. Solo carreteras secundarias, dejar el teléfono en casa. Entendido.

—Genial. —Pip soltó el aire. Ese mínimo esfuerzo la dejó agotada y se hundió aún más en la gravilla.

—¿Estás bien? —preguntó él, haciéndose de nuevo con el control, porque eso era lo que hacían los equipos—. ¿Estás en peligro?

—No —respondió ella en voz baja—. Ya no. De verdad.

¿Ravi lo sabía? ¿Podría escuchárselo en la voz, cruda y áspera, marcada para siempre por las últimas tres horas?

—Vale. Aguanta. Ya voy, Pip. Llegaré en veinte minutos.

—No, espera, no conduzcas demasiado rápido, no puedes...

Pero ya había colgado y escuchó los tres fuertes pitidos. Se había ido, pero estaba de camino.

—Te quiero —dijo ella al teléfono vacío, porque no quería que volviera a haber una última vez.

Otro crujido de la gravilla. Un paso y otro y otro. Caminando de un lado a otro, contando los pasos, para llevar la cuenta de los segundos, para no perder el ritmo de los minutos. Y aunque se había dicho que no miraría, sus ojos siempre encontraban la forma de ir hasta el cadáver, convencida cada vez de que se había movido. No lo había hecho; estaba muerto.

Andando de arriba abajo empezaron a aparecer los trazos de un nuevo plan tomando forma en su cabeza, ahora que el impacto inicial había pasado. Pero le faltaba algo. Le faltaba Ravi. Lo necesitaba, el equipo, su ir y venir que siempre le mostraba la dirección correcta, el camino intermedio entre ella y él.

Los faros de un coche abrieron el cielo cada vez más oscuro. Un coche entró por el camino que llevaba a la puerta de Green Scene, que estaba completamente abierta. Pip levantó una mano para cubrirse los ojos y con la otra le hizo una señal a Ravi para que parase. El coche se detuvo frente al portón, y las luces se apagaron.

La puerta del coche se abrió y salió una silueta con forma de Ravi. Ni siquiera esperó a cerrar la puerta, salió corriendo hacia ella aplastando la gravilla.

Pip paró y lo observó como si volviera a ser la primera vez. Algo se le arrugó en el estómago, y otra cosa se le soltó en el pecho. Estaba liberada, abriéndose de par en par. Él le había prometido que lo volvería a ver, y allí estaba, acercándose cada vez más.

Pip sacó una mano para que no se acercara a ella.

—¿Has dejado el teléfono en casa? —preguntó con la voz temblorosa.

—Sí —aseguró Ravi, con los ojos muy abiertos por el miedo. Los iba abriendo cada vez más a medida que la miraba de arriba abajo—. ¿Estás herida? —preguntó, acercándose—. ¿Qué ha pasado?

Pip se apartó de él.

—No me toques —le pidió ella—. Es... estoy bien. La sangre no es mía. La mayoría, al menos. Es... —Olvidó lo que intentaba decir.

Ravi relajó la expresión y sacó las manos para relajarla a ella también.

—Pip, mírame —dijo tranquilo, aunque ella se dio cuenta de que no lo estaba en absoluto—. Cuéntame qué ha pasado. ¿Qué estás haciendo aquí?

Pip miró hacia atrás, a los pies de Jason, que sobresalían por la puerta.

Ravi debió de seguir su mirada.

—¡Hostia puta! ¿Quién...? ¿Está bien?

—Está muerto —contestó Pip, girándose hacia Ravi—. Es Jason Bell. Era Jason Bell. Él era el Asesino de la Cinta.

Ravi parpadeó un instante, ordenado las palabras, intentando darles sentido.

—¿Que es... qué? ¿Cómo...? —Ravi negó con la cabeza—. ¿Cómo lo sabes?

Pip no tenía claro qué respuesta necesitaba escuchar antes.

—¿Cómo sé que era el Asesino de la Cinta? Porque me cogió. Me raptó en Cross Lane, me inmovilizó y me metió en el maletero de su coche. Me trajo aquí. Me envolvió la cara en cinta americana y me ató a una estantería. Exactamente igual que a las otras. Murieron aquí. Y pretendía a matarme a mí también. —Ahora que lo decía en voz alta, no parecía real. Como si todo eso le hubiera pasado a otra persona—. Iba a matarme, Ravi. —Se le quedó enganchada la voz en la garganta desgastada—. Pensaba que estaba muerta y... no sabía si te volvería a ver. Si volvería a ver a alguien. Y te imaginé cuando te enterases de que yo estaba muerta y...

—Ey, ey, ey —dijo él rápido, dando un paso cauteloso hacia ella—. Estás bien, Pip. Estoy aquí, ¿vale? Ya estoy aquí. —Volvió a mirar el cuerpo de Jason, demasiado tiempo—. Joder —susurró—. Joder, joder, joder. No me lo puedo creer.

No deberías haber estado sola. Yo no debería haberte dejado sola. Joder —repitió, golpeándose la frente con la palma de la mano—. Joder. ¿Estás bien? ¿Te ha hecho daño?

—No, estoy... estoy bien —afirmó. Otra vez esa palabra pequeña y cavernosa que escondía todo tipo de cosas oscuras—. Solo tengo heridas por culpa de la cinta. Estoy bien.

—Y ¿cómo...? —Ravi empezó a hablar, pero su mirada volvió a abandonar a Pip y se fue de nuevo hacia el hombre muerto a cuatro metros de ellos.

—Me dejó atada. —Sorbió por la nariz—. No sé adónde fue ni durante cuánto tiempo, pero conseguí tirar la estantería, soltarme y quitarme la cinta. Hay una ventana. La rompí y...

—Vale, vale —la interrumpió él—. Está bien, Pip. Todo saldrá bien. Joder —dijo otra vez, más para él que para ella—. Da igual lo que hayas hecho, fue en defensa propia, ¿de acuerdo? Defensa propia. Iba a asesinarte, así que tuviste que matarlo tú. Eso es lo que ha pasado. Defensa propia, y no pasa nada, Pip. Solo tenemos que llamar a la policía, ¿vale? Contarles lo que ha pasado, lo que te hizo y que ha sido en defensa propia.

Pip negó con la cabeza.

—¿No? —Ravi bajó las cejas—. ¿Cómo que no, Pip? Tenemos que llamar a la policía. Ahí hay un hombre muerto.

—No fue en defensa propia —admitió ella en voz baja—. Ya me había escapado. Era libre. Podía haber seguido andando. Pero lo vi llegar y me di la vuelta. Lo maté, Ravi. Me puse detrás de él sin que me oyera y le golpeé con un martillo. Elegí matarlo. No fue en defensa propia. Tuve elección.

Ahora era Ravi el que negaba con la cabeza; todavía no era capaz de verlo claro.

—No, no, no. Él iba a asesinarte, por eso lo mataste tú. Eso es defensa propia, Pip. No pasa nada.

—Lo maté.

—Porque él iba a asesinarte a ti —insistió Ravi subiendo la voz.

—¿Cómo lo sabes? —preguntó Pip.

Tenía que hacerle ver que no se había tratado de defensa propia, igual que había hecho ella mientras andaba de arriba abajo.

—¿Cómo lo sé? —preguntó Ravi incrédulo—. Porque te raptó. Porque es el Asesino de la Cinta.

—El Asesino de la Cinta lleva más de seis años en la cárcel —le recordó Pip, pero no con su propia voz—. Confesó. No ha habido más asesinatos desde entonces.

—¿Qué? P-pero...

—Se declaró culpable en los tribunales. Había pruebas. Forenses y circunstanciales. El Asesino de la Cinta ya está en la cárcel. Entonces ¿por qué he matado a ese hombre?

Ravi entornó los ojos, confuso.

—¡Porque él era el auténtico Asesino de la Cinta!

—El Asesino de la Cinta está en la cárcel —repitió Pip, mirándolo a los ojos, esperando que lo entendiera—. Jason Bell era un hombre respetable. El director de una empresa mediana, y nadie puede decir ni una mala palabra sobre él. Conocía al inspector Hawkins; eran amigos, de hecho. Jason ha vivido una tragedia, que yo empeoré, en cierto modo. ¿Por qué estaba obsesionada con él? ¿Por qué entré ilegalmente en su propiedad el sábado por la noche? ¿Por qué me puse detrás de él y lo golpeé con un martillo? No una vez. No sé cuántas. Vete a verlo, Ravi. Vete a mirar. No lo he matado sin más. Me he ensañado. Esa es la palabra, ¿no? Y eso no es compatible con la defensa propia. ¿Por qué he matado a ese hombre bueno y respetable?

—¿Porque era el Asesino de la Cinta? —sugirió Ravi, menos seguro esta vez.

—El Asesino de la Cinta está en la cárcel. Confesó —insistió. Y vio un cambio en los ojos de Ravi cuando comprendió lo que le estaba diciendo.

—Eso es lo que crees que va a decir la policía.

—Da igual cuál sea la verdad —explicó Pip—. Lo que importa es tener una historia que a ellos les parezca aceptable. Creíble. Y no van a tragarse la mía. ¿Qué pruebas tengo además de mi palabra? Jason pasó años saliendo impune. Es posible que no haya ninguna prueba de que fuera el Asesino de la Cinta. —Pip se desinfló—. No confío en ellos, Ravi. Ya he confiado antes en la policía y siempre me han decepcionado. Si los llamamos, lo más probable es que me encierren el resto de mi vida por asesinato. Hawkins ya piensa que estoy trastornada. Y puede que lo esté. Lo he matado, Ravi. Sabía lo que estaba haciendo. Y creo que ni siquiera me arrepiento.

—Porque él iba a asesinarte. Porque es un monstruo —aseguró Ravi, acercando la mano a la suya antes de acordarse de la sangre. Dejó caer el brazo de nuevo—. El mundo es mejor sin él. Más seguro.

—Sí —acordó ella, mirando de nuevo hacia atrás, comprobando que Jason no se hubiera movido, que no estuviera escuchando—. Pero nadie más lo entenderá.

—Bueno, entonces ¿qué cojones vamos a hacer? —preguntó Ravi, cambiando de posición y con un temblor en los labios—. No puedes ir a la cárcel por asesinato. No es justo, no es lo que ha pasado. Tú... No sé si podría decirse que ha sido lo correcto, pero no ha estado mal. No es lo mismo que él hizo con esas mujeres. Se lo merecía. Y no quiero perderte. No puedo perderte. Sería toda tu vida, Pip. Toda nuestra vida.

—Ya lo sé —dijo ella mientras un nuevo terror se acomodaba en su cabeza.

Pero también había otra cosa. Algo que lo retenía. Un plan. Solo necesitaban un plan.

—¿No podemos ir a la policía y explicar...? —Ravi se calló

y se mordió el labio mientras miraba otra vez a esos pies sin cuerpo. Se quedó en silencio durante un momento, y otro, moviendo los ojos de un lado a otro, con la mente ocupada—. No podemos ir a la policía. Ya se equivocaron con Sal, ¿no? Y con Jamie Reynolds. Y ¿puedo confiarle tu vida a un jurado de doce personas? ¿Como el que decidió que Max Hastings era inocente? No, ni hablar. Contigo no, eres demasiado importante.

Pip deseó poder cogerle la mano, sentir su calor en su piel mientras sus dedos se entrelazaban como siempre. Equipo Ravi y Pip. Casa. Se miraron a los ojos e intercambiaron una conversación silenciosa con las miradas. Ravi parpadeó.

—¿Qué vamos a...? ¿Cómo vamos a salir impunes de esta? —La pregunta era casi lo bastante ridícula como para sonreír. Cómo defender a un asesino—. A ver, hipotéticamente. Lo... No sé, ¿lo enterramos en algún sitio para que nadie lo encuentre?

Pip negó con la cabeza.

—No. Al final siempre lo encuentran. Como a Andie. —Pip respiró hondo—. He analizado un montón de casos de asesinato, como tú, y he escuchado cientos de podcasts de crímenes reales. Solo hay una forma de salir impune de algo así.

—¿Cuál?

—No dejar ninguna prueba y no estar aquí a la hora de la muerte. Tener una coartada sólida en algún sitio alejado.

—Pero tú estabas aquí. —Ravi se quedó mirándola—. ¿A qué hora se...? ¿A qué hora lo...?

Pip miró la hora en el teléfono de prepago de Jason.

—Creo que eran aproximadamente las seis y media. O sea, hace casi una hora ya.

—¿De quién es ese teléfono? —Ravi lo señaló con la cabeza—. No me has llamado desde el suyo, ¿verdad?

—No, no. Es de prepago. No es mío, es suyo, de Jason. Pero... —La voz se le escapó al ver la pregunta que se estaba formando en los ojos de Ravi. Y Pip lo supo, tenía que decírselo. Ahora tenían secretos más grandes, ya no había sitio para esto—. Yo también tengo uno del que nunca te he hablado. En casa.

Los labios de Ravi se movieron, casi para formar una sonrisa.

—Siempre he dicho que terminarías con uno de estos —comentó—. ¿Po-por qué tienes uno?

—Tengo seis, de hecho. —Pip suspiró y, por algún motivo, confesarle esto le parecía más difícil que decirle que había matado a un hombre—. Es... No he estado llevando bien lo que le pasó a Stanley. Dije que estaba bien, pero no era verdad. Lo siento. Le he estado comprando Xanax a Luke Eaton desde que el médico dejó de recetármelo. Solo quería dormir. Lo siento. —Bajó la cabeza y se quedó mirando sus deportivas. También estaban manchadas de sangre.

Ravi parecía dolido.

—Yo también lo siento —susurró—. Sabía que no estabas bien, pero no sabía qué hacer. Pensaba que simplemente necesitabas tiempo, un cambio de aires. —Suspiró—. Deberías habérmelo contado, Pip. Me da igual lo que sea. —Echó un vistazo rápido al cadáver de Jason—. No quiero que haya secretos entre nosotros, ¿vale? Somos un equipo, tú y yo, y solucionaremos esto. Juntos. Te prometo que lo superaremos.

Pip quería lanzarse sobre él, dejar que la envolviera con sus brazos y desaparecer bajo ellos. Pero no podía. Su cuerpo, su ropa, eran la escena de un crimen y no podía contaminarlo. Fue como si él lo supiera, como si se lo hubiera leído en los ojos. Dio un paso adelante y estiró el brazo, acariciándola con cuidado bajo la barbilla, donde no había sangre, y fue exactamente como siempre.

—Entonces, si murió a las 18:30 —dijo Ravi mirándola a los ojos—, ¿cómo te conseguimos una coartada sólida si estabas aquí?

—No podemos —admitió, mirando en su interior, a esa idea cada vez más grande en su cabeza. Puede que fuera imposible, pero quizá... quizá no—. Pero he estado pensando, mientras te esperaba, lo he pensado mucho. La hora de la muerte es estimada, y el examinador médico utiliza tres factores principales para establecer esa estimación. *Rigor mortis*, cuando los músculos se ponen rígidos; *livor mortis*, cuando la sangre se acumula dentro del cuerpo, y la temperatura corporal. Esos son los tres factores que utilizan para limitar la hora de la muerte. Entonces, estaba pensando que, si pudiéramos manipularlos, retrasarlos, podríamos conseguir que el forense piense que murió horas después de lo que lo hizo en realidad. Y en ese periodo de tiempo, tú y yo podemos tener coartadas sólidas, por separado, con gente y cámaras y un montón de pruebas.

Ravi lo pensó durante un instante, mordiéndose el labio inferior.

—Y ¿cómo manipulamos esos factores? —preguntó, mirando hacia delante, al cuerpo de Jason, y otra vez a Pip.

—La temperatura —respondió ella—. Esa es la principal. Las temperaturas más frías retrasan el *rigor mortis* y la lividez. Pero también, en el caso de esta, si giras el cuerpo antes de que la sangre se acumule, se vuelve a repartir. Y si se gira el cuerpo varias veces, se pueden arañar varias horas, añadido al enfriamiento del cuerpo.

Ravi asintió, girando la cabeza para estudiar los alrededores.

—Pero ¿cómo vamos a enfriar el cuerpo? Supongo que era mucho pedir que Jason Bell fuera el dueño de una empresa de refrigeración.

—El problema es la temperatura corporal. Si lo enfriamos para retrasar el *rigor mortis* y la lividez, su temperatura corporal también descendería. Estaría demasiado frío y el plan no funcionaría. Así que tendríamos que buscar la forma de enfriarlo y luego volver a calentarlo.

—Entiendo. —Ravi inspiró con incredulidad—. Así que solo tenemos que meterlo en un congelador y luego en un microondas. Joder, es que no me creo que estemos hablando de esto. Es una locura. Es de locos, Pip.

—En un congelador no —dijo Pip siguiéndole el juego a Ravi, y mirando el complejo de Green Scene con otros ojos—. Sería demasiado frío. Tendría que ser algo más como un frigorífico. Y luego, después de calentarlo otra vez, claro, tendremos que asegurarnos de que encuentren el cuerpo solo unas horas después. Primero la policía y luego el examinador médico. Si no, no saldrá bien. Necesitamos que esté caliente y rígido cuando lo encuentren, y que la piel se ponga blanca al tacto. Eso quiere decir que la sangre acumulada se mueva al tocar la piel. Si eso pasa por la mañana temprano, deberían pensar que murió entre seis y ocho horas antes.

—¿Funcionará?

Pip se encogió de hombros, haciendo un ruido parecido al de una risa. Ravi tenía razón, era una locura, pero ella estaba viva, estaba viva y casi no lo estaba. Al menos esto era mejor.

—No lo sé. Nunca he matado a nadie impunemente. —Inspiró por la nariz—. Pero debería funcionar. La ciencia funciona. Investigué mucho para el caso de Anónima. Si conseguimos hacer todo eso: enfriarlo, girarlo un par de veces y luego volver a calentarlo, debería funcionar. Parecerá que murió como a las, no sé, nueve o diez. Y los dos estaremos en otro sitio para entonces. Irrefutable.

—Está bien. —Ravi asintió—. Vale, me parece... Bueno, me parece una locura, pero creo que podemos hacerlo. Creo que es probable que lo podamos hacer. Menos mal que eres experta en asesinatos.

Pip le hizo una mueca.

—O sea, por estudiarlos, no por matar a gente. Espero que esta sea la primera y última vez. —Ravi intentó sonreír, pero no lo consiguió—. Una cosa. Digamos que de verdad vamos a intentar hacerlo, y que queremos que la policía encuentre el cuerpo para que funcione esta manipulación de la hora de la muerte. Sabrán que lo ha matado alguien y buscarán a un asesino hasta que lo encuentren. Es su trabajo, Pip. Tienen que descubrir quién lo hizo.

Pip inclinó la cabeza, estudió los ojos de Ravi, con su reflejo capturado en ellos. Por eso lo necesitaba; la empujaba o la sujetaba cuando ella no sabía que le hacía falta. Tenía razón. No funcionaría. Podrían cambiar la hora de la muerte y asegurarse de estar lejos de allí en ese periodo de tiempo, pero la policía necesitaría encontrar a un asesino. Y lo buscarían hasta que dieran con uno, y si ella y Ravi cometían tan solo un error...

—Tienes razón. —Pip asintió y extendió la mano para tocar la de él, pero entonces se acordó—. No saldrá bien. Necesitan un asesino. Alguien tiene que haber matado a Jason Bell. Otra persona.

—Vale, entonces... —empezó Ravi, llevándolos de nuevo a la casilla de salida.

Pero la mente de Pip se alejó de él, se dio la vuelta para enseñarle a ella todo lo que había al fondo. Las cosas que escondía: el terror, la vergüenza, la sangre en las manos, el rojo, rojo, pensamientos violentos rojos y una cara flotando, angulosa y pálida.

—Ya sé —dijo Pip, interrumpiendo a Ravi—. Ya sé quién es el asesino. Sé quién va a haber matado a Jason Bell.

—¿Cómo? —Ravi se quedó mirándola—. ¿Quién?

Era inevitable. El círculo se cierra. El final era el principio y el principio era el final. Había que volver al inicio, al origen, para arreglarlo todo.

—Max Hastings —respondió ella.

Treinta y uno

Doce minutos.

Solo hicieron falta doce minutos. Pip lo supo porque comprobó la hora en el teléfono de prepago mientras ella y Ravi lo hablaban. Ella pensaba que tardarían mucho más. Deberían haber tardado mucho más; al fin y al cabo, estaban planeando cómo inculpar a alguien de un asesinato. Horas interminables y un torrente de detalles mínimos pero críticos. Eso es lo que cabría pensar. Eso es lo que Pip había creído. Pero en doce minutos habían terminado. Una ida y venida de ideas, tapando agujeros y cubriendo los huecos cuando aparecían. Quién, dónde, cuándo. Pip no quería involucrar a nadie más, pero Ravi le hizo ver que no podían hacerlo sin ayuda. Estuvo a punto de venirse abajo todo, pero a Ravi se le ocurrió la idea de la torre de telefonía móvil, gracias a un caso en el que estaba trabajando en el bufete. Y Pip supo exactamente a quién llamar. Doce minutos y ya tenían un plan, como si fuera algo físico entre los dos. Preciado y sólido y claro y vinculante. Jamás se recuperarían de eso, no volverían a ser quienes eran antes. Sería difícil y ajustado; no podían dar ni un paso en falso. Ni retrasarse. No había margen de error.

Pero el plan funcionaba, en teoría. Cómo salir impune de un asesinato.

Jason Bell estaba muerto, pero todavía no; lo estaría en unas horas. Y Max Hastings sería quien lo habría matado. Por fin encerrado donde debería estar.

—Se lo merecen —sentenció Pip, haciéndose a un lado—. Los dos, ¿verdad?

Ya era demasiado tarde para Jason, pero Max... Lo detestaba en lo más profundo de su ser. ¿Ese odio la estaba cegando? ¿Se estaba dejando llevar?

—Sí —la tranquilizó él, aunque Pip sabía que lo odiaba tanto como ella—. Han hecho daño a mucha gente. Jason asesinó a cinco mujeres; te habría matado a ti. Fue el desencadenante de todo lo que llevó a la muerte de Andie y Sal. Max también. Y seguirá violando si no hacemos nada. Lo sabemos. Se lo merecen, los dos. —Le pasó el dedo con cariño por ese hueco seguro de la barbilla, y le levantó la cara para que lo mirara—. Hay que elegir entre tú y Max, y yo te elijo a ti. No pienso perderte.

Pip no lo dijo en voz alta, pero no pudo evitar pensar en Elliot Ward, que había tomado una decisión exactamente igual que esa, convirtiendo a Sal en asesino para salvarse él y a sus hijas. Pip también estaba allí, en esa caótica zona gris, arrastrando a Ravi con ella. El final y el principio.

—Vale. —Asintió, volviendo a convencerse a sí misma. El plan estaba consolidado, pero el tiempo no estaba de su parte—. Todavía tenemos que averiguar unas cuantas cosas, pero lo más importante es...

—Enfriar y calentar el cadáver. —Ravi terminó la frase por ella, mirando de nuevo a aquellos pies abandonados. Aún no había visto el cuerpo de cerca, lo que Pip le había hecho a Jason. Ella esperaba que Ravi no cambiara de opinión entonces, que no la mirara de forma diferente. Él señaló el edificio de ladrillo que tenían detrás, independiente del almacén de químicos, reforzado de acero—. Ese edificio de ahí parece de oficinas, será donde trabajan los administradores y demás personal. Seguramente tengan una cocina, ¿no? Con una nevera y un congelador.

—Sí, probablemente. —Pip asintió—. Pero no lo bastante grande.

Ravi resopló para apartarse un mechón de pelo de la cara, tensa y apretada.

—Insisto, ¿Jason Bell no podía haber sido el dueño de una fábrica de procesamiento de carne con frigoríficos enormes?

—Vamos a echar un vistazo por aquí —sugirió Pip, volviendo a girarse hacia la puerta de metal abierta, y hacia los pies de Jason sobresaliendo por el umbral—. Tenemos las llaves. —Las señaló con la cabeza, todavía en la cerradura, donde las había dejado él—. Es el dueño, debe de tener llaves de todas las puertas que hay aquí. Y me dijo que había desconectado las alarmas y las cámaras de seguridad. Que tenía todo el fin de semana, si quería. Así que no deberíamos tener ningún problema a ese respecto.

—Sí, buena idea —dijo Ravi, pero no dio un paso adelante, porque eso suponía acercarse al cuerpo sin vida.

Pip fue primero, aguantando la respiración mientras se acercaba. Sus ojos se detuvieron en la cabeza abierta de Jason. Parpadeó, apartó la mirada y sacó el pesado llavero de la cerradura.

—Nos tenemos que acordar de todo lo que hemos tocado, es decir, que yo he tocado, para poder limpiarlo luego —indicó Pip, cargando con el montón de llaves en la mano—. Vamos por aquí.

La chica pasó por encima de Jason, evitando el halo de sangre que le rodeaba la cabeza. Ravi la siguió de cerca y Pip vio que se quedaba mirando, parpadeando con fuerza, como si deseara que todo desapareciera.

Tosió al retomar el paso detrás de ella.

No dijeron nada. ¿Qué iban a decir?

Pip tuvo que realizar varios intentos antes de dar con la

llave correcta para la puerta que había al final del almacén, junto a la mesa de trabajo. La abrió y apareció una estancia oscura y cavernosa.

Ravi se agarró las mangas y pulsó el interruptor.

La sala parpadeó mientras las luces del techo se terminaban de encender con un zumbido. El edificio debía de haber sido un establo, Pip se dio cuenta al mirar el techo increíblemente alto. Y, delante de ellos, había filas y filas de máquinas. Segadoras, desbrozadoras, sopladores de hojas, máquinas que ni siquiera entendía y mesas con otras herramientas más pequeñas, como cortadoras de setos. A la derecha estaban las más grandes, que Pip supuso que eran tractores cortacésped, cubiertos con una lona negra. También había estanterías con más herramientas metálicas, brillando bajo la luz, y latas de color rojo cereza y bolsas de tierra.

Pip se giró hacia Ravi, que estaba analizando la habitación y movía rápido los ojos de un lado a otro.

—¿Qué es eso? —Señaló una máquina naranja, alta, con forma de embudo por arriba.

—Creo que es una trituradora —respondió ella—. O una astilladora de madera, no sé cómo se llama. Se meten las ramas y las tritura en trozos muy pequeños.

Ravi torció la boca, como si estuviera pensando en algo.

—No —lo cortó Pip inmediatamente, porque sabía en qué estaba pensando.

—No he dicho nada —se defendió él—. Pero creo que es muy evidente que aquí no hay ningún frigorífico gigante, ¿no?

—No obstante... —La mirada de Pip se alineó con las filas y filas de cortacéspedes—. Estos chismes funcionan con gasolina, ¿verdad?

Ravi la miró a los ojos, abriendo muchos los suyos al entender qué quería decir.

—Ah, para el fuego —dedujo.

—Mucho mejor —añadió Pip—. La gasolina no solo arde. Explota.

—Bien. Eso está muy bien. —Ravi asintió—. Pero ese es el último paso de todos, y tenemos toda la noche por delante. Lo demás no sirve de nada si no averiguamos cómo enfriarlo.

—Y luego calentarlo —añadió Pip, que notó cómo aumentaba la desesperación en la mirada de Ravi.

El plan podía estar acabado antes de empezar. La vida de Pip se encontraba en una balanza y las escalas se estaban alejando de ellos. «Venga, piensa.» ¿Qué podían utilizar? Tenía que haber algo.

—Vamos a ver qué hay en el edificio de oficinas —propuso Ravi, volviendo a tomar el cargo, alejando a Pip del ejército de cortacéspedes por el almacén de químicos, rodeando el herbicida derramado y el río de sangre. Pasaron junto al cadáver, cada vez más muerto, de puntillas, como si todo aquello no fuera más que un juego de niños.

Pip miró el almacén, los trozos de cinta americana con mechones de su pelo y manchas de su sangre.

—Mi ADN está por todas partes —observó—. Me llevaré la cinta americana y la tiraré junto con mi ropa, pero tendremos que limpiar también las estanterías. Dejarlo todo reluciente antes de quemarlo.

—Sí —dijo Ravi, quitándole el llavero—. Y esto también. —Las agitó—. Supongo que en la oficina habrá productos de limpieza.

Pip volvió a verse reflejada en la ventana del coche de Jason cuando pasaron por su lado. Sus ojos estaban demasiado oscuros, tenía las pupilas muy dilatadas y se comían el fino borde de verde avellana. No debería mirar durante mucho tiempo, por si el reflejo se quedaba para siempre en la ventana de Jason y dejaba una marca de que había estado allí. Entonces se acordó.

—Mierda —exclamó, y los pasos de Ravi dejaron de sonar.

—¿Qué? —preguntó él, uniéndose a su reflejo en la ventana con los ojos demasiado abiertos y demasiado oscuros también.

—Mi ADN. Está por todo el maletero del coche.

—No pasa nada, también lo limpiaremos —dijo el reflejo de Ravi.

Pip vio a la versión del espejo acercar la mano para intentar coger la suya, pero se acordó y se echó atrás.

—No. Me refiero a que está por todo el maletero —explicó ella, con el pánico de nuevo aumentando—. Pelo, piel... Mis huellas, que ya están registradas en el archivo de la policía. Dejé todo lo que pude. Pensaba que iba a morir y quería ayudar. Dejar un rastro de pruebas para que lo encontrarais y lo pillarais.

Los ojos de Ravi cambiaron, desolados y en silencio, y apareció un temblor en su labio, como si estuviera intentando no llorar.

—Has debido de pasar mucho miedo —murmuró.

—Sí —admitió ella.

Por mucho que le asustara el plan y lo que ocurriría si fracasaban, ni siquiera se acercaba al terror que había sentido en aquel maletero o en aquel almacén, cubierta por la máscara de la muerte. Sus rastros siguen ahí, en su piel, en sus ojos.

—Bueno, lo solucionaremos, ¿vale? —aseguró él en voz muy alta, hablando por encima del temblor—. Luego nos encargamos del coche, cuando volvamos. Primero tenemos que encontrar algo para...

—Enfriarlo. —Pip pronunció las palabras mirando más allá de su reflejo, dentro del coche de Jason—. Enfriarlo y luego calentarlo —dijo, con los ojos moviéndose sin control por el panel junto al volante. La idea había empezado pequeña, tan simple como un «¿Y si...?», y había ido haciéndose cada vez más grande, intentando llamar la atención de Pip hasta que era en lo único en lo que podía pensar—. Ya lo tengo —susurró. Y luego, más fuerte—: ¡Ya lo tengo!

—¿Qué? —preguntó Ravi, mirando instintivamente por encima del hombro.

—¡El coche! —Pip se giró hacia él—. ¡El coche es nuestro frigorífico! Es relativamente nuevo, elegante, SUV, ¿cómo crees que será el aire acondicionado?

La idea apareció también en la mente de Ravi, lo veía en sus ojos, algo muy próximo a la emoción.

—Bastante bueno —respondió él—. Con la configuración más fría y todos los ventiladores a máxima potencia, en un espacio cerrado... Sí, podría hacer mucho frío —dijo casi sonriendo.

—Un frigorífico estándar alcanza los cuatro grados; ¿crees que podemos poner el coche a esa temperatura?

—¿Cómo sabes cuál es la temperatura de un frigorífico estándar? —preguntó él.

—Ravi, sé cosas. ¿Cómo puedes no saber a estas alturas que sé cosas?

—Bueno. —Él miró al cielo—. Hoy hace un poco de fresco. Dudo que pasemos de los quince grados. Si solo necesitamos que el coche se enfríe unos diez grados... Sí, yo diría que es bastante factible.

Pip notó un movimiento en las costillas, una sensación de alivio que le abrió el pecho y le concedió un poco más de espacio para respirar. Podían hacerlo. Era muy posible que lo lograsen. Jugar a ser Dios. Devolver a un hombre a la vida durante unas horas, para que otro pudiera matarlo.

—Y —añadió ella— cuando volvamos luego...

—Encendemos la calefacción al máximo. —Ravi terminó por ella la frase, hablando muy rápido.

—Y le volvemos a subir la temperatura corporal —terminó Pip.

Ravi asintió, mirando de derecha a izquierda mientras lo volvía a repasar todo mentalmente.

—Va a funcionar, Pip. No te pasará nada.

Era posible, sí. Pero todavía no habían empezado y el tiempo estaba en su contra.

—¿Te acuerdas de la última vez que hicimos esto? —le preguntó Ravi, poniéndose unos guantes de trabajo que había encontrado en el edificio de oficinas, en un armario lleno de uniformes de repuesto con el logo de la empresa.

—¿Mover un cadáver? —preguntó Pip, dando una palmada con los guantes puestos que convirtió en polvo unos pequeños trozos de barro.

—No, eso no lo habíamos hecho nunca, técnicamente. Me refiero a la última vez que nos pusimos guantes de jardinería para cometer un crimen. Para entrar en casa de los Bell. En su casa. —Señaló con la cabeza el almacén químico—. Se... —No dijo nada más.

—No —replicó Pip mirándolo con severidad.

—¿Qué?

—Ibas a hacer decir que «Se nos ha ido de las manos». Siempre me doy cuenta.

—Ay, se me olvidaba —dijo—. Sabes cosas.

Así era. Y sabía que el humor era el tic de Ravi, su forma de lidiar con los asuntos escabrosos.

Agarró y levantó uno de los bordes de la lona que cubría el cortacésped descuidado. El plástico negro se arrugó cuando lo quitó y lo lanzó por encima de la máquina; Ravi tiró por el otro lado. Se soltó y él lo dobló con esfuerzo.

Pip lo llevó hasta el almacén. Todavía estaban muy acumulados los gases del herbicida y había empezado a dolerle la cabeza.

Ravi soltó la lona en el suelo de hormigón, junto al cuerpo de Jason, evitando la sangre.

Pip vio la tensión en la forma de su boca y en la mirada distante que estaba convencida que ella también tenía.

—No lo mires —le aconsejó—. No tienes que mirarlo.

Ravi se acercó a ella, como si fuera a ayudarla con lo que venía después.

—No —dijo ella, apartándolo—. Tú no lo toques a no ser que sea imprescindible. No quiero que dejes ningún rastro aquí.

Eso sería mucho peor que impensable. Que la condenaran por asesinato y arrastrar a Ravi con ella. No, eso no podía salpicarlo, así que él no debía tocar nada. Si fracasaban, recaería todo en ella, ese era el trato. Ravi no sabía nada. No había visto nada. No había hecho nada.

Pip se puso de rodillas al otro lado de Jason y se agachó despacio para cogerlo por el hombro y el brazo. Todavía no estaba rígido, pero el *rigor mortis* no tardaría en aparecer.

Empujó para poner a Jason y su cabeza abierta bocarriba. Tenía la cara intacta. Pálida y quieta, pero casi parecía que estuviese durmiendo. Pip volvió a agarrarlo y a girarlo, ahora bocabajo, y otra vez, bocarriba en el medio de la lona.

—Venga —dijo, levantando un borde de la lona y poniéndola sobre el cuerpo. Ravi hizo lo mismo por el otro lado.

Jason había desaparecido, lo habían limpiado. Los restos del Asesino de la Cinta se habían reducido a un charco rojo oscuro y una lona enrollada.

—Tenemos que tumbarlo bocarriba en el coche, para la

lividez —indicó Pip, colocándose donde debían de estar los hombros de Jason—. Y, cuando volvamos, lo pondremos bocabajo. La sangre se reorganizará y será como si esas horas no hubieran pasado.

—Vale. —Ravi asintió, agachándose y agarrando los tobillos de Jason a través de la lona—. Una, dos, tres, arriba.

Pesaba mucho, demasiado. Pip lo agarró con torpeza por detrás de los hombros sobre la lona de plástico. Pero juntos podían. Salieron despacio por la puerta de metal, Ravi moviéndose hacia atrás, mirando hacia abajo para asegurarse de no pisar la sangre.

El suave ruido de un motor les dio la bienvenida cuando salieron. Ya habían arrancado el coche de Jason y habían puesto el aire acondicionado al máximo, con todos los ventiladores abiertos. Las puertas estaban cerradas para mantener el frío. Ravi había encontrado algunas bolsas de hielo en el congelador del edificio de oficinas, presuntamente para accidentes laborales. No obstante, ahora estaban esparcidas por el interior del coche, cerca de los ventiladores, enfriándolo aún más.

—Voy a abrir la puerta —informó Ravi, agachándose para soltar con cuidado los pies de Jason en la gravilla.

Pip adelantó una pierna y la apoyó contra la espalda del cadáver para que cargara con parte del peso.

Ravi abrió la puerta del asiento de atrás.

—Ya hace bastante frío aquí dentro —comentó, volviendo a coger el otro extremo de Jason y levantándolo con un gruñido.

Con cuidado, con pasos pequeños, metieron la lona enrollada por la puerta del coche, soltaron a Jason en el asiento de atrás y lo empujaron hacia delante.

Ya hacía mucho frío, como si fuera un frigorífico. Pip vio la condensación de su aliento al empujar a Jason más adentro. La cabeza, la cabeza deshecha, no entraba.

—Espera —dijo Pip, rodeando el coche para abrir la otra puerta.

Metió la cabeza y alcanzó el extremo de la lona, agarró los tobillos de Jason y los empujó hacia arriba para doblarle las rodillas, utilizando el espacio que iba dejando para terminar de meterlo. Lo sujetó mientras cerraba la puerta con cuidado, y escuchó el golpe de los pies como si intentara salir a patadas.

Ravi cerró la puerta del otro lado, dio una palmada y resopló.

—¿Se quedará encendido todo el rato? —Pip lo volvió a comprobar.

—Sí, el tanque está prácticamente lleno. Estará encendido el tiempo que necesitemos —respondió Ravi.

—Bien —dijo. Otra vez esa palabra que carecía de sentido para ella—. Pues vámonos a casa. Empieza el plan.

—El plan —repitió Ravi—. Es una locura dejarlo aquí, lleno de rastros invisibles tuyos.

—Ya lo sé —concordó ella—. Pero es seguro; no va a venir nadie. Jason mismo lo dijo. Había planeado matarme aquí, y tenía toda la noche, todo el fin de semana. Ni cámaras, ni alarmas. Así que ahora nosotros disponemos del mismo tiempo. Todo estará exactamente igual cuando volvamos. Y, entonces, eliminaremos esos rastros y pondremos unos nuevos.

Miró por la ventanilla del coche la lona negra enrollada, y al hombre muerto que había en ella, que todavía no estaba muerto. No si todo salía bien.

Ravi se quitó los guantes.

—¿Te llevas tu mochila?

—Sí —dijo Pip, quitándose también los guantes y colocándolos junto a los de Ravi dentro de la mochila abierta. La cinta adhesiva también estaba allí, la había sacado del almacén: tobillos, muñecas, la máscara desenrollada con el pelo arrancado.

—¿Y lo tienes todo aquí dentro? Todo lo que llevabas.

—Sí, está todo aquí —aseguró, cerrando la mochila—. Todo lo que guardé esta tarde. Y ahora, también, los guantes y la cinta adhesiva usada. El teléfono de Jason. No me he dejado nada.

—¿Y el martillo? —preguntó Ravi.

—Eso se puede quedar aquí. —Pip se puso de pie y se colocó la mochila en el hombro—. Limpiaremos las huellas luego. Max también necesitará un arma homicida.

—Vale —dijo Ravi, poniéndose en movimiento hacia su coche, abandonado frente a la puerta abierta de Green Scene—. Vámonos a casa.

Treinta y dos

Una última comprobación.

Ravi se inclinó sobre el freno de mano para mirarla de cerca y le soltó el aliento, dulce pero mordaz, sobre la cara.

—Aquí todavía tienes un poco de sangre seca. Y en las manos. —Miró hacia abajo—. Y manchas en la sudadera. Vas a tener que subir rápido, antes de que te vean.

Pip asintió.

—Sí, no hay problema —dijo.

Había puesto su camiseta de repuesto en el asiento para no manchar el coche de Ravi y había usado la ropa interior que llevaba en la mochila, con un poco de agua, para intentar quitarse la sangre de la cara y de las manos mientras él conducía por las carreteras secundarias. Eso bastaría.

Pip abrió la puerta del coche con el codo y salió. Se agachó para volver a guardar la camiseta sobre la que se había sentado y cerró la mochila. Llevaba las llaves de casa en la otra mano.

—¿Estás segura? —le preguntó de nuevo Ravi.

—Sí —contestó ella. Habían repasado el plan en el coche, una y otra vez—. Esta parte puedo hacerla sola. Bueno, ya me entiendes.

—Te puedo ayudar —se ofreció Ravi con desesperación.

Pip lo miró, interiorizando cada centímetro de su cuerpo.

—Ya me has ayudado, Ravi. Más de lo que crees. Me ayudaste a seguir viva. Viniste a por mí. Esto lo puedo hacer sola. Lo que me ayudará es que estés a salvo. Eso es lo que quiero. No me puedo permitir que nada de esto repercuta sobre ti si sale mal.

—Ya lo sé, pero...

Pip lo interrumpió.

—Así que ahora vas a crear tu coartada, para toda la tarde. Por si nuestros planes no funcionan y no conseguimos retrasar lo suficiente la hora de la muerte. ¿Cuál es? —Quería escucharla otra vez: hermética, irrefutable.

—Voy a ir a casa a por mi teléfono, y luego a Amersham para recoger a mi primo, Rahul —recitó Ravi mirando al frente—. Voy a conducir por las carreteras principales para aparecer en las cámaras de tráfico. Sacaré dinero de un cajero, para que me graben también ahí. Y luego iremos a Pizza Express, o a otra cadena, pediremos comida y pagaré con tarjeta. Haremos ruido, llamaremos la atención, para que la gente se acuerde de que hemos estado allí. Voy a hacer fotos y vídeos con mi teléfono que demuestren dónde estábamos. También voy a hacer llamadas, seguramente a mi madre, para decirle a qué hora llegaré a casa. Te voy a enviar un mensaje para preguntarte qué tal tu tarde, porque no nos hemos visto en todo el día y todavía no sé que has perdido el móvil. —Tomó aire—. Luego iremos al pub que frecuentan mi primo y sus amigos, para que haya muchos testigos. Y me quedaré allí hasta las once y media. Luego dejaré a Rahul en su casa y volveré, llenaré el depósito de camino, para que me graben más cámaras. Iré a casa y fingiré irme a dormir.

—Bien, eso es —dijo Pip, mirando el reloj del salpicadero. Acababan de pasar las ocho—. ¿Nos vemos a medianoche?

—Por supuesto. ¿Me llamarás? —preguntó él—. Desde el teléfono de prepago. Si algo sale mal.

—Nada saldrá mal —le aseguró Pip, intentando convencerlo con la mirada.

—Ten cuidado —dijo él, apretando el volante, un sustituto de su mano—. Te quiero.

—Te quiero —repitió ella otra última vez. Pero no sería la última; lo iba a ver en unas horas.

Pip cerró la puerta y se despidió de Ravi, que puso el intermitente y salió a la carretera. Ella respiró hondo, para prepararse. Se dio la vuelta y se dirigió a su casa.

Vio a su familia por la ventana, con las luces del televisor bailando sobre sus caras. Se quedó mirándolos un instante, en la oscuridad. Josh estaba encogido en la alfombra con el pijama puesto, extraño y pequeño, jugando con sus Lego. Su padre se reía de algo que había pasado en la tele, y Pip sintió las vibraciones incluso desde allí fuera. Su madre chasqueó la lengua, le dio con la mano en el pecho, y Pip la escuchó decir: «Ay, Victor, no tiene gracia».

—Las caídas siempre son divertidas —repuso él.

Pip notó un escozor en los ojos y un nudo en la garganta. Pensó que jamás volvería a verlos. Que jamás volvería a sonreír con ellos, o a llorar, o a reír. Que jamás envejecería con sus padres, haciendo suyas sus tradiciones, como la forma de hacer puré de patata de su padre, o cómo decoraba su madre el árbol en Navidad. Que no vería a Josh convertirse en un hombre, ni sabría cómo sería su voz, o qué lo hacía feliz. Todos esos momentos, toda una vida de instantes, grandes y pequeños, los había perdido, pero ahora ya no. No si conseguía que esto saliera bien.

Pip carraspeó para disolver el nudo de su garganta y abrió la puerta haciendo el menor ruido posible.

Entró despacio y cerró la puerta detrás de ella con un clic apenas audible, esperando que los aplausos del público en el televisor lo cubrieran. Llevaba las llaves bien apretadas en la mano para que no hicieran ruido.

Despacio, con cuidado, aguantando la respiración, pasó

por la puerta del salón y miró las coronillas de sus padres en el sofá. Él se movió y a Pip le dio un vuelco el corazón, dejándola paralizada. No, no pasaba nada, solo estaba cambiando de postura, pasándole el brazo por encima de los hombros a su madre.

Subió la escalera, sin hacer ruido, nada de ruido. El tercer escalón crujió bajo el peso de sus pies.

—¿Pip? ¿Eres tú? —gritó su madre, girándose en el sofá.

—¡Sí! —contestó ella, subiendo la escalera de dos en dos para evitar que su madre la viera bien—. ¡Soy yo! Lo siento, me hago mucho pis.

—Sabes que hay un baño abajo, ¿verdad? —gritó su padre cuando ella ya había llegado al pasillo de arriba—. A no ser que te refieras en realidad a ca...

—¿No te ibas a quedar en casa de Ravi? —Otra vez su madre.

—¡Dos minutos! —respondió Pip, corriendo hacia el baño y cerrando la puerta con pestillo. Tendría que limpiar también el picaporte.

Por poco. Gracias a Dios, sus padres se habían comportado con normalidad y no habían visto nada, ni las pecas de sangre, ni el pelo enmarañado, ni la piel desollada de la cara. Eso era de lo primero de lo que se tenía que encargar.

Se sacó la sudadera por la cabeza, cerrando la boca y los ojos, para que no le cayera sangre seca dentro. La soltó con cuidado, del revés, sobre las baldosas del baño. Se quitó las deportivas y los calcetines, y se deshizo de las mallas oscuras. A simple vista no tenían sangre, pero sabía que estaba ahí, escondida entre las fibras. Y luego el sujetador, que tenía una pequeña mancha reseca en el medio, por donde la sangre había calado la sudadera. Dejó la ropa amontonada en el suelo y abrió la ducha.

Templada. Caliente. Más caliente. Tanto que le dolió cuando se puso debajo. Pero tenía que arder para limpiar bien la primera capa de piel. ¿Cómo si no se volvería a sentir limpia? Se frotó con el gel, mirando cómo le corría el agua rosada por las piernas. Frotó y volvió a frotar, hasta que se acabó el bote medio lleno de gel. También se limpió bajo las uñas. Se lavó el pelo tres veces. Sintió los mechones más finos, quebradizos. Le escocían los rasguños de las mejillas por el champú.

Cuando se sintió lo bastante limpia, Pip se envolvió en una toalla y dejó el agua correr un poco más para que se llevara cualquier posible resto de sangre que pudiera quedar en el plato de ducha. También lo limpiaría después.

Con la toalla agarrada bajo las axilas, cogió el cubo de basura con tapa que había junto al retrete y sacó la bolsa de plástico. Solo había dos rollos de papel higiénico vacíos. Pip los dejó en el alféizar de la ventana. En el armario bajo el lavabo encontró el limpiador de baños, le quitó el tapón y echó un poco en el cubo. Más. Todo. Se puso de pie y terminó de llenarlo con agua caliente del grifo para diluir la lejía, que ya emanaba un olor fuerte y nocivo.

Tendría que dar dos viajes a su dormitorio, pero toda su familia estaba abajo, así que no debería pasar nada. Pip cargó con el cubo, que ahora pesaba más, y lo sujetó con un brazo contra el pecho mientras abría la puerta del baño. Salió, pasó por el descansillo y llegó a su dormitorio. Dejó el cubo en el suelo y el agua chapoteó peligrosamente hacia el borde.

Volvió a escuchar otra vez el ruido de los vítores del público en el televisor cuando volvió al baño a coger el montón de ropa ensangrentada y su mochila.

—¿Pip? —Escuchó la voz de su madre desde la escalera.

Mierda.

—¡Me estaba duchando! ¡Ahora bajo! —gritó, entrando apresuradamente en su dormitorio y cerrando la puerta.

Tiró el montón de ropa junto al cubo y luego, de rodillas, fue sumergiendo prenda por prenda. Las deportivas también, que flotaron con la puntera bajo el agua.

De la mochila, añadió la cinta adhesiva que le había envuelto la cara y las manos y los tobillos, hundiéndola en la lejía diluida. Sacó el teléfono de prepago de Jason, le quitó la tapa trasera y extrajo la tarjeta SIM. La partió en dos y tiró el móvil desmontado al agua. Luego la ropa interior que había utilizado para quitarse la sangre de la cara, y la camiseta de repuesto sobre la que se había sentado. Por último, los guantes de Green Scene que ella y Ravi habían usado —quizá fuera lo más incriminatorio—. Los empujó hasta el fondo. La lejía se encargaría de las manchas de sangre visibles, y probablemente destiñera también los tejidos, pero esto era simplemente una precaución: todo habría desaparecido en veinticuatro horas. Otra tarea para luego.

De momento, Pip arrastró el cubo por la moqueta y lo escondió en su armario, empujando las deportivas para que se sumergieran de nuevo. Olía mucho a lejía, pero nadie iba a entrar en su habitación.

Pip se secó y se vistió, con una sudadera negra y unas mallas oscuras, y se miró al espejo para ver qué hacía con su cara. El pelo cayó en débiles greñas húmedas, y notaba el cuero cabelludo demasiado dolorido como para peinarse. Se vio una pequeña calva en la coronilla, en la zona en la que se había arrancado un mechón junto con la cinta adhesiva. Tenía que cubrirla. Se pasó los dedos y se sujetó el pelo en una coleta alta, apretada e incómoda. Se puso dos gomas más en la muñeca para luego, cuando ella y Ravi volvieran a Green Scene. Todavía tenía la cara roja y con manchas. La notó un poco frágil cuando se puso base de maquillaje para taparlo todo. Y corrector en las zonas más graves. Estaba muy pálida y la textura de su piel era muy áspera, con algunas zonas despellejadas, pero haría el apaño.

Vació la mochila para volver a llenarla, tachando los artículos de la lista mental que Ravi y ella habían hecho, grabada en el cerebro como un mantra. Dos gorros de lana, cinco pares de calcetines. Tres de los seis teléfonos de prepago del cajón del escritorio, todos encendidos. El pequeño montón de dinero que guardaba también en ese compartimento secreto, todo, por si acaso. En el bolsillo de su chaqueta más elegante, guardada en el armario, encontró la tarjeta que no había vuelto a tocar desde aquella reunión de mediación, y la colocó con cuidado en el bolsillo frontal de la mochila. Entró sigilosamente en el baño de sus padres y cogió un montón de guantes de látex de los que su madre utilizaba para teñirse el pelo, al menos tres pares para cada uno. Encima de todo metió su cartera, comprobando antes que estuviera dentro su tarjeta de débito; la iba a necesitar para su coartada. Y las llaves del coche.

Listo, eso era todo lo que necesitaba de arriba. Lo comprobó de nuevo, verificando que tenía todo lo que le hacía falta para el plan. Tenía que coger algunas cosas de abajo, evitando como fuera la mirada atenta de su familia, y a su hermano pequeño, que se entrometía en absolutamente todo.

—Hola —dijo, casi sin respiración, bajando la escalera—. Me estaba duchando. Es que voy a salir y antes fui a correr. —La mentira salió demasiado rápido, tenía que calmarse, acordarse de respirar.

Su madre asomó la cabeza sobre el respaldo del sofá y la miró.

—¿No ibas a cenar en casa de Ravi y te quedabas allí a dormir?

—Una fiesta de pijamas —añadió la voz de Josh, aunque Pip no podía verlo detrás del sofá.

—Cambio de planes —dijo encogiéndose de hombros—. Ravi ha tenido que ir a ver a su primo, así que he quedado con Cara.

—Nadie me había dicho nada de una fiesta de pijamas con Ravi —añadió su padre.

La madre de Pip entornó los ojos y estudió su cara. ¿Notaba lo que se escondía bajo el maquillaje? ¿O había algo diferente en los ojos de Pip, en su mirada distante y afligida? Había salido de casa siendo aún una niña de mamá, y había vuelto como alguien que sabía qué era morir de forma violenta, cruzar esa línea y, de algún modo, volver. Y no solo eso; ahora era una asesina. ¿Eso la había cambiado a ojos de su madre? ¿A los suyos propios? ¿La había transformado?

—No habréis discutido, ¿verdad? —le preguntó.

—¿Qué? —dijo Pip confusa—. ¿Ravi y yo? No, estamos bien. —Intentó resoplar de forma despreocupada, descartando esa idea. Cuánto deseaba algo tan normal y tan tranquilo como una pelea con su novio—. Voy a coger algo de picar de la cocina y me voy.

—Vale, cariño —dijo su madre, como si no la creyera.

No pasaba nada; si su madre quería creer que ella y Ravi habían discutido, daba igual. De hecho, era hasta bueno. Mucho mejor que cualquier cosa que se pareciera lo más mínimo a la realidad: que Pip había matado a un asesino en serie y, ahora, en ese preciso momento, iba a inculpar a un violador del crimen que ella había cometido.

En la cocina, Pip abrió el primer cajón de la isla, en el que su madre guardaba el papel de aluminio y el de horno, y las bolsas de plástico para los sándwiches. Cogió cuatro bolsas herméticas y dos más grandes para congelar, y las metió en la mochila. Del cajón de los cachivaches, al otro lado de la cocina, Pip cogió un mechero y lo guardó.

Y ahora el último artículo de la lista, que no era un objeto en concreto, sino más bien un problema con el que lidiar. Pip creyó que, para esta hora, ya se le habría ocurrido algo, pero estaba en blanco. La familia Hastings había colocado dos cámaras de seguridad a los lados de la puerta, ya que Pip había hecho una pintada en la casa hacía unos meses, después de que saliera el veredicto. Necesitaba dejarlas fuera de juego, pero ¿cómo?

Pip abrió la puerta que daba al garaje y salió una ráfaga de aire frío que casi le resultó agradable para calmar el calor de la adrenalina. Echó un vistazo a la estancia: las bicis de sus padres, la caja de herramientas, el aparador con espejos que su madre guardaba insistiendo en que le encontrarían un hueco. ¿Qué podía utilizar para deshabilitar las cámaras? Sus ojos se pararon en la caja de herramientas de su padre, que tiró de ella. Abrió la tapadera y miró dentro. Había un martillo pequeño encima de todo. Supuso que podría estirarse y romper las cámaras, pero eso haría ruido y podría alertar a Max. También consideró los alicates, si las cámaras tuvieran algún cable por fuera. Pero quería algo menos permanente, algo que encajara mejor con la historia.

Otra cosa llamó su atención. Algo a la altura de su cabeza, en la balda sobre la caja de herramientas, que la miraba de esa forma en la que miraban los objetos inanimados. Pip soltó un grito ahogado y suspiró, porque era perfecto.

Un rollo casi entero de cinta americana.

Eso era exactamente lo que necesitaba.

—Cinta americana, claro, joder —murmuró para sí misma, cogiendo el rollo y metiéndolo en la mochila.

Salió del garaje y se quedó paralizada bajo el umbral. Su padre estaba en la cocina, frente al frigorífico, cogiendo sobras y mirándola.

—¿Qué haces ahí? —preguntó con la frente arrugada.

—Eh... Estaba buscando mis Converse azules —mintió Pip, pensando en sus pies—. ¿Tú qué haces?

—Están en el mueble de al lado de la puerta —dijo él, haciendo un gesto con la cabeza hacia el recibidor—. He venido a por una copa de vino para tu madre.

—Anda, ¿ahora guardamos el vino en un plato de pollo? —bromeó Pip, pasando por su lado mientras se ponía la mochila sobre el hombro.

—Sí. Tengo que comerme lo que haya en medio para poder alcanzarlo —contestó él—. ¿A qué hora llegarás?

—Sobre las once y media o así —respondió Pip, diciéndole adiós a su madre y a Josh.

Ella le pidió que no volviera muy tarde porque iban a ir a Legoland al día siguiente, y Josh soltó un pequeño grito de emoción. Pip dijo que no tardaría y la normalidad de la escena le dio un puñetazo en el estómago, haciendo que se doblara hacia delante y que le costara trabajo mirar a su familia. ¿Volvería a formar parte de una escena así alguna vez, después de lo que había hecho? Todo lo que quería era normalidad, todo esto era para conseguirla, pero ¿estaba ya fuera de su alcance para siempre? Desde luego lo estaría si la condenaban por el asesinato de Jason.

Pip cerró la puerta al salir y soltó aire. No tenía tiempo para esas preguntas; debía centrarse. Había un cadáver a dieciséis kilómetros de allí, y estaba en una carrera contra él.

Eran las 20.27, ya iba con retraso.

Pip subió al coche. Dejó la mochila en el asiento del copiloto. Giró la llave en el contacto y salió a la carretera. Le temblaban las piernas sobre el pedal. La fase uno ya había quedado atrás.

A por la siguiente.

Treinta y tres

La puerta de color rojo oscuro se abrió delante de ella, y apareció la sombra de una cara en la rendija.

—Ya te lo he dicho —habló la sombra, mirando quién había llamado a la puerta—. Todavía no las tengo.

Luke Eaton abrió la puerta por completo. Detrás de él, un pasillo en penumbra. Las farolas le iluminaban los tatuajes que le trepaban por el cuello, como si le sujetaran los músculos.

—Da igual las veces que me escribas y cuántos teléfonos distintos utilices. No tengo —insistió con impaciencia—. Y no puedes aparecer como...

—Dame lo más fuerte —lo interrumpió Pip.

—¿Qué? —Se quedó mirándola mientras se pasaba una mano por la cabeza rapada.

—Lo más fuerte —repitió Pip—. El Rohypnol. Lo necesito. Ya.

Tenía la cara inexpresiva, como un escudo o una máscara tras la que se escondía la chica que había vuelto de entre los muertos. Pero sus manos podían delatarla, moviéndose nerviosas en el bolsillo de la sudadera. Si no tenía, si ya le había vendido el arsenal entero a Max Hastings, todo se iría al traste. Si fallaba una sola parte del plan, el plan completo se desmoronaría. Como una torre de cartas que se balanceaba peligrosamente sobre su espalda. Y toda su vida estaba allí, en las manos tatuadas de Luke.

—¿Cómo? —dijo, analizándola, pero sin poder atravesar la máscara—. ¿Estás segura?

—Sí —contestó ella, con más severidad de la que pretendía—. Lo necesito. Tengo... que conseguir dormir esta noche. —Inspiró y se limpió la nariz con la manga de la sudadera.

—Ya. —Luke la miró—. No tienes buen aspecto. Es más caro que lo que te llevas normalmente.

—Me da igual, lo que sea. Lo necesito. —Pip sacó el fajo de billetes del bolsillo de la sudadera. Había ochenta libras ahí, y las dobló sobre la mano de Luke—. Lo que me puedas dar con esto —dijo—. Todo.

Luke miró el dinero doblado sobre su mano. Los músculos de su cara se tensaron mientras mascaba algún pensamiento desconocido. Pip lo miró, insistente, colocándole hilos invisibles de marioneta sobre la cabeza y tirando de ellos como si le fuera la vida en ello.

—Vale. Espera aquí. —Cerró la puerta casi del todo y caminó descalzo por el pasillo oscuro.

El alivio fue intenso pero corto. Pip todavía tenía una noche muy larga por delante, y mil probabilidades de que algo saliera mal. Estaba viva, pero aún tenía que seguir luchando por su vida, con las mismas ganas con las que lo había hecho cuando estaba envuelta en cinta americana.

—Toma —dijo Luke, abriendo solo una rendija de la puerta y mirando a través de ella.

Le dio una bolsa de papel por el hueco y Pip la cogió. La abrió y miró dentro: dos bolsitas transparentes pequeñas con cuatro pastillas verde musgo.

—Gracias —dijo Pip, arrugando la bolsa y metiéndola en el bolsillo.

—Sí, bueno. —Luke se alejó, pero antes de cerrar la puerta, volvió a asomar la cara por la rendija—. Perdón por lo del otro día. No te vi en el cruce.

Pip asintió y sonrió con los labios apretados, para no delatarse.

—Tranquilo. Sé que no lo hiciste a propósito.

—Ya. —Luke asintió, pasándose la lengua por los dientes—. Ah, oye. No te pases con eso, ¿vale? Es mucho más fuerte que lo que sueles tomar. Solo una pastilla te deja inconsciente.

—Entendido. Gracias.

Pip se fijó en la mirada de Luke, parecía casi como si estuviera preocupado por ella. En el lugar menos esperado, la persona menos esperada. Sí que debía de tener un aspecto horrible.

Pip escuchó cómo se cerraba la puerta por completo detrás de ella mientras volvía a su coche, pasando junto al impoluto BMW blanco de Luke. Su reflejo la seguía por las ventanas tintadas.

Dentro de su coche, se sacó la bolsa de papel del bolsillo, cogió las bolsitas transparentes y las miró bajo la luz de las farolas. Ocho pastillas, con la inscripción de «1 mg» en un lado. Luke le había dicho que una sola era suficiente para dejarla inconsciente, pero no era ella la que tenía que caer redonda. Y debía salir bien; tenía que ser rápido, pero sin provocar una sobredosis. No quería convertirse en una doble asesina en un solo día.

Pip traspasó una píldora de una bolsa a otra, de modo que hubiera cinco. Luego partió otra pastilla por la mitad y echó un trozo en cada bolsa. En la que menos pastillas quedaban había dos miligramos y medio. No sabía lo que estaba haciendo, pero le parecía que con eso bastaría.

Pip volvió a meter la bolsa más cargada en la de papel y la guardó en su mochila. Luego se desharía de ellas, junto con todo lo demás. No confiaba en su autocontrol si se las quedaba.

Pero la otra bolsa, la que tenía dos pastillas y media, la cerró y la tiró al suelo del coche, justo enfrente de los pedales. Aplastó las pastillas con el talón, escuchándolas crujir. Apretó muy fuerte, varias veces, empujando y pisoteando hasta que se rompieron por completo.

Recogió la bolsa y la sujetó frente a sus ojos. Las píldoras habían desaparecido y ahora solo había un fino polvo verde. Pip agitó la bolsita para asegurarse de que no quedara ningún trozo.

—Bien —susurró, guardándose la droga en el bolsillo y dando un golpecito con la mano para comprobar que estuviera ahí.

Pip arrancó el coche. Las luces ahuyentaron a la oscuridad de la calle, pero no la que vivía en su cabeza.

Eran las 20.33, no, las 20.34, y todavía tenía que visitar otras tres casas en Kilton.

Treinta y cuatro

La casa de los Reynolds en Cedar Way parecía una cara. Pip lo había pensado siempre, desde que era pequeña. Lo seguía pareciendo mientras subía por el camino hacia la puerta dentada bajo la atenta mirada de las ventanas. Dentro estaba el inalterable guardián de la familia. La casa no la dejaría entrar, la echaría, pero la gente que había dentro no, Pip estaba segura.

Llamó con fuerza, observando por el cristal translúcido de la puerta la silueta de alguien acercándose.

—Hol... Ah, hola, Pip —la saludó Jamie con una gran sonrisa mientras abría la puerta—. No sabía que ibas a venir. Íbamos a pedir una *pizza*, ¿te apetece?

A ella se le quedó la voz atascada en la garganta. No sabía cómo empezar, pero no hizo falta porque Nat apareció en el pasillo detrás de Jamie. Las luces del techo relucían sobre su pelo rubio, haciéndolo brillar.

—Pip —dijo acercándose y poniéndose al lado de Jamie—. ¿Estás bien? Ravi me llamó hace un rato porque no te localizaba. Dijo que ibas a venir a mi casa para hablarme de algo, pero no apareciste. —Entornó los ojos analizando la cara de Pip. Nat podía ver tras la máscara; ella misma había llevado una—. ¿Estás bien? —preguntó, esta vez con preocupación.

—Eh... —dijo Pip con voz grave—. Yo...

—Anda, hola, Pip —habló una voz nueva, una que ella

conocía muy bien. Connor había salido de la cocina. Miró la reunión que había en la puerta y luego su teléfono—. Íbamos a pedir una *pizza*, si...

—Calla, Connor —lo cortó Jamie, y Pip vio en sus ojos la misma mirada que en los de Nat. Lo sabían. Se habían dado cuenta. Podían leérselo en la cara—. ¿Qué pasa? —le preguntó—. ¿Estás bien?

Connor también se acercó y se quedó mirándola.

—Um... —Pip respiró hondo para calmarse—. No. No estoy bien.

—¿Qué...? —dijo Nat.

—Ha pasado algo. Algo malo —confesó Pip mirando al suelo. Se dio cuenta de que le temblaban los dedos. Estaban limpios, pero le salía sangre de las puntas y no sabía si era la de Stanley o la de Jason Bell o la suya propia. Los escondió en el bolsillo de la sudadera, al lado de la bolsa de polvo y el teléfono de prepago—. Y... necesito vuestra ayuda. La de todos. Podéis negaros y os prometo que lo entenderé.

—Claro, lo que necesites —dijo Connor, siendo consciente de su miedo y ensombreciéndose con él.

—No, espera —lo detuvo Pip, mirándolos a los tres. Tres de las personas que ella había creído que la buscarían si desapareciera. Tres personas con las que ella había atravesado el fuego. Y entonces se dio cuenta de que las personas que te buscarían si desaparecieras eran las mismas en las que podías confiar si pretendías salir impune de un asesinato—. Todavía no puedes decir que sí porque no... no... —Hizo una pausa—. Necesito vuestra ayuda, pero nunca me podéis preguntar por qué ni qué ha pasado. Y yo no puedo decíroslo.

Los tres se quedaron mirándola.

—Jamás —reiteró Pip—. Debéis tener negación plausible. Nunca podéis saber por qué. Pero... es algo que creo que queremos todos. Que alguien pague, que reciba su merecido de una vez. Pero no lo podéis saber, es imposible...

Nat dio un paso adelante, cruzó la puerta y puso una mano en el hombro de Pip. Ella sintió sus manos cálidas y tranquilizadoras.

—Pip —dijo amablemente, aguantándole la mirada—. ¿Quieres que llamemos a la policía?

—No. —Pip inspiró—. Nada de policía. Nunca.

—¿Qué quieres decir con que alguien pague? —preguntó Connor—. ¿Te refieres a Max Hastings?

Nat apretó más la mano, atravesando el hueso del hombro de Pip.

Esta levantó la cabeza y asintió, aunque solo un poco.

—Alejarlo para siempre —susurró, colocando una mano sobre la de Nat, robándole su calor—. Si sale bien. Pero no lo podéis saber, no os lo puedo decir y no le podéis revelar a nadie...

—Cuenta conmigo —se ofreció Jamie con una expresión severa y la mandíbula tensa—. Sea lo que sea. Me salvaste la vida, Pip, así que yo te salvaré a ti. No tengo que saber por qué, solo que necesitas mi ayuda, y la tendrás. Lo que sea para alejarlo de aquí. —Su mirada se suavizó y sus ojos pasaron de Pip a la nuca de Nat.

—Sí. —Connor asintió y le cayó un mechón de pelo rubio oscuro sobre las pecas de la cara. Una cara que ella había visto crecer, cambiar con los años, al igual que él la suya—. Cuenta conmigo también. Tú estuviste ahí cuando te necesité. —Estiró los brazos para darle un abrazo torpe—. Claro que te ayudaré.

Pip sintió cómo se le humedecían los ojos al mirar a los hermanos Reynolds. Dos caras que conocía desde que tenía memoria, dos personajes en la historia de su vida. Una parte de ella deseaba que hubieran dicho que no, por su propio bien, pero se aseguraría de que no les pasara nada. El plan funcionaría y, en caso de que no lo hiciera, ella sería la única que pagaría. Esa era su promesa silenciosa para todos. Esto nunca había ocurrido; Pip nunca había estado allí ni les había pedido ayuda. Ninguno de ellos estaba allí en ese momento.

Pip miró a Nat y se vio reflejada en sus ojos azules. Ella era la que de verdad importaba. No la habían creído las mismas veces que habían ignorado a Pip; la violencia impensable del escepticismo. Compartían esa oscuridad, y Pip había asumido el grito de Nat de aquel día, el del veredicto, como propio, uniéndolas a las dos. Ambas miraron a través de sus respectivas máscaras.

—¿Te meterás en algún lío? —preguntó Nat.

—Ya estoy metida en un lío —contestó Pip en voz baja.

Nat cogió aire lentamente. Soltó el hombro de Pip y le agarró la mano, apretando con fuerza, entrelazando los dedos.

—¿Qué necesitas que hagamos? —dijo.

Treinta y cinco

Tudor Lane. Una de las calles de Little Kilton que Pip no podía sacarse de dentro, formaba parte de en quien se había convertido, cartografiada en su interior en el lugar de una arteria. Otra vez allí, como si fuera inevitable y ese trayecto también estuviera dentro de su ADN.

Pip miró hacia arriba. La casa de los Hastings apareció al frente a la derecha. Ahí había empezado todo. Era el origen del resto de los comienzos. Cinco adolescentes, una noche de varios años atrás. Sal Singh, Naomi Ward y Max Hastings estaban entre ellos. Una coartada que Sal siempre había tenido y que sus amigos le arrebataron por culpa de Elliot Ward. Y allí era donde Pip iba a ponerle fin a todo.

Miró hacia atrás, a los tres, sentados en el coche de Jamie, aparcado un poco más allá. El de Pip estaba escondido detrás. Vio a Nat asentir en la oscuridad del asiento del pasajero, y eso le dio el coraje para continuar.

Pip agarró las asas de su mochila y cruzó la calle. Se paró frente a la verja que vallaba el jardín delantero y echó un vistazo entre las ramas de un árbol. El coche de Max era el único que había en el camino de entrada, como ella ya había previsto. Sus padres estaban en su segunda residencia, en Italia, por el «estrés emocional» que Pip les había causado. Y —si ella estaba en lo cierto— Max debería de haber vuelto de correr sobre las ocho, si es que había salido. Resultó que todos esos meses de encontrarse con él no habían sido en vano.

Max estaba dentro solo, y no tenía ni idea de que ella iba a por él. Pero Pip ya se lo había dicho. Se lo había advertido hacía muchos meses: «VIOLADOR TE COGERÉ».

Pip centró la mirada en la puerta principal, observando las cámaras de seguridad que había en las paredes de cada lado. Eran pequeñas y apuntaban en diagonal para enfocar el camino del jardín que llegaba hasta la puerta. Igual no eran cámaras de verdad, puede que solo fueran para disuadir, pero Pip tenía que dar por hecho que funcionaban. Y no pasaba nada, porque tenían un punto ciego muy evidente: pegado a la pared. Ahí sería donde ella desaparecería.

Pip dio unas palmadas sobre el bolsillo para comprobar que la cinta americana estuviese allí, junto con el teléfono, la bolsa de polvo verde y un par de guantes de látex. Apoyó las manos en el borde de la verja, a la altura de la cintura, y pasó las piernas por encima. Aterrizó sin hacer ruido en el césped del otro lado, convirtiéndose en una sombra más entre las ramas de los árboles. Se mantuvo en el perímetro derecho del jardín y, pegada a un seto verde, se dirigió hacia la casa. Llegó a una esquina y a una de las ventanas que había roto hacía unos meses.

La estancia estaba oscura, era una especie de despacho y, a través de la puerta abierta, vio el pasillo con las luces encendidas.

Pegada al muro de la casa, Pip se deslizó por detrás de las cámaras. Las miró y se colocó prácticamente debajo. Metió la mano en el bolsillo, sacó la cinta americana, encontró el extremo, tiró y arrancó un trozo. Pip se estiró por completo y se puso de puntillas con los brazos temblando, con la cinta preparada entre los dedos. La colocó por encima de la lente y apretó los bordes, cubriéndola por completo. Pegó otro trozo para asegurarse de que estaba bien tapada.

Una menos, quedaba otra. Pero no podía llegar andando

hasta ella porque la grabaría de lleno. Se fue de la misma forma que llegó, deslizándose por la casa y por el seto verde, y saltó la valla justo detrás de un árbol. Caminó por la acera con la cabeza gacha y la capucha puesta. Había una apertura en la verja entre dos arbustos. Pip pasó por encima y se acercó sigilosamente al otro lado de la casa. Se deslizó por la pared hasta la puerta. Arrancó otro trozo de cinta, se puso de puntillas y cubrió la cámara.

Respiró. Vale, ya estaban deshabilitadas y no habían grabado a quien lo había hecho. Porque había sido Max, no ella. Él había tapado las cámaras.

Pip volvió a la esquina exterior de la casa y avanzó, caminando con cuidado hasta una ventana con luz cerca de la parte de atrás. Se agachó y miró al interior.

La sala estaba iluminada por unas bombillas amarillas integradas en el techo. Pero había otra luz, una azul que parpadeaba y colisionaba con la amarilla. Pip encontró de dónde venía: del enorme televisor colgado de la pared de atrás. Y allí delante, el pelo rubio despeinado, visible por encima del brazo del sofá. Max Hastings. Con un mando a distancia en la mano, pulsaba un botón una y otra vez, como una pistola disparando a la pantalla. Tenía los pies sobre la mesa baja de madera de roble, junto a la irritante botella de agua azul que se llevaba a todas partes.

Max se movió y Pip se tiró al césped, con la cabeza por debajo de la ventana. Respiró hondo dos veces y se apoyó contra los ladrillos, aplastando la mochila. Esa era la parte que más preocupaba a Ravi. Cualquier pequeño detalle podía mandar a la mierda el plan, y creía que él tendría que estar allí para ayudarla.

Pero Max estaba en casa, y su botella de agua azul también. Si Pip conseguía entrar, eso era lo único que necesitaba. Él ni siquiera se enteraría.

Pip no tenía demasiado tiempo para averiguar cómo entrar. Minutos, como mucho. Le había pedido a Nat que la ayudara a ganar el máximo de tiempo posible, pero incluso considerar que disponía de dos minutos era ser muy optimista. Jamie se había ofrecido voluntario en un principio para distraerlo, opinaba que podría entretener a Max en la puerta el tiempo suficiente. Habían ido a clase juntos, así que encontraría algún tema de conversación, pero Nat negó con la cabeza, mirándolos a los dos, y dio un paso adelante.

—¿Quieres alejarlo de aquí para siempre? —le había preguntado.

—Entre treinta años y toda la vida —respondió Pip.

—Entonces esta es mi última oportunidad para decirle adiós. Yo me encargaré de distraerlo —había dicho ella, determinada y con los dientes apretados.

Pip tenía esa misma mirada mientras metía la mano en el bolsillo y agarraba los guantes de látex. Los sacó y se los puso, estirando dentro los dedos hasta el final. Lo siguiente era el teléfono de prepago, con un nuevo número guardado. El del otro móvil desechable que le acababa de dar a Jamie y Connor.

«Lista», escribió, despacio. Le costaba mover los dedos con los guantes.

Solo pasaron unos segundos cuando escuchó la puerta de un coche cerrarse a lo lejos.

Nat iba de camino.

En cualquier momento sonaría el timbre. Y todo —el plan, la vida de Pip— dependía de los próximos noventa segundos.

El estridente sonido del timbre se convirtió en un grito cuando llegó a los oídos de Pip.

Ya.

Treinta y seis

Un cristal empañado por el aliento y el corazón a toda velocidad intentando escaparse de su pecho.

Los ojos de Pip en el borde de la ventana, mirando cómo Max pausaba el videojuego.

Se levantó y dejó el mando sobre el sofá. Estiró los brazos por encima de la cabeza y se secó las manos en los pantalones de correr.

Se giró.

Salió al pasillo.

Ahora.

Pip estaba aturdida y sentía que volaba.

Los pies la llevaron hasta la parte trasera de la casa.

El timbre volvió a sonar dos veces.

Un grito amortiguado desde dentro, con la voz de Max.

—¡Ya voy, ya voy!

Más ventanas en la parte de atrás. Estaban cerradas. Cómo no iban a estarlo; era una fría noche de septiembre. Pip rompería una si no le quedaba más remedio; abriría el cerrojo y entraría. Rezaría para que él no la escuchara, para que no entrara en esa habitación hasta que fuera demasiado tarde. Pero una ventana rota no encajaba tan bien en la historia.

¿Cuánto tiempo había pasado? ¿Max había abierto ya la puerta, sorprendido de encontrarse a Nat da Silva en la oscuridad?

Para. Deja de pensar y muévete.

Pip corrió por la parte de atrás de la casa, agachada.

Vio un patio al frente, con una sombrilla cerrada y una mesa cubierta. Detrás había unas grandes puertas con pequeños cuadrados de cristal dentro de un marco blanco. No salía ninguna luz de allí, pero cuando Pip se acercó, la luna le iluminó el camino de nuevo, enseñándole una gran mesa de comedor en el interior. La puerta, que seguramente diera al salón, estaba cerrada, y se apreciaba la línea amarilla de la luz por la rendija.

Tenía la respiración tan acelerada por la adrenalina que le dolía.

Pip fue corriendo a las puertas del patio. A través del cristal vio el picaporte de dentro y un juego de llaves en la cerradura. Ahora sí. Podía entrar. Solo tenía que romper ese pequeño cuadrado de cristal y sería capaz de abrirla. No era un plan perfecto, pero serviría.

Rápido.

Con una mano agarró el picaporte, y preparó el codo del otro brazo. Pero antes de golpear el cristal, la mano sobre el picaporte cedió. La manija había bajado con su peso y, para su sorpresa, la puerta se abrió al tirar.

No estaba cerrada con llave.

No debería haber estado abierta, eso no estaba contemplado en el plan, pero quizá Max no le temía al peligro que se ocultaba en la penumbra del exterior porque él ya era el peligro. A plena luz del día, ni siquiera en la oscuridad de la noche. O a lo mejor simplemente fuera despistado. Pip no se lo cuestionó más. Se deslizó por el hueco de la puerta y la cerró con cuidado.

Estaba dentro.

¿Cuándo tiempo había tardado? Necesitaba más. ¿Cuánto rato más podría distraerlo Nat?

Pip escuchaba sus voces por la casa. No conseguía distinguir ninguna palabra hasta que abrió la puerta del comedor y entró en silencio hacia el salón.

La habitación era de planta abierta y llevaba al pasillo. Miró a Max, de pie en la puerta, dándole la espalda. Al otro lado vio el halo del pelo blanco de Nat.

—No entiendo qué haces aquí. —Escuchó decir a Max, con una voz más baja de lo normal, inseguro.

—Solo quería hablar contigo —explicó Nat.

Pip aguantó la respiración y avanzó. Despacio, sin hacer ruido. Sus ojos pasaron de Max a la botella de agua azul que la esperaba en la mesa baja que tenía delante.

—Me da la sensación de que no debería hablar contigo sin un abogado presente —dijo Max.

—¿Y no crees que eso lo dice todo? —comentó Nat, sorbiendo por la nariz.

Todavía quedaba agua en la botella, casi un tercio. A Pip le habría gustado que hubiera más, pero eso bastaría. Supuestamente, no sabía a nada. Sus pies se movieron del suelo de madera pulido hasta la enorme alfombra recargada del centro de la sala. No había sombras en las que desaparecer, nada tras lo que esconderse. La estancia estaba muy iluminada y si Max miraba hacia atrás, la vería.

—¿Y de qué quieres hablar? —Max tosió un poco.

Pip se sobresaltó y miró por encima del hombro.

—De la demanda por difamación que le has puesto a Pip.

Esta siguió avanzando sigilosamente, tentando cada paso antes de darlo, por si acaso los listones de madera crujían.

Llegó hasta el borde del sofá esquinero, se agachó y gateó hasta la botella de agua. El mando y el teléfono de Max estaban abandonados en el asiento del sofá.

—¿Qué pasa? —preguntó él.

Pip estiró la mano enguantada y rodeó con los dedos el

plástico rígido de la botella. La boquilla estaba levantada y esperando, con manchas de saliva por encima.

—¿Por qué lo has hecho? —se interesó Nat.

Pip desenroscó el tapón de la botella, una vuelta, y otra, y otra.

—No tengo otra opción —se excusó Max—. Contó mentiras sobre mí a un número importante de personas. Dañó mi reputación.

El tapón de la botella por fin se soltó, y emergió junto a una larga pajita de plástico.

—Reputación. —Nat se rio con malicia.

Pip dejó la botella encima de la mesa y unas cuantas gotas se cayeron en la alfombra.

—Sí, mi reputación.

Metió la mano en el bolsillo y sacó la bolsa de plástico con el polvo verde. Sujetó la botella con el interior del codo y abrió la bolsita.

—No eran mentiras, y lo sabes. Joder, Max, tiene una grabación en la que admites lo que le hiciste a Becca Bell. Y a mí. Y a todas las demás. Lo sabemos.

Pip volcó la bolsa sobre la boca de la botella. El polvo verde hizo un ligero sonido al deslizarse y aterrizar en el agua.

—Esa grabación estaba manipulada. Jamás diría algo así.

El polvo verde se quedó pegado a las paredes de la botella y se hundió lentamente en su contenido.

—Has dicho eso tantas veces que ya empiezas a creértelo hasta tú, ¿verdad? —lo acusó Nat.

Pip agitó con cuidado el agua dentro de la botella para disolver los restos de polvo.

—Oye, no tengo tiempo para esto, la verdad.

Pip se quedó paralizada.

No podía ver lo que pasaba detrás del sofá. ¿Había acabado? ¿Max estaba cerrando la puerta? ¿La iba a pillar allí, encogida en su alfombra con su botella de agua en las manos?

Un sonido. Movimiento. Y luego un ruido más fuerte, como madera golpeando contra algo.

—Pero yo no he acabado —dijo Nat, más fuerte. Mucho más fuerte.

¿Era una señal para ella? «Lárgato», no podía entretenerlo más.

Pip agitó la botella una última vez. El polvo se estaba disolviendo y oscurecía el agua, pero Max no se daría cuenta a través del plástico azul oscuro. Cogió el tapón y lo volvió a enroscar.

—¿Qué estás haciendo? —Max también levantó la voz. Pip se estremeció, pero no le hablaba a ella. Todavía seguía allí, conversando con Nat—. ¿Qué quieres?

Nat tosió con un sonido áspero y poco natural. Eso era una señal, Pip estaba segura.

Dejó la botella de nuevo sobre la mesa, exactamente donde la había encontrado, y se dio la vuelta. Gateó por el mismo camino por el que había venido.

—Solo quería decirte...

—¿Sí? —la apremió Max, impaciente.

Pip se levantó cuando pasó por detrás del borde del sofá. Los miró. Nat tenía un pie en el umbral, bloqueando la puerta.

—Que si la llevas a juicio, me tendrás allí cada día.

Caminó con sigilo, paso a paso. La mochila le raspaba los hombros y hacía demasiado ruido. Miró hacia delante, a los ojos de Nat sobre el hombro de Max.

—Testificaré en tu contra. Y las otras también, no me cabe ninguna duda.

Pip desvió la mirada y se centró en la puerta cerrada que tenía delante, la que daba al comedor. Max no iba a entrar allí, estaba segura. Podía esperarlo allí, o fuera.

—No te saldrás con la tuya una segunda vez. Te lo prometo. Te cogeremos.

Más roces. Tejido contra tejido. Y, entonces, escuchó un golpe sordo.

Alguien gruñó.

Max.

Pip no lo iba a conseguir. Demasiado rápido. Se fue corriendo hacia la derecha, a una puerta de listones de madera que había bajo la escalera. La abrió y entró a un pequeño espacio, entre una aspiradora y una mopa. Cerró la puerta.

Dio un portazo. Muy fuerte.

No, no había sido esa puerta.

Sino la principal.

El eco del portazo resonó por el recibidor.

No, no era un eco, eran pies.

Los de Max.

Golpeando contra el suelo de madera. Una mancha con forma de persona pasó por delante de los listones frente a ella.

Se paró, justo al otro lado, y Pip dejó de respirar.

Treinta y siete

Pip seguía sin respirar.

Acercó los ojos a la puerta de listones de madera y ajustó la vista a las rendijas.

Fuera, Max se dio la vuelta y pasó por delante de ella con una mano en la cara. Sobre el ojo.

Pip soltó aire con cuidado. La respiración le rebotó en la cara. Nat debía de haberle pegado. Eso había sido el golpe que había escuchado. No formaba parte del plan, pero había funcionado. Le dio a Pip el tiempo suficiente para esconderse en ese armario.

Max no la había visto; no sabía que había alguien dentro de su casa. Las pastillas estaban en su sitio, disueltas en la botella de agua. Lo había conseguido. La parte que a Ravi le preocupaba que lo fastidiara todo. Había conseguido mantener la compostura.

Y ahora tocaba esperar.

Max se alejó de ella y salió del salón hacia el arco de la cocina. Pip lo escuchó rebuscar entre los utensilios mientras rajaba algo en voz baja. Otro portazo. Volvió un minuto después con algo sobre el ojo.

Pip se movió para poder ver mejor a Max arrastrando los pies hasta el sofá. Llevaba algo de plástico verde; igual se trataba de una bolsa de guisantes congelados. Bien. Pip ya contaba con que Nat no se iba a contener. Aunque ahora Max tendría que explicar ese ojo morado para que encajase bien en la historia. No obstante, a lo mejor eso no era malo, quizá hasta le venía bien. Una pelea entre Max y Jason Bell. Jason le dio un puñetazo y Max salió corriendo, volvió con un martillo y lo golpeó desde atrás. Sí, el moratón que estaba apareciendo en la cara de Max podía encajar perfectamente en la historia que Pip estaba creando para ese hombre que aún no estaba muerto, a dieciséis kilómetros de allí.

Max se dejó caer en el sofá. Pip ya no le veía la cara, solo la nuca a través de los listones. Escuchó un gruñido y el ruido de la bolsa —seguramente los guisantes al moverse—. Se inclinó hacia delante y su cabeza desapareció detrás del sofá.

Pip no veía nada. No podía distinguir desde allí si estaba bebiendo agua.

Pero sí podía oírlo. El irritante sonido de la succión de la boquilla atravesándola de lleno.

Pip se levantó sin hacer ruido, con cuidado. La mochila se le enganchó con la aspiradora. La soltó y se puso recta a mirar otra vez entre los listones de madera. Desde esa altura sí lo veía. En una mano tenía los guisantes congelados sobre el ojo, con la otra agarraba la botella de agua. Dio al menos cuatro sorbos largos antes de volver a soltarla. No era suficiente. Tenía que bebérsela toda, o casi.

Sacó el teléfono de prepago del bolsillo de la sudadera. Eran las 20.57. Joder, casi las nueve. Pip había calculado que podrían ganar unas tres horas manipulando el cuerpo de Jason, lo que significaba que solo le quedaban treinta minutos para que se abriera la ventana de la hora de la muerte estimada. Debía empezar a crear su coartada en cuarenta y cinco minutos.

Y, aun así, en ese momento no podía hacer nada. Solo esperar. Observar a Max desde su escondite. Intentar jugar a ser Dios, utilizando ese lugar oscuro de su mente para obligarlo a beber más.

Sin embargo, Max no la escuchó. Se inclinó hacia delante, pero solo para posar el teléfono en la mesa. Luego cogió el mando de la consola y reanudó el juego. Muchos disparos, pero Pip solo escuchaba los seis que le atravesaban el pecho mientras la sangre de Stanley se le derramaba por las manos en la oscuridad del armario. La de Stanley, no la de Jason. Era capaz de diferenciarlas.

Max dio otro sorbo a las 21.00.

Otros dos a las 21.03.

Fue al baño del piso de abajo a las 21.05. Estaba justo al lado del armario de Pip y lo escuchaba todo. No tiró de cadena, y ella no respiró.

Otro sorbo a las 21.06 cuando volvió al sofá. Otra vez el sonido de succión de la boquilla. Soltó la botella de agua, la volvió a coger otra vez y se levantó. ¿Qué estaba haciendo? ¿Adónde se la llevaba? Pip no veía. Intentó mover la cabeza por todas las rendijas.

Max pasó bajo el arco de la cocina. Pip escuchó el sonido de un grifo abierto. Max volvió a aparecer con la botella azul en la mano, girando la muñeca para cerrar el tapón. La había llenado. Eso quería decir que se la había bebido toda, o casi.

Las pastillas habían desaparecido. Ahora estaban dentro de él.

Max se balanceó y se tropezó con su propio pie descalzo. Se quedó allí de pie durante un instante, parpadeando mientras se miraba los pies, como si estuviera confuso. La marca del golpe en el ojo se le estaba oscureciendo cada vez más.

Las pastillas debían de haber empezado a hacerle efecto. Una parte llevaba ya más de diez minutos en su cuerpo. ¿Cuánto tiempo iba a tardar en desmayarse?

Max dio un paso vacilante, balanceándose ligeramente, y luego otro rápido, apresurándose hacia el sofá. Se sentó y le dio otro sorbo a la botella de agua. Estaba mareado, Pip lo

335

sabía. Ella había tenido la misma sensación hacía ya casi un año, sentada frente a Becca en la cocina de los Bell, aunque a ella le habían dado más de dos miligramos y medio. Era agotamiento, como si el cuerpo se fuera separando de la mente. Pronto las piernas no podrían con su peso.

Pip se preguntó en qué estaría pensando él mientras reanudaba el videojuego y empezaba de nuevo a dar tiros, cubriéndose tras una pared en ruinas. A lo mejor creía que el mareo había sido causado por el puñetazo que Nat le había dado en la cara. Puede que se sintiera cansado y, mientras se iba quedando cada vez más dormido, se estaría diciendo que lo único que necesitaba era dormir un rato. Lo que no sabía, ni sospechaba, era que, en cuanto se quedara dormido, saldría de casa y mataría a un hombre.

La cabeza de Max se desplomó contra el brazo del sofá, sobre la bolsa de guisantes congelados. Pip no le veía la cara, no podía verle los ojos, pero debía de tenerlos abiertos, porque seguía disparando.

Aunque su personaje en la pantalla también se movía lentamente. Aquel mundo violento empezó a dar vueltas a su alrededor cuando Max perdió el control de sus pulgares.

Pip observaba con atención. Primero al videojuego, luego a Max.

Esperó. Esperó.

Miró la hora. Había perdido diez minutos.

Cuando volvió a levantar la mirada, ninguno de los dos se movía. Ni Max, tumbado en el sofá con la cabeza sobre el reposabrazos, ni su personaje virtual, de pie, quieto, en mitad del campo de batalla, con la barra de vida vaciándose mientras recibía un tiro tras otro.

«Eres hombre muerto», dijo el videojuego, fundiéndose a la pantalla de inicio.

Y Max no reaccionó, no se movió ni un ápice.

Ya se debía de haber desmayado, ¿verdad? Estaría inconsciente. Eran las 21.17, habían pasado veinte minutos desde que había dado el primer sorbo de agua.

Pip no lo sabía. Y tampoco cómo podía estar segura, atrapada en el armario bajo la escalera. Si salía de su escondite y él no estaba dormido, el plan se iría al traste, y ella también.

Con cuidado, Pip empujó la puerta de madera del armario y la abrió solo unos centímetros. Miró a su alrededor en busca de algo, algo pequeño, para probar. Se fijó en el enchufe de la aspiradora y en el largo cable que rodeaba la máquina. Eso serviría. Desenrolló parte del cable para tener margen, por si tenía que volver a enrollarlo y cerrar la puerta del armario si Max reaccionaba lo más mínimo.

Lanzó el enchufe hacia el salón. Hizo ruido y rebotó tres veces contra el suelo de madera.

Nada.

Max ni se inmutó. Seguía tumbado inerte en el sofá.

Estaba inconsciente.

Pip recogió el cable de la aspiradora. El plástico raspó con fuerza el suelo y Max seguía sin moverse. Volvió a enrollarlo y salió del armario cerrando la puerta.

Sabía que estaba dormido, pero, aun así, se movió con cuidado, poniendo un pie delante del otro hacia la alfombra, hacia el sofá, hacia él. A medida que se acercaba, le empezaba a ver la cara, con una mejilla aplastada contra el borde rígido del sofá, respirando profundamente y silbando por la nariz. Al menos respiraba, eso era bueno.

Pip se acercó a la mesa. Se le erizaron los pelos de la nuca. Sintió como si él la estuviera mirando, aunque le pesaban los párpados y los tenía cerrados. En uno de ellos empezaba a aparecer un cardenal. Parecía indefenso allí tumbado detrás de ella. Con una cara casi de niño, inocente. La gente siempre parece inocente mientras duerme; pura, apartada del mundo y de todos sus males. Pero Max no era inocente, ni se acercaba a serlo. ¿A cuántas chicas había mirado él así, tumbadas indefensas delante de él? ¿Alguna vez se había sentido culpable, como Pip un poco en ese momento? No, qué va; él era un secuestrador de los pies a la cabeza. Había nacido malo o se había vuelto malo, daba lo mismo.

Y Pip sabía que eso no era solo por su propia supervivencia; a esas alturas ya lo tenía bastante claro. Había pasado mucho tiempo calculándolo en el lugar oscuro de su cabeza.

Esto también era venganza.

El pueblo no era lo bastante grande para los dos. Ni el mundo. Uno de los dos tenía que irse, y Pip iba a pelear con uñas y dientes.

Se acercó y cogió el teléfono de Max con las manos cubiertas por los guantes. Se iluminó en cuanto lo levantó, y le dijo que ya eran las 21.19, y que más le valía que se diera prisa.

El símbolo en la parte de arriba le indicó que la batería estaba, al menos, por la mitad. Con eso debería bastar.

Pip se dirigió hacia la parte posterior del sofá. Silenció el teléfono de Max y, a continuación, se puso de rodillas y se quitó la mochila. Metió la mano dentro, sacó una de las bolsas transparentes para sándwiches y la cambió por la que tenía en el bolsillo y por el rollo de cinta americana.

Abrió la bolsa para sándwiches, metió el teléfono de Max y la cerró. Se puso de pie con un crujido de las rodillas y se giró hacia la puerta principal. Dejó la mochila en el suelo; todavía no había acabado, enseguida volvía. Antes tenía que darle el teléfono de Max a Jamie y a Connor.

Pasó frente a un aparador en el pasillo donde había un cuenco de madera lleno de monedas y llaves. Pip rebuscó hasta que encontró un llavero de Audi y lo sacó. Esas debían de ser las llaves del coche de Max. Las de la casa estaban en el mismo llavero. Pip también las iba a necesitar.

Con las llaves en una mano y la bolsa con el teléfono en la otra, Pip abrió la puerta de los Hastings y salió al frío de la noche, cerrando la puerta con cuidado. Bajó por el camino, no sin antes echar un vistazo rápido a las cámaras de seguridad tapadas con la cinta americana. Ella las veía, pero las cámaras a ella no.

Bajó hasta Tudor Lane, hasta llegar a la sombra del coche de Jamie.

La puerta del copiloto se abrió y Nat asomó la cabeza.

—¿Todo bien? —preguntó, y el alivio de sus ojos fue muy evidente.

—S-sí, todo bien —respondió Pip desprevenida—. ¿Qué haces todavía aquí, Nat? Tenías que irte en cuanto acabaras, quedar con tu hermano para tener tu coartada.

—No iba a dejarte aquí sola con él —dijo Nat con firmeza—. No hasta que supiera que estabas a salvo.

Pip asintió. Lo entendía. Aunque no habría estado sola —los hermanos Reynolds estaban montando guardia—, pero lo entendía.

—¿Ha ido bien? —preguntó Connor desde el asiento de atrás.

—Sí, está K.O. —dijo Pip.

—Siento haber tenido que pegarle. —Nat la miró—. Estaba intentando echarme y cerrar la puerta, y yo todavía te veía detrás de él, así que...

—No pasa nada —la interrumpió Pip—. Puede que hasta haya venido bien.

—Y me ha sentado de maravilla. —Nat sonrió—. Llevaba mucho tiempo queriendo hacer eso.

—Tienes que irte ya con tu hermano —la apremió Pip con la voz más severa—. Es muy poco probable que alguien crea a Max cuando diga que fuiste a su casa para hablar, pero quiero que estés lo más segura posible.

—Todo saldrá bien —respondió Nat—. Dan llevará ya cinco cervezas. Le diré que son las 20.45 y ni se dará cuenta. Kim está en casa de su madre con el bebé.

—De acuerdo. —Pip pasó a mirar a Jamie, que estaba frente al volante. Se inclinó sobre Nat para darle la bolsa con el teléfono de Max. Él la cogió y asintió, colocándosela sobre las piernas—. Ya lo he puesto en silencio —informó—. Y va bien de batería.

Jamie asintió de nuevo.

—He metido la dirección en el navegador por satélite —dijo, señalando el sistema GPS integrado del coche—. Luego solo hay que hacer dos giros a la derecha hacia Green Scene. Solo por carreteras secundarias.

—¿Tenéis los teléfonos apagados?

—Sí.

—¿Connor? —Lo miró.

—Sí —asintió él, con los ojos brillantes en la oscuridad del asiento trasero—. Lo apagué en casa. No los encenderemos hasta que no estemos seguros.

—Muy bien. —Pip soltó aire—. Cuando lleguéis, veréis que la puerta está abierta. No entréis, ¿entendido? No debéis entrar. Prometédmelo.

—No entraremos —aseguró Connor. Los hermanos se miraron.

—Prometido —añadió Jamie.

—Ni siquiera os asoméis a la puerta. Simplemente aparcad fuera, junto a la carretera —indicó Pip—. Pase lo que pase, no toquéis el teléfono de Max. En el césped hay varias piedras que delimitan el camino que lleva hasta la puerta. Dejad el móvil dentro de la bolsa detrás de la primera roca grande. Soltadlo allí y marchaos.

—Pip, lo hemos entendido —dijo Jamie.

—Lo siento, es que... no puede salir mal. Nada puede salir mal.

—Y no lo hará —la animó Jamie suavemente, para calmarle un poco los nervios—. Estamos contigo.

—¿Sabéis qué vais a hacer después? —preguntó Pip.

—Sí —respondió Connor, inclinándose hacia delante, hacia el brillo amarillo de la luz del retrovisor—. Hay un festival de cine de Marvel que empieza tarde, en Wycombe. Iremos allí. Encenderemos los móviles cuando lleguemos al aparcamiento. Haremos un par de llamadas y enviaremos algún mensaje mientras estemos allí. Hay cámaras por todas partes. Todo irá bien.

—De acuerdo. —Pip asintió—. Sí, es una buena idea, Connor.

Él le sonrió ligeramente, y ella se dio cuenta de que estaba asustado porque era consciente de que había ocurrido algo horrible y jamás sabría en qué había participado. Aunque podían imaginárselo. Seguramente lo averiguarían en cuanto saliera la noticia. Pero con tal de que nunca se dijera en voz alta, con tal de que ellos no lo supieran realmente, no cabía la menor duda. Connor no tenía de qué tener miedo; si algo salía mal, Pip sería la única responsable. El resto estaría a salvo. Estaban en la sesión golfa de una película; no sabían nada. Ella intentó transmitirles eso con los ojos.

—Una vez que hayáis salido de Green Scene —indicó Pip—, conduce durante unos cinco minutos y llámame desde el prepago para decirme que el teléfono de Max está colocado.

—Sí, sí, eso haremos —dijo Connor, enseñándole el viejo Nokia que ella les había dado.

—Vale, pues creo que ya está todo. —Pip se apartó del coche.

—Dejaremos a Nat en casa de su hermano y luego iremos directos allí —aclaró Jamie, arrancando el coche.

El ruido del motor interrumpió el silencio de la noche.

—Buena suerte —le deseó Nat, mirando a Pip a los ojos durante una milésima de segundo antes de cerrar la puerta.

Se encendieron las luces. Pip se protegió los ojos del brillo mientras retrocedía, observando cómo se alejaban. Pero solo un momento, no tenía tiempo para pararse ni para dudar, tampoco para preguntarse si estaba arrastrando a todos sus amigos con ella. No tenía tiempo.

Volvió a subir corriendo hasta la casa de los Hastings. Tuvo que probar con dos llaves antes de encontrar la correcta. Empujó la puerta con cuidado. Max estaba inconsciente, pero no quería tentar a la suerte.

Dejó las llaves del coche en el suelo del recibidor, cerca de su mochila, así no se olvidaría de cogerlas al salir. Tenía la mente dispersa, descolocada por la amabilidad de Jamie y la preocupación de Nat y el miedo de Connor, pero tenía que volver a centrarse. El plan estaba saliendo bien y redactó una nueva lista mental. La que Ravi y ella habían elaborado con todo lo que necesitaba coger en casa de Max.

Tres cosas.

Pip subió la escalera, giró hacia el pasillo y fue a la habitación de Max. Pip sabía cuál era. Ya había estado allí, cuando había descubierto que Andie Bell vendía droga. No había cambiado nada: la misma colcha granate, los mismos montones de ropa por el suelo.

También sabía que, detrás de ese poster de *Reservoir Dogs*, enganchado con una chincheta en el tablero de corcho, había una foto de Andie en *topless* que ella había dejado en la clase de Elliot Ward. Max la había encontrado y la había guardado todo este tiempo.

Saber que estaba allí le provocó ganas de vomitar, y una parte de ella quería arrancar la foto escondida y llevarse a Andie a casa con ella y con su fantasma. La pobre chica ya había sufrido bastante en manos de hombres violentos. Pero no podía hacer eso. Max no debía saber que alguien había estado allí.

Pip se fijó en la cesta blanca de la ropa sucia, llena a rebosar, con la tapadera peligrosamente inclinada. Levantó la tapa y revolvió entre las prendas. Menos mal que los guantes le cubrían las manos. A la mitad, encontró algo que le serviría. Una sudadera arrugada de color gris oscuro con cremallera. Pip la sacó y la tiró sobre la cama, y luego volvió a dejar el cestón como lo había encontrado.

A continuación fue al armario empotrado. Zapatos. Necesitaba un par. Preferiblemente unos con un patrón único en la suela. Pip abrió las puertas y se quedó mirando el interior. Buscó debajo del todo, en el caótico revoltijo de calzado. Se agachó y metió la mano. Si cogía los que se encontraban más al fondo, era probable que Max no se los pusiera muy a menudo. Pip descartó un par de zapatillas de deporte negras: las suelas estaban desgatadas por el uso. Encontró otro par cerca, unas deportivas blancas. Les dio la vuelta y siguió con la mirada las líneas en zigzag de la suela. Sí, esas servirían para dejar huellas. Además, no las utilizaba para correr a diario. Siguió buscando entre el montón de calzado hasta encontrar la pareja, y la sacó de entre un embrollo de cordones.

Se levantó y, justo cuando iba a cerrar las puertas del armario, algo le llamó la atención. Una gorra de color verde oscuro con un tic verde, colgada de uno de los tiradores. Sí, eso también le vendría bien. «Gracias, Max», pensó, añadiéndola a la lista mientras la cogía.

Con la sudadera gris, las deportivas blancas y la gorra entre los brazos, bajó acompasando los pasos con las profundas respiraciones de Max y dejó el montón de ropa junto a su mochila.

Una cosa más y se podía ir. Lo que más miedo le daba hacer.

Metió la mano en la mochila y sacó otra bolsa para sánd-wiches.

Aguantó la respiración, aunque no hacía falta. Si Max po-día escuchar algo, serían los latidos de su corazón lanzándo-se contra sus costillas. ¿Cuánto tiempo más podía seguir a ese ritmo antes de ceder y rendirse? Caminó en silencio de-trás de él, hacia el otro lado del sofá, donde estaba su cabeza, y escuchó el sonido de las respiraciones, que le movían el labio superior.

Pip se acercó un poco más y se agachó, insultando a su tobillo cuando el crujido del hueso resonó en la sala en silen-cio. Abrió la bolsa para sándwiches y la sostuvo bajo la cabe-za de Max. Con la mano enguantada, acercó el pulgar y el índice y, con cuidado, se los metió entre la melena rubia has-ta alcanzar el cuero cabelludo. Era imposible arrancar pelos con un cuidado extremo, pero era lo que tenía que hacer. No los podía cortar, necesitaba la raíz y las células de piel, por-que era lo que albergaba el ADN. Con mucho cuidado, aga-rró un mechón.

Tiró hacia atrás.

Max resopló. El pecho subió y bajó en una respiración muy profunda, pero él no se movió.

Pip notaba los acelerados latidos de su corazón hasta en los dientes mientras examinaba los cabellos atrapados entre sus dedos. Largos, ondulados, con algunos bulbos de piel en las raíces. No había muchos, pero tendría que servir. No que-ría arriesgarse a hacerlo de nuevo.

Bajó los dedos hasta la bolsa para sándwiches y los soltó. Los pelos rubios cayeron al el interior de la bolsa, casi invisi-bles. Se le quedaron un par pegados a los guantes de goma. Frotó la mano en el sofá para quitárselos, cerró la bolsa y se levantó.

En el recibidor, guardó la sudadera de Max en la bolsa

grande para congelados, los zapatos y la gorra en otra, y lo metió todo en su mochila. Estaba tan llena que le costó cerrar la cremallera, pero ya tenía todo lo que necesitaba. Introdujo la bolsa con el pelo en el bolsillo frontal y se puso la mochila.

Apagó la luz del salón antes de irse, no sabía muy bien por qué. Las luces amarillas, por muy intensas que fueran, no iban a sacar a Max de su sueño profundo. Pero no quería arriesgarse; tenía que seguir así cuando ella volviera en unas horas. Pip confiaba en las pastillas, como había hecho Max en incontables ocasiones a lo largo de su vida, pero no tenía fe ciega en nada. Ni siquiera en sí misma.

Pip cogió las llaves del suelo y cerró la puerta al salir. Apretó un botón en el llavero y las luces traseras del coche de Max parpadearon, avisándola de que estaba desbloqueado. Abrió la puerta del conductor, tiró las llaves en el asiento y volvió a cerrar. Caminó hacia la calle y dejó el coche atrás.

Se quitó los guantes de goma. Los tenía muy pegados por el sudor de las manos —o por la sangre de Stanley, estaba muy oscuro como para diferenciarlo—, y tuvo que arrancárselos con los dientes. El aire de la noche era frío y lo sentía demasiado rígido sobre la piel de los dedos mientras guardaba los guantes usados en el bolsillo de la sudadera.

Su coche la esperaba un poco más adelante. A ella y al siguiente paso del plan.

Su coartada.

Treinta y ocho

—Pero bueno, *quelle surprise*. ¿Qué estás haciendo aquí, *signorina*?

Al cabo de un instante, la sonrisa de Cara se desvaneció, cuando abrió del todo la puerta y la luz del pasillo iluminó los ojos de Pip. Se dio cuenta. Ella sabía que se daría cuenta. No era solo su amiga, sino como una hermana. Algo no cuadraba en la mirada de Pip, detrás de sus ojos. De algún modo, ese día largo y horrible estaba marcado en ellos y, por supuesto, Cara lo sabía. Pero no podía saberlo. No todo. Igual que los demás. La ignorancia los mantenía a salvo de ella.

—¿Qué pasa? —preguntó Cara, bajando el tono de voz una octava—. ¿Qué ha ocurrido?

El labio inferior de Pip tembló, pero consiguió detenerlo.

—Pues... —Empezó a decir, temblorosa. Dividida entre necesitar a Cara y mantenerla a salvo; a salvo de ella. Entre su vieja vida normal, ahí delante, mirándola, y lo que fuera que quedase de ella ahora—. Necesito tu ayuda. No hace falta que digas que sí, puedes decirme que me vaya, pero...

—Por supuesto. —Cara la interrumpió, le puso una mano sobre el hombro y la metió en la casa—. Entra. —Se pararon en el pasillo. Pip nunca había visto a Cara tan seria—. ¿Qué ha pasado? ¿Ravi está bien?

Pip negó con la cabeza y sorbió por la nariz.

—Sí, no, Ravi está bien. No tiene nada que ver con él.

—¿Tu familia?

—No, es... están todos bien —dijo Pip—. Es que... necesito que me ayudes con una cosa, pero no puedes saber por qué. No puedes preguntarme y no te lo puedo decir.

Los sonidos de fondo del televisor se callaron, unos pasos se arrastraban hacia ellas. Mierda, no era Steph, ¿verdad? Nonono. Nadie más podía enterarse de eso, solo sus personas, las que buscarían a Pip cuando desapareciera.

No era Steph. Apareció Naomi en el pasillo y levantó la mano con un pequeño saludo.

Pip no creyó que fuera a estar en casa, no había contado con que Naomi estuviera aquí. Pero no pasaba nada, ahora que lo pensaba. Había sido una de ellos, estaba en el mismo círculo. Si Cara era como una hermana, Naomi también. Y Pip ya no podía evitar involucrarla; el plan había cambiado y se había adaptado para recibir a una persona más.

Cara no había visto a su hermana.

—¿De qué cojones estás hablando, Pip? —insistió.

—Ya te lo he dicho. No te lo puedo contar. Ni ahora ni nunca.

Las interrumpieron, pero no fue Naomi, sino un tono de llamada agudo de 8 bits que venía del bolsillo de la sudadera de Pip.

Se le abrieron mucho los ojos. Y a Cara también.

—Lo siento, tengo que cogerlo —dijo Pip, metiendo la mano en el bolsillo para sacar el teléfono de prepago y aceptar la llamada.

Le dio la espalda a Cara y se llevó el móvil a la oreja.

—Hola —contestó.

—Hola, soy yo —dijo la voz de Connor al otro lado de la línea.

—¿Ha ido todo bien? —le preguntó Pip, mientras escuchaba de fondo a Naomi preguntándole a Cara qué coño estaba pasando.

—Sí, todo bien —confirmó Connor, casi sin respiración—. Ya estamos yendo a Wycombe. El teléfono está en su sitio, detrás de la primera roca. No cruzamos la puerta, ni siquiera miramos. Todo correcto.

—Gracias —dijo Pip. Se le soltó un poco el pecho—. Gracias, Co... —Casi pronuncia su nombre, pero se calló antes de que fuera demasiado tarde, mirando de reojo a Cara y Naomi. No debían saber quién más estaba involucrado, así estarían más seguras. Todos lo estarían—. Esta es la última vez que hablamos de esto. Nunca ha pasado, ¿entendido? No lo mencionéis jamás: ni por teléfono, ni en mensajes, ni siquiera entre vosotros. Nunca.

—Vale, pero...

Pip siguió hablando por encima de él.

—Ahora voy a colgar. Y quiero que destruyáis el teléfono. Partidlo por la mitad, y la tarjeta SIM también. Y luego tiradla en alguna papelera pública.

—Vale, vale. De acuerdo —asintió Connor. Y luego le dijo a su hermano—: Jamie, dice que rompamos el teléfono y lo tiremos a una papelera.

Pip escuchó la voz lejana de Jamie por encima del sonido de las ruedas.

—Eso está hecho.

—Te tengo que dejar —dijo Pip—. Adiós.

«Adiós.» Qué palabra tan convencional para una conversación tan poco convencional.

Pip colgó y bajó el teléfono. Se dio la vuelta muy despacio para mirar a Cara y a Naomi, una junto a la otra, detrás de ella, ambas con la misma mirada de confusión y miedo.

—¿Qué cojones pasa, tía? —dijo Cara—. ¿Con quién hablabas? ¿Y ese teléfono?

Pip suspiró. Hubo un tiempo en el que le contaba a Cara todo, cada detalle mundano de su día, y ahora no podía revelarle nada. Solo su parte. Había una brecha entre ellas que jamás había estado allí: sólida, indecible.

—No te lo puedo contar.

—Pip, ¿estás bien? —Ahora intervino Naomi—. Nos estás asustando.

—Lo siento. Es que... —La voz de Pip se separó de ella. Se veía incapaz. Quería darles una explicación, pero el plan no se lo permitía. Tenía que hacer otra llamada. En ese mismo instante—. Os explico enseguida lo que pueda. Pero antes tengo que llamar a alguien. ¿Puedo utilizar vuestro teléfono fijo?

Cara la miró perpleja, y Naomi juntó tanto las cejas que casi le tapaban los ojos.

—No entiendo nada —dijo Cara.

—Serán solo dos minutos, luego os lo explicaré. ¿Puedo llamar?

Las dos asintieron, despacio, inseguras.

Pip pasó junto a ellas hacia la cocina, y escuchó cómo la seguían hasta allí. Dejó la mochila encima de una de las sillas y abrió el bolsillo frontal para sacar la tarjeta de Christopher Epps. Descolgó el teléfono fijo de los Ward y marcó el número de móvil, memorizando las cifras de tres en tres.

Cara y Naomi la observaban desde atrás.

Un zumbido al otro lado de la línea, y alguien que carraspeaba.

—¿Diga? —contestó Epps, con un tono de voz inseguro. La inseguridad de que un número desconocido te llame por la noche.

—Hola, Christopher Epps —saludó Pip. Se aclaró la garganta para suavizar la voz—. Soy yo, Pip Fitz-Amobi.

—Ah. —Parecía sorprendido—. Ah —dijo otra vez, recuperando el control con otro carraspeo—. Claro.

—Lo siento —dijo Pip—. Ya sé que es sábado por la noche y es un poco tarde. Pero cuando me dio la tarjeta me dijo que lo llamara a cualquier hora.

—Sí, efectivamente —afirmó Epps—. Dígame, ¿qué puedo hacer por usted, señorita Fitz-Amobi?

—Pues, a ver. —Pip tosió un poco—. Hice lo que me aconsejó tras la reunión de mediación. Me tomé unas semanas para pensarlo, cuando se calmaron un poco las cosas.

—¿Sí? ¿Y ha llegado a alguna conclusión?

—Sí —dijo Pip, odiando lo que estaba a punto de decir, imaginando la mirada triunfal en la cara arrogante de Epps. Pero él no tenía ni idea de cuál era el motivo real de esa llamada—. Lo he estado pensando, mucho, y creo que tiene razón y que evitar el juicio es lo mejor para todos. Así que me parece que voy a aceptar el trato que me ofreció. Las cinco mil libras por daños y prejuicios.

—Me alegro mucho de oír eso, señorita Fitz-Amobi, pero no era solo el dinero, ¿recuerda? —dijo Epps, vocalizando exageradamente las palabras, como si estuviera hablando con un niño pequeño—. La parte más importante del trato era la disculpa pública y la declaración en la que se retractaría de las acusaciones difamatorias y explicaría que la grabación que publicó estaba manipulada. Mi cliente no aceptará ningún trato sin esas condiciones.

—Sí —siseó Pip apretando los dientes—. Lo recuerdo, gracias. Lo haré todo. El dinero, la disculpa pública, me retractaré y explicaré lo de la grabación. Todo. Solo quiero que esto acabe cuanto antes.

Escuchó un resoplido de satisfacción al otro lado del teléfono.

—Es la decisión correcta. Es lo mejor para todos los involucrados. Gracias por ser tan madura al respecto.

Pip apretó el teléfono, que se le incrustó en la mano. Empezó a ver rojo, pero parpadeó y desapareció.

—Sí, por supuesto. Y gracias por hacerme entrar en razón —dijo, sintiendo repugnancia hacia su propia voz—. Supongo que ya le puede decir a Max que acepto el trato.

—Sí, lo haré —aseguró Epps—. Se alegrará mucho. El lunes llamaré a su abogado y empezaremos a ponerlo todo en marcha. ¿Le parece?

—Bien —dijo Pip; una palabra sin sentido, vacía.

—Perfecto, pues que tenga una buena noche, señorita Fitz-Amobi.

—Igualmente.

La línea se cortó. Se imaginó a Epps, más allá de los pitidos del tono muerto, a miles de kilómetros, buscando otro número entre los contactos de su teléfono. Porque no era solamente el abogado de la familia; era un amigo de la familia. E iba a hacer exactamente lo que Pip quería.

—¿Estás tonta? —Cara la miró fijamente con los ojos muy abiertos. La cara que los rodeaba era más grande, pero los ojos eran los mismos que los de la niña de seis años a la que había conocido hacía tanto tiempo—. ¿Por qué mierda has aceptado el trato? ¿Qué cojones está pasando?

—Ya lo sé, ya lo sé —dijo Pip, levantando las manos—. Sé que todo esto no tiene sentido. Ha pasado algo, me he metido en un lío, pero voy a solucionarlo. Lo único que os puedo contar es lo que necesito que hagáis. Por vuestra propia seguridad.

—¿Qué ha pasado? —preguntó Cara con desesperación.

—No nos lo puede decir —le respondió Naomi, girándose hacia ella, comprendiendo lo que Pip estaba haciendo— porque quiere que tengamos la opción de negación plausible.

Cara volvió a mirar a Pip.

—¿A-algo malo? —preguntó.

Ella asintió.

—Pero todo irá bien, puedo hacer que salga bien, lo puedo solucionar. Solo necesito tu ayuda con una cosa. ¿Lo harás?

Cara chasqueó la lengua.

—¡Claro que te ayudaré! —exclamó en voz baja—. Sabes que mataría por ti, pero...

—No es nada malo. —Pip la interrumpió mirando el teléfono de prepago—. Mira, acaban de dar las 21.43, ¿ves? —dijo, enseñándoles la hora—. No me mires a mí, mira la hora, Cara. ¿La ves? No vas a tener que mentir. Lo único que ha pasado es que he llegado hace unos minutos y he llamado al abogado de Max desde vuestro fijo porque he perdido mi teléfono.

—¿Has perdido tu teléfono? —preguntó Cara.

—Eso no es lo malo que ha pasado —aclaró Pip.

—No me digas —ironizó Cara con una risa nerviosa.

—¿Qué necesitas que hagamos? —intervino Naomi, con los labios apretados en una línea recta—. Si tiene algo que ver con Max Hastings, ya sabes que puedes contar conmigo.

Pip no respondió a eso, no quería que supieran más de lo necesario. Pero se alegraba de que Naomi estuviera allí con ellas, tenía sentido, en cierto modo. El círculo cerrado.

—Solo tenéis que venir conmigo. En el coche. Pasar conmigo un par de horas, para que yo esté con vosotras y no en ningún otro sitio.

Lo entendieron, o casi. Pip lo supo por las expresiones en sus caras.

—Una coartada. —Cara verbalizó lo indecible.

Pip subió y bajó la cabeza con un movimiento casi imperceptible, ni siquiera podía decirse que hubiera asentido.

—No vais a tener que mentir —informó—. Sobre ningún detalle, nunca. Lo único que tenéis que decir, que saber, es lo que vamos a hacer exactamente. No estáis haciendo nada malo, ni ilegal. Estáis con vuestra amiga, eso es todo. Son las 21.44 y solo tenéis que venir conmigo.

Cara asintió. La mirada en sus ojos había cambiado, era más triste. Aún sentía miedo, pero no por ella, sino por la amiga que tenía delante, desmoronándose. A la que conocía de toda la vida. Amigas que morirían la una por la otra; que matarían la una por la otra, y Pip iba a ser la primera en beneficiarse de eso.

—¿Dónde vamos? —preguntó Naomi.

Pip soltó aire y puso una sonrisa torcida. Volvió a cerrar la cremallera de su mochila y se la colgó sobre los hombros.

—Nos vamos a McDonald's.

Treinta y nueve

No hablaron mucho durante el trayecto. No sabían qué decir, qué podían decir ni cuánto podían moverse. Cara iba en el asiento del copiloto, con las manos entre las piernas, los hombros arqueados y rígidos, ocupando el menor espacio posible.

Naomi estaba en el asiento de atrás, sentada demasiado recta, con la espalda apenas apoyada en el respaldo. Pip miró por el retrovisor y vio los haces de luz y las farolas arañar la cara de Naomi, devolviéndole la vida a sus ojos.

Pip se concentró en la carretera en lugar de en el silencio. Había estado conduciendo por las carreteras principales, intentando pasar por el mayor número posible de cámaras de tráfico. Esta vez sí quería que la vieran; ese era el objetivo. Hermética. Irrefutable. Si se diera el caso, la policía podría seguir el camino que Pip había hecho en su coche a través de los ojos de todas estas cámaras, rehacer sus pasos. La prueba de que ella estaba justo allí y no en otro sitio, matando a un hombre.

—¿Qué tal está Steph? —preguntó cuando el silencio del coche se hizo demasiado pesado.

Hacía un rato que había apagado la radio; era demasiado estridente, demasiado agresivamente normal para el trayecto menos corriente que harían jamás.

—Pues... —Cara tosió, mirando por la ventana—. Está bien.

Y ya. Otra vez silencio. Pero, a ver, ¿qué esperaba al involucrarlas en algo así? Era mucho pedir.

Pip vislumbró el cartel de McDonald's al frente; las luces del coche iluminaban la M dorada. Era un local en una estación de servicio a las afueras de Beaconsfield. Por eso lo habían elegido Ravi y ella: estaba plagado de cámaras.

Pip salió de la rotonda y entró en la estación de servicio, en el enorme aparcamiento aún abarrotado de coches pese a ser más de las diez.

Esperó a que se quedara libre un hueco en la parte de delante, justo al lado del gigantesco edificio acristalado gris. Aparcó y apagó el coche.

El silencio se hizo incluso más pesado ahora que el motor no lo enmascaraba. Lo aligeraron un grupo de hombres, claramente borrachos, que chillaban mientras se tambaleaban hacia la puerta del edificio muy bien iluminado.

—Sí que han empezado pronto —comentó Cara, señalando al grupo con un gesto de la cabeza, estirando las palabras en el silencio.

Pip se agarró a ellas con las dos manos.

—Como a mí me gusta —dijo—. Así estoy en la cama a las once.

—Sí, a mí también —añadió Cara, mirándola con una pequeña sonrisa—. Sobre todo si acaba con un buen kebab.

Pip se rio con una risa gutural que se convirtió en una tos. Se alegraba muchísimo de estar con ella, aunque se odiaba a sí misma por haber tenido que pedírselo.

—Siento todo esto —dijo, mirando hacia delante, a otro grupo de personas.

Personas en mitad de un viaje largo, personas que volvían a casa, o en trayectos más cortos. Personas de visita familiar con niños pequeños y adormilados, o que habían salido toda la noche, o incluso que estaban de vuelta y habían parado a por algo de comer. Gente normal viviendo sus vidas normales. Y luego estaban ellas tres en ese coche.

—No lo sientas —la animó Naomi, reposando una mano en el hombro de Pip—. Tú harías lo mismo por nosotras.

Tenía razón; lo haría y lo había hecho. Había guardado el secreto del atropello con huida en el que Naomi había estado involucrada. Pip había encontrado otra forma de exculpar a Sal para que Cara no perdiera a su hermana y a su padre a la vez. Pero eso no consiguió que se sintiera mejor por lo que ella les había pedido. Era el tipo de favor que nunca esperas necesitar que te devuelvan.

Pero ¿todavía no se había dado cuenta? Todo estaba volviendo; ese círculo cerrado, arrastrándolos a todos otra vez.

—Exacto —dijo Cara presionando el dedo en el rasguño mal cubierto en la mejilla de Pip, como si, tocándolo, le fuera a decir qué había pasado, eso que jamás sabría seguro—. Solo queremos que estés bien. Dinos qué tenemos que hacer, guíanos.

—De eso se trata —indicó Pip—. No tenemos que hacer nada, en serio. Solo actuar de forma normal. Felices. —Sorbió por la nariz—. Como si no hubiera pasado nada malo.

—Nuestro padre mató al hermano mayor de tu novio y tuvo a una chica encerrada en su estudio durante cinco años —se apresuró a decir Cara mirando a Naomi—. Tienes contigo a dos expertas en actuar con normalidad.

—A tu servicio —añadió Naomi.

—Gracias —dijo Pip, sabiendo, muy en el fondo, lo inadecuada que era esa palabra—. Pues vamos.

Pip abrió la puerta y salió del coche, cogiendo la mochila que le pasó Cara desde el otro asiento. Se la puso en el hombro y miró a su alrededor. Había una farola muy alta justo detrás de ella, iluminando el coche aparcado con un brillo industrial amarillo. A mitad del mástil, Pip vio dos cámaras oscuras, una apuntaba hacia ellas. Miró hacia arriba para estudiar el firmamento durante un segundo, para que la cámara captara bien su cara. Un millón de luces en la inmensa oscuridad del cielo.

—Venga —apremió Naomi, cerrando la puerta de atrás mientras se ponía una rebeca.

Pip cerró el coche con llave y pasaron las tres juntas por las puertas automáticas de la estación de servicio.

Todavía sentía esa vibración, esa energía que tienen las estaciones de servicio: el choque entre aquellos demasiado cansados y los que tenían demasiada energía, los que apenas estaban y los que acababan de empezar. Pip no se encontraba en ninguno de los grupos. Todavía no veía el final —esa noche tan larga lo sería aún más—, pero ya había superado la mitad del plan y había ido tachando elementos de su lista mental. Enterrándolos en lo más profundo. Solo tenía que continuar. Un pie delante del otro. Dos horas hasta que volviera a encontrarse con Ravi.

—Por aquí —indicó, llevando a Cara y a Naomi hasta el McDonald's al fondo del edificio.

Los hombres borrachos ya estaban allí, en una mesa central. Seguían gritando, pero ahora con las bocas llenas de patatas fritas.

Pip cogió una mesa cerca de ellos, pero no demasiado, y soltó la mochila en una silla. La abrió para sacar la cartera, y luego la volvió a cerrar antes de que Naomi y Cara vieran algo que no debían.

—Sentaos —las animó Pip, sonriendo a las cámaras, que no veía pero que sabía que estaban en alguna parte. Cara y Naomi se deslizaron por el sofá de plástico brillante, haciendo chirriar el material con el roce de la ropa—. Voy a por la comida. ¿Qué queréis?

Las hermanas se miraron.

—La verdad es que ya hemos cenado en casa —dijo Cara algo tímida.

Pip asintió.

—Entonces, una hamburguesa vegetal para ti, Naomi. Y *nuggets* de pollo para Cara, no tengo ni que preguntar. ¿Coca-Colas?

Las dos asintieron.

—Vale, perfecto. Ahora vuelvo.

Pasó junto a la mesa de los hombres borrachos con la cartera en una mano, hasta el mostrador. Había tres personas en la cola. Pip miró hacia delante, fichando las cámaras de seguridad que había en el techo, detrás de las cajas. Se echó unos centímetros hacia un lado, para que la cogieran bien esperando en la cola. Intentó actuar con normalidad, natural, como si no supiera que la estaban vigilando. Y no pudo evitar pensar en si eso era ahora lo normal para ella: actuar. Una mentira.

Pip avanzó cuando llegó su turno, sonriendo al cajero para disimular su indecisión. No le apetecía comer, igual que Cara y Naomi, pero daba igual lo que quisiera. Todo eso era un espectáculo, una interpretación frente a las cámaras, una narrativa creíble de los rastros que iba dejando atrás.

—Hola. —Sonrió, espabilándose—. Quiero un menú con la hamburguesa vegetal y dos menús de *nuggets* de pollo, por favor. Los tres con Coca-Cola.

—Marchando —dijo el cajero, tecleando algo en la pantalla—. ¿Alguna salsa?

—Eeeh..., solo kétchup, por favor.

—Perfecto. —Se rascó la cabeza por debajo de la gorra—. ¿Algo más?

Pip negó con la cabeza, intentando no mirar a la cámara que había detrás de la cabeza del cajero mientras este le cantaba el pedido a un compañero, porque estaría mirando directamente a los ojos del inspector que viera la grabación en las próximas semanas, retándolo a que se atreviera a no creerla esa vez. Seguramente sería Hawkins, ¿verdad? Jason era de Little Kilton, así que lo más probable fuera que su asesinato lo llevasen los agentes de la policía del Valle del Támesis que están en la comisaría de Amersham. Un nuevo juego con nuevos jugadores: ella contra el inspector Hawkins, y Max Hastings era su ofrenda.

—¡Ey! —El cajero se quedó mirándola con los ojos entornados—. Decía que son catorce libras con ocho peniques.

—Ay, perdona. —Pip abrió la cartera.

—¿Con tarjeta? —preguntó él.

—Sí —asintió ella, casi demasiado fuerte, saliéndose del personaje durante un instante.

Claro que tenía que pagar con tarjeta; debía dejar un rastro indiscutible de que hubiera estado allí a esa hora. Sacó su tarjeta y la colocó sobre el datáfono sin contacto. La máquina pitó y el cajero le dio el ticket. «Debería guardárselo también», pensó. Lo dobló y lo metió en la cartera.

—Enseguida sale —dijo el cajero, indicándole con un gesto que se apartara para poder atender al hombre que estaba detrás de ella.

Pip se puso a la izquierda y se apoyó sobre el panel iluminado con los menús, dentro del encuadre de la cámara. Cambió de expresión para Hawkins, despreocupada y sin pensar en nada, pero, en realidad, estaba imaginándoselo a él analizando la posición de sus pies, el arco de sus hombros y la mirada en sus ojos. Intentó no moverse demasiado mientras esperaba, por si acaso pensaba que estaba nerviosa. No lo estaba; solo había venido a por un poco de comida basura con sus amigas. Miró a Cara y Naomi y las saludó con la mano. «¿Ves, Hawkins? Solo estoy cenando con mis amigas, no hay nada que ver aquí.»

Alguien le dio a Pip su pedido y ella le dio las gracias, sonriendo para las cámaras, para Hawkins. Agarró las tres bolsas de papel con una mano y cogió la bandeja de plástico con las bebidas con la otra, caminando con cuidado hacia la mesa.

—Aquí tenéis. —Pip le pasó las bebidas a Cara y dejó las bolsas sobre la mesa—. Esto es lo tuyo, Naomi. —Le dio la primera bolsa.

—Gracias —dijo ella, dudando si abrirla o no—. Entonces... —continuó, buscando una respuesta en los ojos de Pip—, ¿comemos y hablamos?

—Exacto. —Pip se echó hacia atrás con una ligera risa, como si Naomi hubiera dicho algo divertido—. Comemos y hablamos, eso es todo. —Abrió su bolsa de papel y metió la mano para sacar la caja de seis *nuggets* y las patatas fritas. Algunas se quedaron en el fondo empapado—. Ah, tengo kétchup —informó, pasándole un sobre a cada una.

Cara lo cogió sin apartar la mirada del brazo estirado de Pip. Se le había subido la manga.

—¿Qué te ha pasado en la muñeca? —le pregunto con temor, mirando la piel raspada que la cinta adhesiva había dejado atrás—. ¿Y en la cara?

Pip carraspeó, tirando de la manga para cubrirse de nuevo la lesión.

—No podemos hablar de eso —zanjó, evitando la mirada de Cara—. Podemos hablar de cualquier cosa menos de eso.

—Pero si alguien te ha hecho daño podemos... —empezó a decir Cara, pero esta vez fue Naomi la que la interrumpió.

—¿Puedes traer unas pajitas? —preguntó, con tono de hermana mayor.

Cara las miró a las dos. Pip asintió.

—Vale —aceptó, levantándose del asiento y yendo hasta un mostrador a unas cuantas mesas de distancia, en el que había un dispensador de pajitas y servilletas. Volvió con unas cuantas de cada.

—Gracias —dijo Pip, clavando la pajita en la tapa de su Coca-Cola y dando un sorbo. Le quemó la garganta, irritada por los gritos.

Cogió un *nugget*. No quería comérselo, no podía, pero se lo metió en la boca y masticó de todos modos. Parecía de goma, y la lengua se le llenó de saliva. Hizo un esfuerzo para tragar y se dio cuenta de que Cara no había empezado a comer y la estaba mirando con demasiada intensidad.

—Es que —dijo esta, bajando la voz hasta un susurro— si alguien te ha hecho daño, lo mat...

Pip se atragantó y volvió a tragar la comida regurgitada.

—Oye, Cara —dijo cuando se recuperó—, ¿Steph y tú habéis decidido ya dónde vais a ir de viaje? Me contaste que te apetecía mucho Tailandia, ¿no?

Esta miró a su hermana antes de responder.

—Sí —comentó, abriendo por fin la caja de los *nuggets* y mojando uno en kétchup—. Queremos ir a Tailandia y bucear allí, creo. Steph también tiene muchas ganas de ir a Australia, así que igual hacemos algún *tour*.

—Qué pasada —dijo Pip, cogiendo algunas patatas y metiéndoselas en la boca—. No te olvides de meter el protector solar en la maleta.

Cara resopló.

—Qué típico de Pip.

—Bueno. —Esta sonrió—. Sigo siendo yo. —Esperaba que eso fuera verdad.

—No vas a hacer paracaidismo ni puenting ni nada de eso, ¿verdad? —preguntó Naomi, dándole otro mordisco a su hamburguesa vegetariana y masticando con incomodidad—. A papá le daría un patatús si se enterara de que te tiras de un avión o de un puente.

—No lo sé, la verdad. —Cara negó con la cabeza mirándose las manos—. Lo siento, es que todo esto es muy extraño. No...

—Lo estás haciendo muy bien —la animó Pip, dando un sorbo a la Coca-Cola para bajar otro bocado—. De verdad.

—Pero quiero ayudarte.

—Me estás ayudando. —Pip clavó la mirada en Cara, intentando decírselo telepáticamente.

Le estaban salvando la vida. Estaban sentadas en el McDonald's de una estación de servicio, obligándose a comer patatas, manteniendo una conversación forzada y extraña, pero le estaban salvando la vida de verdad.

Escuchó un golpe detrás de ella. Giró la cabeza y vio que uno de los borrachos se había tropezado con una silla y se había caído al suelo. Sin embargo, no era eso lo que había llegado a sus oídos. Y se sorprendió, en cierto modo, de que el sonido no fuera el cráneo de Jason Bell abriéndose. Seguía siendo un disparo abriendo un agujero sin arreglo en el pecho de Stanley Forbes. Tiñendo el sudor de sus manos de un rojo profundo y violento.

—¿Pip? —Cara la llamó—. ¿Estás bien?

—Sí. —Sorbió por la nariz y se limpió las manos en una servilleta—. Bien. Estoy bien. Oye. —Se inclinó hacia delante y señaló el teléfono de Cara, bocabajo sobre la mesa—. ¿Por qué no hacemos unas fotos? Y vídeos también.

—¿De qué?

—De nosotras —contestó Pip—. Pasándolo bien, actuando normal. Los metadatos registrarán las horas y la geolocalización. Venga.

Se levantó de la silla y se sentó en el sofá, junto a Cara. Cogió el teléfono y abrió la cámara.

—Sonreíd —pidió, sosteniendo la cámara para hacer un selfi de las tres.

Naomi levantó el vaso de McDonald's con una sonrisa falsa.

—Muy buena, Naomi —la felicitó Pip, analizando la foto.

Era evidente que las sonrisas no eran reales, ninguna de las tres, pero Hawkins no se daría cuenta.

Tuvo otra idea y se le erizó el vello de los brazos al ser consciente de dónde la había sacado. Sí, iba colocando un pie delante del otro por cada fase del plan, pero quizá sus pasos no fueran en línea recta. Estaban volviendo sobre ellos, hasta donde había empezado todo.

—Naomi —dijo, sosteniendo de nuevo la cámara—. En la siguiente, ¿puedes estar mirando tu teléfono? Con la pantalla hacia aquí, para que se vea en la foto. En la pantalla de bloqueo, para que se vea la hora.

Las dos se quedaron mirándola un instante, reconociendo la situación. Y puede que ellas también se hubieran dado cuenta de ese círculo cerrado que tiraba de las tres. Sabían de dónde venía la idea de la cámara. Había sido exactamente así como Pip había descubierto que los amigos de Sal Singh le habían robado la coartada. Una foto que había tomado Sal, y, en el fondo, una Naomi de dieciocho años mirando la pantalla de bloqueo de su teléfono, en la que se reflejaba la hora que lo desveló todo. Lo que demostró que Sal había estado allí mucho después de la hora a la que sus amigos dijeron que se había ido. Lo que probó que no había tenido tiempo para matar a Andie Bell.

—S-sí —respondió Naomi temblando—. Buena idea.

Pip vio los tres rostros en la pantalla del teléfono de Cara, esperando a que Naomi se colocara bien, preparando la foto. Y la sacó. Cambió de sonrisa y tomó otra. Cara estaba nerviosa a su lado.

—Vale —dijo, analizándola, mirando los pequeños números blancos en la pantalla de Naomi que les decían que la foto se había hecho a las 22.51 exactamente. Los números que la habían ayudado a resolver un caso y ahora la iban a ayudar a crear otro. Pruebas concretas. «A ver si eres capaz de no creerte esto, Hawkins.»

Hicieron más fotos. Y vídeos. Naomi grabó a Cara mientras comprobaba cuántas patatas fritas podía meterse a la vez en la boca, y cómo las escupía en la papelera mientras la mesa de borrachos la vitoreaba. Cara amplió la cara de Pip mientras bebía Coca-Cola, y amplió y amplió, hasta que lo único que se veía eran sus fosas nasales mientras preguntaba inocente: «¿Me estás grabando?». Una frase que habían preparado.

Era todo una interpretación. Todo falso, orquestado. Un espectáculo para el inspector Hawkins dentro de unos días. O incluso semanas.

Pip se obligó a comer otro *nugget* de pollo. Su estómago se quejó, en ebullición. Y, entonces, lo sintió. Ese regusto metálico al final de la lengua.

—Ahora vengo. —Se levantó abruptamente mientras las otras la miraban—. Tengo que hacer pis.

Pip corrió por el restaurante. Las deportivas chirriaban contra el suelo recién pulido mientras se dirigía al cuarto de baño.

Empujó las puertas y casi le da un golpe a alguien que se estaba secando las manos.

—Lo siento —consiguió decir a duras penas.

Se acercaba, ya estaba allí. Subiendo por la garganta.

Se metió a toda prisa en un cubículo y cerró de un portazo, pero no le dio tiempo a echar el pestillo.

Se puso de rodillas y se inclinó sobre el retrete justo a tiempo.

Vomitó. Un escalofrío le recorrió hasta las partes más profundas de su ser mientras volvía a arrojar. Su cuerpo convulsionaba, intentando deshacerse de toda esa oscuridad. Pero ¿acaso no sabía que estaba todo en su cabeza? Devolvió otra vez, trozos de comida sin digerir, y otra, hasta que no quedaba más que bilis. Hasta que no quedó nada, arcadas vacías, pero la oscuridad permaneció inamovible.

Pip se sentó junto al retrete y se secó la boca con el dorso de la mano. Tiró de la cisterna y se quedó un rato allí sentada, respirando con dificultad y con la cabeza apoyada sobre los azulejos de la pared del baño. El sudor le corría por la sien y por el interior de los brazos. Alguien intentó entrar en su cubículo, pero Pip sujetó la puerta con un pie.

No podía quedarse allí demasiado tiempo. Tenía que mantener la compostura. Si se desmoronaba, también lo haría el plan, y no sobreviviría. Solo le quedaban unas horas más, unos elementos más que tachar de la lista, y se acabaría todo. Estaría a salvo. «Levántate», se dijo, y el Ravi que vivía en su cabeza también se lo ordenó, así que tuvo que hacerle caso.

Se levantó temblando y abrió la puerta del cubículo. Había dos mujeres aproximadamente de la edad de su madre mirándola caminar hasta el lavabo para lavarse las manos. También se lavó la cara, pero no demasiado para no limpiar el maquillaje que cubría las marcas de la cinta. Se roció agua fría alrededor de la boca y se secó. Dio un sorbo.

Las mujeres la miraban cada vez con más atención, con una expresión de asco en el rostro.

—Demasiados Jägerbombs —explicó Pip, encogiéndose de hombros—. Tienes pintalabios en un diente —le dijo a una de las mironas antes de salir del baño.

—¿Todo bien? —preguntó Naomi cuando se volvía a sentar.

—Sí. —Pip asintió, pero todavía tenía los ojos llorosos—. No puedo comer más. —Apartó la bandeja y cogió el teléfono de Cara para comprobar la hora. Eran las 23.21. Tendrían que irse en unos diez minutos—. ¿Os apetece un McFlurry? —dijo, pensando en un último cargo en su tarjeta, otra miga de pan en el rastro que estaba dejando para Hawkins.

—No puedo comer nada más. —Cara negó con la cabeza—. Voy a acabar vomitando.

—Pues marchando dos McFlurrys. —Pip se levantó y cogió la cartera. Añadió, en voz baja—: Para llevar. O para tirar a la basura cuando os deje en casa.

Esperó de nuevo en la cola, avanzando a pequeños pasos. Pidió los helados, le dijo al cajero que le daba igual de qué sabor fueran. Pasó la tarjeta por el lector. El datáfono estaba de su parte, diciéndole a todo el mundo que había estado allí hasta las 23.30. Las máquinas no mentían, la gente sí.

—Ya estoy aquí —dijo Pip, dándoles el vaso demasiado frío de McFlurry, encantada de apartarse de su olor—. Vámonos.

Durante el camino de vuelta tampoco hablaron mucho, conduciendo esta vez en la otra dirección por las carreteras principales. Pip ya no estaba allí con ellas, se había adelantado, había vuelto a Green Scene y al río de sangre sobre el hormigón. Pensando en todo lo que a ella y a Ravi les quedaba por hacer. Memorizando cada paso, para que no se le olvidara nada. No se le podía olvidar nada.

—Adiós —se despidió, casi riéndose de lo ridícula y pequeña que sonaba esa palabra, mientras Cara y Naomi salían de coche con los helados intactos en las manos—. Gracias. Nunca voy a... No os voy a poder agradecer lo suficiente que... Pero no podemos volver a hablar de ello. Ni mencionarlo. Y, recordad, no hace falta que mintáis. He venido aquí, he llamado por teléfono, hemos ido a McDonald's y os he dejado en casa después. —Pip miró la hora en el salpicadero—. A las 23.51. Eso es todo lo que sabéis, y todo lo que tenéis que decir si alguna vez os preguntan.

Asintieron. Ya lo habían entendido.

—¿Vas a estar bien? —preguntó Cara, con la mano sobre la puerta del coche.

—Creo que sí. Espero que sí.

La verdad era que aún había muchas cosas que podían salir mal. Quizá todo esto hubiese sido en vano y Pip no volvería a estar bien jamás. Pero no podía decirles eso.

Cara dudaba, esperando una respuesta más contundente, pero Pip no podía dársela. Debió de darse cuenta, volvió a entrar y le apretó la mano a Pip antes de cerrar la puerta y marcharse.

Las dos hermanas se quedaron mirando cómo salía marcha atrás del camino, con una última despedida.

Muy bien. Asintió para sí misma mientras bajaba por la colina. Coartada: hecho.

Siguió la luna y el plan, que, en ese momento, eran lo mismo y la llevaban primero a casa y luego con Ravi.

Cuarenta

Sus padres ya estaban en la cama cuando Pip llegó, esperándola despiertos. Bueno, al menos uno de los dos.

—Te dije que no volvieras tarde —susurró su madre, entornando los ojos bajo la tenue luz de la lámpara de la mesita de noche—. Nos levantamos a las ocho para ir a Legoland.

—Son solo las doce y poco. —Pip se encogió de hombros desde la puerta—. Por lo visto, las noches acaban mucho más tarde en la universidad. Estoy entrenando.

Su padre gruñó medio dormido, con el libro abierto sobre el pecho.

—Ah, he perdido el teléfono —susurró Pip.

—¿Cómo? ¿Cuándo? —dijo su madre, intentando (sin éxito) hablar en voz baja.

Otro gruñido de acuerdo de su padre, aunque no tuviera ni idea de respecto a qué estaba mostrando su acuerdo.

—Mientras corría, creo —explicó Pip—. Se me habrá salido del bolsillo y no me he dado cuenta. La semana que viene me compro otro, no te preocupes.

—Debes tener más cuidado con tus cosas. —Su madre suspiró.

Bueno, Pip iba a perder y a romper mucho más que su teléfono esa noche.

—Sí, ya lo sé. La vida adulta. También estoy entrenando para eso. En fin, me voy a la cama. Buenas noches.

—Buenas noches, cariño —le deseó su madre, seguido de un gruñido de su padre.

Pip cerró con cuidado la puerta y, mientras caminaba por el descansillo, escuchó a su madre decirle a su padre que dejara el libro si ya estaba dormido, por el amor de Dios.

Pip entró en su habitación y cerró la puerta. Fuerte —no lo suficiente como para despertar a un Josh que ya estaba gruñón—, pero lo bastante como para que su madre escuchara que se estaba preparando para dormir.

Olía a lejía allí dentro. Pip abrió el armario y se agachó para mirar el interior del cubo. Había ropa y trozos de cinta americana flotando. Volvió a sumergir las deportivas. Las marcas azules de los laterales habían empezado a volverse blancas, desapareciendo entre el material. Al igual que las manchas de sangre de las puntas.

Bien. Todo iba según lo planeado. Aunque no del todo. Ya llegaba tarde a reunirse con Ravi. Tenía la esperanza de que no estuviera allí, muerto de miedo, aunque a él lo conocía mejor que a la esperanza. Pip tenía que esperar solo unos minutos más. Hasta que su madre se durmiera.

Volvió a comprobar la mochila y lo guardó todo otra vez en el orden en el que creía que lo iba a ir necesitando. Añadió otra goma más a la coleta, intentando hacer un moño despeinado, y luego se puso uno de los gorros de lana para asegurarlo todo, guardando cualquier mechón de pelo suelto. Luego metió los brazos por las asas de la mochila y esperó junto a la puerta del dormitorio. La abrió lentamente, moviéndose a medio centímetro por hora para no hacer ningún ruido, y asomó la cabeza para mirar el descansillo. Se quedó observando la tenue luz amarilla que salía por la rendija de la puerta de sus padres, de la lamparita de la mesita de noche de su madre. Ya escuchaba los ronquidos de su padre, y los utilizó para medir el tiempo que se iba escapando.

La luz se apagó, dejando solo la oscuridad, y Pip esperó unos minutos más. Luego cerró la puerta de su habitación y cruzó el pasillo con pasos lentos y silenciosos. Bajó la escalera, acordándose esta vez de no pisar el escalón que crujía. El tercero empezando por abajo.

Salió de nuevo al frío de la noche, tirando muy despacio de la puerta para que el único ruido que hiciera fuese el del clic de la cerradura entrando en el mecanismo. Su madre tenía el sueño muy profundo, de todos modos. No le quedaba otra, teniendo en cuenta los gruñidos y los ronquidos del hombre junto al que dormía.

Pip bajó por el camino, pasó junto al coche aparcado y giró a la derecha hacia Martinsend Way. Aunque era tarde, estaba oscuro y estaba andando sola, no tenía miedo. Y, si lo tenía, era un miedo tonto, un miedo normal, casi imperceptible junto al terror que había sentido hacía tan solo unas horas, cuyas marcas aún estaban por todo su cuerpo.

Pip vio primero el coche; un Audi negro, esperando en una esquina, el cruce en el que la calle de Pip se encontraba con la de Max.

Ravi debió de verla, porque las luces del coche de Max parpadearon, creando dos embudos blancos en mitad de la noche. Ya eran bastante más de las doce. Seguro que Ravi estaba acojonado por la hora, pero ya había llegado.

Pip abrió la puerta con la manga y se sentó en el asiento del copiloto.

—Llegas dieciocho minutos tarde. —Ravi la miró, con los ojos abiertos de miedo, justo como ella se había imaginado—. He estado esperándote. Pensaba que te había pasado algo.

—Lo siento —se disculpó ella, cerrando la puerta utilizando de nuevo la manga de la sudadera—. No ha pasado nada. Simplemente me he retrasado un poco.

—«Un poco» son seis minutos —le reprochó él, sin dejar de mirarla—. Yo he llegado un poco tarde. He tardado más en atravesar el bosque hasta casa de Max de lo que pensaba. Dieciocho minutos es «muy tarde».

—¿Cómo te ha ido? —preguntó Pip, inclinándose hacia delante para apretar su frente contra la de él, como siempre le hacía él a ella para llevarse la mitad de sus dolores de cabeza, la mitad de sus nervios, decía. Pip pretendía llevarse la mitad de su miedo, porque era el miedo normal, y ese podía soportarlo.

Y funcionó. Ravi relajó la expresión un poco cuando ella se apartó.

—Bien —dijo—. Ha ido todo bien por mi parte. Fui al cajero y a la gasolinera. Pagué todo con tarjeta. Así que sí, bien. Rahul me ha dicho que parecía distraído, pero simplemente creyó que habíamos discutido o algo. Sin problema. Mi madre y mi padre piensan que estoy durmiendo. ¿Y a ti? ¿Te ha ido todo bien?

Pip asintió.

—No sé cómo, pero todo ha salido a la perfección. Cogí todo lo que me hacía falta de la casa Max. ¿Has tenido algún problema con el coche?

—Es evidente que no —dijo, mirando por todo el interior del vehículo con sus ojos oscuros—. Tiene un coche que te cagas, cómo no. Dentro de la casa todo parecía seguir tranquilo. Oscuro. ¿Tardó mucho en desmayarse?

—Quince o veinte minutos —respondió ella—. Nat tuvo que darle un puñetazo para concederme más tiempo, pero creo que la historia quedará mejor así.

Ravi se quedó pensando un instante.

—Sí, y puede que Max crea que por eso le duele tantísimo la cabeza mañana. ¿Y el teléfono?

—Connor y Jamie lo colocaron sobre las 21.40. Llamé a Epps justo después.

—¿Y tu coartada? —preguntó.

—La tengo. Desde las 21.41 hasta medianoche. Me han visto muchas cámaras. Y mi madre me ha escuchado irme a dormir.

Ravi asintió para sí, mirando por el parabrisas el aire que flotaba por los haces de luz de los faros.

—Ahora solo queda esperar que hayamos conseguido retrasar el momento de la muerte al menos tres horas.

—Hablando de eso —dijo Pip, buscando algo en su mochila—. Tenemos que volver ya y darle otra vuelta. Lleva un buen rato tumbado de ese lado.

Sacó un montón de guantes de látex y le dio un par a Ravi, junto con el otro gorro de lana.

—Gracias —dijo él, poniéndose el gorro. Pip lo ayudó para que no quedara fuera ni un solo pelo. Luego se quitó las manoplas moradas que llevaba puestas y estiró la mano dentro de los guantes transparentes—. Ha sido lo único que he encontrado en mi casa, son de mi madre—. Le dio las manoplas moradas a Pip, que las guardó en la mochila—. Ya sé qué comprarle por su cumpleaños. —Arrancó el coche y el motor murmuró tranquilo, vibrando bajo los pies de Pip—. ¿Carreteras secundarias?

—Carreteras secundarias —respondió ella—. Vámonos.

Cuarenta y uno

Las puertas de Green Scene los miraron, abiertas pero no acogedoras, devolviéndoles las intensas luces de los focos directamente a los ojos.

Ravi aparcó fuera y apagó el coche. Cuando todo estuvo en silencio, escucharon el ruido de otro motor vagando en la noche. Era el del coche de Jason Bell, detrás de las puertas, refrescando el cadáver.

Pip salió del vehículo y cerró la puerta. El ruido sonó como el estruendo de un rayo que atravesaba la noche. Pero si nadie podía escuchar sus gritos, eso tampoco lo oiría nadie.

—Espera —le dijo a Ravi cuando lo vio salir del coche e ir hacia la puerta—. El teléfono —le recordó, mientras se acercaba a las rocas que delineaban el camino que conectaba la carretera con la puerta.

Se detuvo ante una roca grande, la que más cerca estaba. La rodeó y se agachó. Suspiró aliviada. Allí estaba, esperándola, el teléfono de Max en la bolsa hermética para sándwiches.

Pip dio las gracias mentalmente a Connor y Jamie mientras recogía el teléfono. Con los guantes y a través de la bolsa de plástico, pulsó el botón lateral y se iluminó la pantalla de bloqueo. Sus ojos la recorrieron. La luz blanca era tan brillante que Pip creyó ver un halo plateado fantasmal a su alrededor, acercándose a ella. Y a lo mejor lo era: ya había muchos fantasmas. Se había añadido a Jason a la lista de las cinco mujeres a las que había matado, y el propio fantasma de Pip, desconectado del tiempo, acechando calle arriba y calle abajo desde una pantalla de ordenador. Pip entornó los ojos y miró más allá de la luz brillante.

—Sí —siseó, girándose y levantando el pulgar hacia Ravi.

—¿Qué tenemos? —preguntó él, acercándose.

—Una llamada perdida de Christopher Epps, a las 21.46. Otra de Mami a las 21.57, y otra más a las 22.09. Y, por último, una de Papá a las 22.48.

—Perfecto. —Ravi sonrió y sus dientes brillaron en la noche.

—Perfecto —concordó Pip, metiendo el teléfono embolsado en su mochila.

Pensaban que estaban llamando a Max para darle buenas noticias; que Pip había aceptado el trato y que iba a retractarse de su declaración. Pero eso no era lo que habían hecho; habían caído justo en la trampa que Pip y Ravi habían urdido. Esas llamadas al teléfono de Max habían llegado a través de la torre de telefonía móvil que había allí. Lo que significaba que habían localizado a Max, y a su teléfono, exactamente donde la policía encontraría a un hombre muerto. En la escena del crimen, dentro de la ventana de tiempo manipulada de la hora estimada de la muerte.

Porque Max Hastings mató a Jason Bell, no Pip. Y sus padres y su abogado la acababan de ayudar a conseguirlo.

Pip se levantó y Ravi le dio la mano, entrelazando los dedos, con los guantes enganchados.

Ravi apretó.

—Ya casi estamos, Sargentita —la animó, dándole un beso en la ceja, donde tenía la herida de haber arrancado la cinta—. Un último empujón.

Pip le inspeccionó el gorro para asegurarse de que no se le salía ningún pelo.

Ravi le soltó la mano para dar una palmada.

—Pues vamos al lío —dijo.

Cruzaron las puertas. Sus pasos hacían crujir alternamente la gravilla. Fueron hacia los profundos ojos rojos que brillaban en la oscuridad; las luces traseras del coche de Jason y el tranquilo suspiro del motor en marcha.

Pip volvió a mirar su reflejo en la ventanilla del asiento trasero. Tenía esa larga noche pintada en la cara. Abrió la puerta.

Dentro hacía frío, mucho frío, sus dedos lo notaron a través de los guantes al cruzar el umbral. Se inclinó hacia el interior y veía el vaho de su propia respiración delante de ella.

Ravi abrió la puerta opuesta.

—Joder, qué frío —se quejó, agachándose y preparando los brazos. Agarró a Jason por los tobillos, por encima de la lona negra. Miró hacia arriba para ver a Pip colocar las manos bajo los hombros del cadáver—. ¿Lista? —preguntó—. Tres, dos, uno, vamos.

Lo levantaron y Pip alzó una rodilla para asegurar el cuerpo, apoyando el pie sobre el asiento.

—Lista —dijo.

Tenía los brazos más débiles y le costaba sujetar el peso, pero la promesa de supervivencia la mantenía activa. Con cuidado, usando la rodilla como guía, doblaron la lona negra, le dieron la vuelta al cuerpo y volvieron a colocarlo en el asiento. Otra vez bocabajo, de la misma forma en la que había muerto.

—¿Cómo va? —preguntó Ravi mientras Pip levantaba una parte de la lona e intentaba ignorar el destrozo de la cabeza de Jason.

Se sentía desconectada de la persona que había hecho eso, porque ya había vivido cien vidas desde entonces. Pip le tocó el cuello para notar los músculos bajo su piel. Luego bajó hasta los hombros, y palpó por encima de la camisa ensangrentada.

—El *rigor mortis* ha empezado —informó—. Se deja notar en la mandíbula y en el cuello, pero no ha bajado mucho más.

Ravi se quedó mirándola con intriga.

—Eso es bueno —dijo Pip, respondiendo a la pregunta no pronunciada—. Quiere decir que hemos conseguido retrasar el inicio... bastante. Ni siquiera le ha llegado a los antebrazos todavía. Normalmente tarda en ser general entre seis y doce horas. Ya hace más de seis horas que murió y está presente solo en la parte superior del cuerpo. Es una buena señal —afirmó, intentando convencerse tanto a ella misma como a Ravi.

—Vale —aceptó él. La palabra se le escapó de la boca como un cúmulo de nubes en el aire frío—. ¿Y lo otro?

—La lividez —dijo Pip.

Apretó los dientes y levantó un poco más la lona. Se inclinó y fue levantando centímetro a centímetro la camisa de Jason, acercándose un poco más a la piel que escondía debajo.

Parecía amoratada; moteada con un tinte rojo oscuro de la sangre que se había acumulado dentro.

—Sí, ha empezado —observó Pip, metiendo una pierna en el coche para poder acercarse más. Se estiró sobre el cadáver y presionó la piel de la espalda de Jason con el dedo protegido por el guante. Cuando lo apartó, la marca permaneció. Una forma ovalada, una isla rodeada de piel descolorida—. Vale, no está fijo, todavía se blanquea.

—Y eso quiere decir...

—Pues que ahora que le hemos dado la vuelta, la sangre volverá a moverse, y empezará a acumularse en otro sitio. Así parecerá que no lleva ya cinco horas en la misma posición. Nos ha dado tiempo.

—Gracias, gravedad —dijo Ravi, asintiendo—. La jugadora más valiosa.

—Ya, bueno. —Pip sacó la cabeza y se apartó de la puerta del coche—. Ahora esos dos procesos van a dar un buen acelerón, porque es hora de...

—Meterlo en el microondas.

—¿Puedes dejar de decir eso?

—Solo estoy aportando el toque cómico al asunto —se defendió Ravi con seriedad, levantando las manos cubiertas por los guantes—. Ese es mi trabajo en este equipo.

—Te malvendes —dijo Pip, y señaló a las bolsas de hielo repartidas por el interior del coche—. ¿Las puedes recoger?

Y eso hizo, poniéndoselas una encima de la otra sobre los brazos.

—Todavía están congeladas. Hemos conseguido que haga mucho frío aquí.

—Sí, lo hemos hecho bien —afirmó Pip.

Fue a la parte delantera del coche y abrió la puerta del conductor.

—Voy a llevar esto a su sitio —dijo Ravi, señalando las bolsas de hielo con la cabeza.

—Vale. Enjuágalas, por si huelen a... bueno, ya sabes —gritó Pip—. Ah, Ravi, mira a ver si hay productos de limpieza. Espray antibacterias y algunos trapos. Y una escoba, por si tenemos que barrer algún pelo.

—Vale, lo busco —dijo, marchándose hacia el edificio de oficinas pisando con fuerza la gravilla.

Pip se sentó en el asiento del conductor y miró atrás por encima del hombro, al cadáver de Jason Bell, sin apartar la vista de él. De nuevo solos. Los dos en ese pequeño espacio limitado. Y, a pesar de que estaba muerto, Pip no confiaba en que no fuera a cogerla en cuanto le diera la espalda. «No seas tonta.» Estaba muerto, llevaba seis horas muerto, aunque pareciera que solo habían sido dos. Muerto y desamparado, aunque tampoco es que se mereciera ninguna ayuda.

—No intentes que sienta pena por ti —le dijo Pip en voz baja, dándose la vuelta para analizar los botones y diales del panel de control—. Malvado hijo de mil hienas.

Agarró el dial —que estaba al máximo de frío— y lo giró por completo hasta el otro lado, hasta que el punto señaló un rectángulo rojo. El sistema ya estaba en el número más alto, el cinco, y el aire siseaba con fuerza al entrar por los ventiladores. Pip puso la mano enguantada delante de uno de ellos y la mantuvo allí hasta que el aire empezó a salir caliente, demasiado caliente. Como si se apuntara a los dedos con un secador. Eso no era una ciencia exacta; no sabía cuánto iba a conseguir subir la temperatura de Jason, pero a ella el aire le parecía bastante caliente, y tenían tiempo para atemperarlo mientras se encargaban del resto de la escena. Pero no demasiado, porque el calor aceleraría el *rigor mortis* y la lividez. Tenía que hacer malabarismos con los tres factores.

—Que lo disfrutes —dijo Pip, saliendo del coche y cerrando la puerta.

También cerró las otras puertas, sellando a Jason de nuevo en el interior del coche, su tumba temporal.

Escuchó un ruido detrás de ella. Pasos.

Pip se giró, lista para soltar un grito ahogado. Pero solo era Ravi que volvía del edificio de oficinas.

Lo regañó con la mirada.

—Lo siento —se disculpó—. Mira lo que he encontrado.

—En una mano llevaba una bolsa del supermercado llena de botes de esprays antibacterias, lejía y trapos. Encima había un alargador industrial negro. En la otra mano, sujeta en el hueco del codo y enrollada alrededor del cuello, tenía una aspiradora. Roja, con los ojos mirando tímidamente hacia el cielo—. He encontrado a Henry Hoover —bromeó, sacudiendo la máquina para que pareciera que saludaba.

—Ya lo veo —dijo Pip.

—Y este cable supergrande para poder ir a todos los sitios en los que estuviste, por si se hubiera quedado algún pelo. En el maletero también. —Señaló el coche de Jason con un movimiento de la cabeza.

—Sí —dijo Pip. La inocente sonrisa de Henry Hoover la ponía nerviosa. Una sonrisa eterna, supercontento por ayudarlos a limpiar la escena de un crimen—. Aunque me temo que te ha robado tu puesto.

—¿El toque cómico? —preguntó Ravi—. No pasa nada, él está mejor preparado. Además, tengo un papel más de líder. El cofundador del equipo Ravi y Pip.

—¿Ravi?

—Sí, ya, perdona, estoy nervioso. Todavía no estoy acostumbrado a ver un cadáver de cerca. Vamos a seguir.

Empezaron en el almacén, pasando con cuidado por encima del charco de sangre. Eso no lo tenían que limpiar, se quedaría allí, sin tocar; Max tenía que haber matado a Jason en algún sitio, al fin y al cabo. Y necesitaban la sangre como señal, para mostrar a las primeras personas que llegaran a la escena que había pasado algo malo —muy malo—, y que buscaran un cadáver, y lo encontraran, mientras Jason estuviera aún caliente y rígido. Eso era muy importante.

Ravi conectó el alargador en un enchufe del almacén más grande —donde se guardaban todas las máquinas— y empezó a aspirar. Recorrió todos los sitios que Pip le señaló. Por todos los lugares por los que la había arrastrado, los sitios por los que había andado y corrido con un pánico ciego. También en todas las partes en las que él había estado. Con cuidado, para dejar un margen alrededor de donde había muerto Jason y del río de sangre.

Pip se puso con las estanterías. El limpiador en una mano y el trapo en la otra. Subió y bajó por la que estaba volcada, por las patas metálicas, rociando y limpiando cada rincón que había tocado o con el que se había rozado. Cada lado, cada ángulo. Buscó la tuerca y el tornillo que había quitado y también los limpió. Sus huellas ya estaban registradas; no podía dejar ni media marca aquí.

Subió de nuevo por la estantería volcada, como una escalera, pasando el trapo meticulosamente por todo lo que pudiera haber tocado: el borde de las baldas metálicas, las cubas de plástico llenas de herbicida y fertilizante. La pared y la ventana rota, hasta los trozos de cristales que quedaban enganchados en el marco, por si los hubiera tocado.

Volvió a bajar con cuidado, sorteando a Ravi, que pasaba la aspiradora de arriba abajo, y fue hasta la caja de herramientas en la mesa de trabajo del fondo. Pip lo sacó todo; podía haber tocado cualquier cosa cuando sus manos habían rebuscado en su interior. Una a una, limpió todas las herramientas, incluso las brocas y el montaje del taladro. Vació una de las botellas de limpiador y tuvo que ir a por otra para continuar. Había tocado la nota del equipo azul, se acordó de pronto. La despegó, la arrugó y la metió en el bolsillo de la mochila para llevársela a casa.

La sangre del martillo estaba casi seca cuando Pip lo cogió de donde descansaba. Había pelos de Jason pegados. Pip dejó ese extremo tal cual y limpió el mango, una y otra vez, eliminando cualquier rastro de ella. Lo colocó cerca del río de sangre, introduciéndolo en la escena.

Los picaportes de las puertas, las cerraduras, el llavero de Jason con todas las llaves de Green Scene, interruptores, el armario del edificio de oficinas que había tocado Ravi. Todo. Limpió y limpió una y otra vez. De nuevo las baldas, para asegurar.

Cuando Pip por fin levantó la mirada, tachando otro elemento de su lista mental, miró la hora en el teléfono de prepago. Acababan de pasar las 2.30 de la madrugada; llevaban cerca de dos horas limpiando, y Pip estaba acalorada y empapada en sudor bajo la sudadera.

—Creo que he acabado —dijo Ravi, reapareciendo desde el almacén más grande con un bidón vacío en las manos.

—Sí. —Pip asintió, casi sin respiración—. Solo queda el coche. Sobre todo el maletero. Y las llaves. Pero ya han pasado casi dos horas —dijo, mirando la puerta abierta del almacén, a la oscuridad de la noche—. Creo que es el momento.

—¿De sacarlo? —Ravi quiso estar seguro.

Pip se dio cuenta de que él estuvo a punto de hacer una broma del tipo «sacarlo del horno», pero se lo había pensado mejor.

—Sí. Vamos a darle la vuelta otra vez. Aunque no quiero que el *rigor mortis* avance demasiado, tiene que estar rígido cuando lo encuentren. Creo que el coche debe de estar a unos cuarenta grados ya, puede que incluso más. Con suerte, su temperatura corporal ha vuelto a subir a unos treinta y poco. Empezará a enfriarse otra vez en cuanto lo saquemos. Bajará unos 0,8 grados cada hora hasta que alcance la temperatura ambiente.

—Explícamelo con términos de *Cómo defender a un asesino* —pidió Ravi, pasando los dedos por el borde del bidón.

—A ver. Si lo encuentran y los técnicos de emergencias lo examinan por primera vez a las seis de la mañana, es decir, dentro de tres horas y media, si hacemos la regla de los 0,8 grados a la inversa, deberían establecer que murió entre las nueve y las diez. La tasa de *rigor mortis* y lividez debería corroborarlo.

—Vale —dijo Ravi—. Pues vamos a sacarlo.

Salieron los dos hacia el coche de Jason y miraron por la ventanilla.

—Un momento. —Pip se puso de rodillas junto a la mochila—. Necesito lo que cogí de casa de Max.

Sacó la bolsa con la sudadera gris, y la otra con las deportivas blancas y la gorra. Ravi le cogió la bolsa con los zapatos.

—¿Qué estás haciendo? —preguntó ella, más borde de lo que pretendía, haciéndole retroceder.

—¿Ponerme los zapatos de Max? —respondió inseguro—. Pensaba que íbamos a dejar las huellas de la suela por el barro, donde coloquemos el cuerpo. El patrón de la suela de los zapatos.

—Sí —dijo Pip, sacando otra cosa de la bolsa. Los cinco pares de calcetines enrollados—. Por eso he traído esto. Yo me voy a poner las deportivas. Lo voy a sacar yo. —Se desató las Converse y empezó a ponerse los calcetines, uno encima de otro, para acolcharse los pies.

—Te puedo ayudar —se ofreció Ravi mirándola.

—No, no puedes. —Pip metió un pie en la deportiva de Max y apretó los cordones—. Solo puede haber unas huellas: las de Max. Y no vas a colocar tú el cuerpo, no pienso dejarte hacer eso. Tengo que hacerlo yo. Yo lo he matado. Yo nos he metido en esto.

Se ató el segundo zapato y se puso de pie, probando la pisada en la gravilla. Le bailaba un poco al andar, pero no pasaba nada.

—Tú no nos has metido en esto, fue él —la corrigió Ravi, señalando con el pulgar el cuerpo de Jason—. ¿Estás segura que puedes hacerlo?

—Si Max es capaz de arrastrar el cuerpo de Jason entre los árboles, yo también.

Pip abrió la bolsa en la que estaba la sudadera de Max y se la puso sobre la suya. Ravi la ayudó, con cuidado de no mover el gorro que le cubría la cabeza, y comprobó que no hubiera ningún pelo por el cuello.

—Estás lista —dijo Ravi, dando un paso hacia atrás para mirarla—. ¿Te puedo ayudar, aunque sea, a sacarlo del coche?

Sí, al menos podía permitirle hacer eso. Pip asintió mientras caminaba hacia la puerta trasera del coche, por el lado en el que estaba la cabeza de Jason. Ravi rodeó el vehículo para ir a la del otro lado.

Abrieron las puertas al mismo tiempo.

—Hostia —dijo Ravi, retrocediendo—. Sí que hace calor aquí dentro.

—¡No! —exclamó Pip enfadada al otro lado del asiento trasero.

—¿Qué pasa? —Él la miró—. No iba a cantar. Incluso yo sé cuándo sería pasarme de la raya.

—Claro.

—Solo he dicho que hace calor. Más de cuarenta, me atrevería a decir. Ha sido como cuando abres el horno y el vapor te da una bofetada en la cara.

—Vale. —Pip sorbió por la nariz—. Tú empújalo hacia aquí, y yo tiraré de él para sacarlo.

Pip consiguió sacarlo del coche aprovechando el impulso de Ravi desde el otro lado. Los pies de Jason envueltos en lona aterrizaron con un golpe sobre la gravilla.

—¿Lo tienes? —preguntó Ravi acercándose.

—Sí. —Pip lo soltó con cuidado. Volvió a acercarse a la mochila y abrió el bolsillo frontal. Sacó la bolsa con el pequeño mechón de pelo—. Necesito esto —le explicó a Ravi, metiendo la bolsa en el bolsillo de la sudadera de Max.

—¿Lo vas a dejar envuelto en la lona? —Ravi la observaba mientras volvía a acercarse al cadáver, cogiendo con dificultad a Jason por los hombros. Ya tenía los brazos rígidos e inflexibles.

—Sí, puede quedarse ahí —opinó Pip, gruñendo por el

esfuerzo mientras intentaba arrastrar los pies de Jason por las piedras. Se alegraba de que estuviera envuelto en la lona, así su cara, muerta y bocabajo, no la miraba mientras lo hacía—. Max podría haber intentado cubrirlo también.

Pip dio un paso atrás y arrastró.

Intentó no pensar en lo que estaba haciendo. Construir una barrera en su cabeza, una valla para dejarlo fuera. Era simplemente un elemento más que tachar de la lista. Eso era lo que se decía. «Céntrate en eso.» Una tarea del plan que hay que tachar, como en todos los que había hecho a lo largo de su vida, incluso los más pequeños, los más mundanos. Ese no era diferente.

Excepto que sí lo era, esa voz oscura se encargó de recordárselo, la que se escondía al fondo del todo, junto a la vergüenza, derribando su valla pieza a pieza. Porque era tarde, esa hora intermedia en la que demasiado tarde se convertía en demasiado pronto, y Pip Fitz-Amobi estaba arrastrando un cuerpo sin vida.

Cuarenta y dos

Jason sin vida pesaba mucho, y el avance de Pip era lento. Su mente intentaba distanciarse de lo que tenía en las manos, de sus manos en sí.

Fue un poco más fácil cuando pasó de las pequeñas piedras al césped. Miraba atrás cada dos pasos para no caerse.

Ravi se quedó en la gravilla.

—Voy a empezar con el maletero —dijo—. Pasaré la aspiradora por cada centímetro.

—Limpia también los plásticos —gritó Pip con la respiración entrecortada—. Los toqué.

Él le levantó el pulgar y se dio la vuelta.

Pip apoyó a Jason sobre su pierna durante un momento, para darle un respiro a los brazos. Los músculos de los hombros ya le estaban gritando, pero tenía que seguir. Este era su trabajo, su carga.

Lo arrastró hasta los árboles. Las deportivas de Max aplastaron las primeras hojas caídas. Pip lo soltó un par de minutos, volvió a estirar los brazos, movió la cabeza de un lado a otro para crujirse el cuello, miró a la luna para preguntarle qué cojones estaba haciendo y luego lo volvió a coger.

Lo arrastró entre esos árboles, y alrededor de ese. Las hojas se acumulaban por los pies de Jason a medida que las arrastraba con él, recogiéndolas para depositarlas en su destino final.

Pip no entró demasiado. No hacía falta. Ya estaban a unos

quince metros, los árboles empezaban a juntarse, obstaculizando el camino. Se escuchaba el rumor distante de la aspiradora de Ravi. Pip miró hacia atrás y vio el tronco de un árbol grande, viejo y con nudos. Serviría.

Arrastró a Jason hasta ese árbol y lo soltó. La lona negra se arrugó y las hojas secas susurraron amenazas oscuras contra Pip mientras él se acomodaba en el suelo, bocabajo dentro de la lona.

Se puso a un lado del cuerpo y empujó, haciéndolo rodar. Ahora estaba bocarriba, y la sangre en el interior se volvería a acumular en la espalda.

La lona se había movido un poco mientras le daba la vuelta. Una esquina se había deslizado para mostrarle su cara sin vida una última vez. Para grabar esa imagen en el interior de sus párpados para siempre, otra nueva imagen horrífica que vería en la oscuridad cada vez que parpadeara. Jason Bell. El Estrangulador de Slough. El Asesino de la Cinta. El monstruo que había ahuyentado a Andie Bell, creando así este círculo dentado, este horrible carrusel en el que todos estaban atrapados.

Pero al menos Pip estaba viva para que su cara la torturara. Si hubiera sido al revés, como debería haber sucedido, a Jason le habría dado igual que la cara de Pip lo torturara. Él había intentado robársela. Habría disfrutado viéndola así, con la cabeza envuelta en cinta, la piel moteada con los colores de los hematomas, el cuerpo duro, como si estuviera hecho de hormigón y no de carne. Una muñeca envuelta, y un trofeo para recordarle siempre cómo se había sentido al verla muerta. Eufórico. Excitado. Poderoso.

Así que sí, Pip recordaría su cara sin vida y se alegraría. Porque significaba que ya no tenía que tenerle miedo. Ella había ganado y él estaba muerto, y verlo, la prueba, era su trofeo, lo quisiera o no.

Tiró de ese lado de la lona, descubriendo medio cuerpo, desde la cara hasta las piernas, y sacó la bolsa con los pelos de Max del bolsillo.

La abrió y metió la mano dentro, protegida con el guante. Cogió unos cuantos pelos rubios oscuros, se agachó y los esparció por la camisa de Jason. Metió dos bajo el cuello. La mano sin vida ya estaba rígida y no se abría, pero Pip introdujo un par de pelos en el hueco entre el pulgar y el índice, que llegaron hasta la palma. Solo quedaban unos cuantos en la bolsa, se los mostró la débil luz de la luna. Sacó uno más y lo metió bajo la uña del pulgar derecho de Jason.

Se levantó, volvió a cerrar la bolsa y la guardó. Lo analizó, creando la escena en aquel lugar oscuro de su mente, dándole vida al plan tras sus ojos. Habían forcejeado, se habían peleado. Habían volcado una estantería en el almacén. Jason le había dado un puñetazo a Max en la cara y se le había puesto el ojo morado, a lo mejor también le había arrancado algunos pelos en ese momento. Ah, ahí estaban, debajo de una uña y en los pliegues de los dedos, enganchados en la ropa. Max se había ido, cabreado, y había vuelto aún más enfadado; se había lanzado a por Jason en el almacén con un martillo en la mano. Le había deshecho la cabeza. Un asesinato de rabia. El arrebato del momento. Se había relajado y se había dado cuenta de lo que había hecho. Lo había cubierto y lo había arrastrado hasta los árboles. «Deberías haberte tapado la cabeza mientras intentabas limpiar la escena del crimen, Max.» Consiguió limpiar sus huellas del arma del crimen, y la habitación en la que había matado a Jason, pero se había olvidado de su pelo, ¿verdad? Demasiado limpio, demasiado fino como para verlo. Demasiado asustado después de asesinar a un hombre.

Pip volvió a colocar la lona sobre Jason con el zapato. La deportiva de Max. Él se había esforzado un poco en cubrir el cuerpo para esconderlo. Pero no lo había hecho demasiado bien, y no había ido demasiado lejos, porque Pip quería que la policía encontrar a Jason enseguida, en la primera búsqueda.

Caminó alrededor de Jason, presionando con fuerza la suela de zigzag de los zapatos de Max en el fango. Las hojas se amontonaban alrededor de las huellas.

«No deberías haberte puesto unas deportivas con un patrón tan original en la suela, ¿no, Max? Y, desde luego, no deberías haber dejado el teléfono encendido mientras estabas aquí, asesinando un hombre y limpiando después el desastre.»

Pip se dio la vuelta y se alejó. El Jason sin vida no la llamó mientras se marchaba y lo dejaba allí, marcando otro camino con las huellas de las deportivas a través de los árboles, y del césped, y de la gravilla.

Entró por la puerta del almacén de químicos y sacudió el barro de las deportivas sobre el hormigón.

—Oye, que acabo de aspirar —se quejó Ravi, fingiendo que le molestaba, escondiendo una sonrisa, de pie en el umbral de la puerta.

Solo intentaba calmarla, Pip lo sabía; trataba de que volviera a sentirse normal después de lo que acababa de hacer. Pero ella estaba demasiado centrada en romper su hilo de pensamientos, siguiendo los elementos sin tachar de la lista. Ya no quedaban muchos.

—Ha sido Max, al volver de dejar el cuerpo —explicó en voz baja, como si estuviera en trance, dando un paso hacia delante, cada vez más cerca del río de sangre.

Clavó un talón y fue bajando hasta la punta del zapato, presionando con fuerza en la sangre.

—¿Qué haces? —preguntó Ravi.

—Max pisó sin querer la sangre al volver a entrar —respondió ella, agachándose y frotando el borde de la manga de la sudadera de Max contra la sangre, dejando una pequeña mancha roja en el color gris—. Y le salpicó un poco en la ropa. Intentará lavarla en casa, pero no le saldrá muy bien.

Volvió a buscar la bolsa y sacó los pelos que quedaban, tirándolos en el charco de sangre pegajosa, cada vez más seca.

Pip se acercó a Ravi. El zapato izquierdo de Max dejó un rastro sobre el hormigón que se desvaneció al tercer paso.

—Vale, vale —dijo Ravi amablemente—. ¿Me puedes devolver a Pip, por favor? Se acabó Max Hastings.

Ella lo sacó de su cabeza, rompiendo la mirada lejana y suavizando los ojos al mirar a Ravi.

—Sí, ya está. —Se lo concedió.

—Vale. Ya he limpiado el maletero. Lo he aspirado como cuatro veces. También he limpiado el techo y la cubierta esa. He repasado todas las partes de plástico con el antibacterias. He apagado el coche y he limpiado la llave. Y he dejado los productos de limpieza y la aspiradora donde los encontré. Los trapos usados están en tu mochila. Creo que hemos eliminado todos tus rastros. Nuestros rastros.

Pip asintió.

—El fuego hará el resto.

—Hablando de fuego. —Ravi por fin le enseñó lo que tenía en las manos: el bidón. Lo agitó para que ella viera que estaba lleno—. He conseguido sacar la gasolina de las cortacéspedes. Encontré este tubito en una de las estanterías. Solo hay que meterlo en el tanque, aspirar un poco, y la gasolina empieza a salir.

—Nos tendremos que deshacer también del tubo, entonces —observó Pip, añadiendo un elemento más a la lista de su cabeza.

—Sí. Había pensado que podías hacer lo mismo que con

la ropa. ¿Cuánto más crees que necesitaremos? —preguntó, agitando de nuevo el bidón.

Pip lo pensó.

—Puede que tres.

—Es lo que yo había pensado. Pues vamos, hay un montón en los tractores cortacésped.

Ravi la llevó al enorme almacén. Las máquinas parpadeaban bajo las luces industriales. Llegaron a una segadora y Pip lo ayudó a meter el tubo en el tanque, sellando la boquilla con las manos enguantadas antes de aspirar.

Empezó a oler mucho a gasolina cuando el líquido amarillo comenzó a fluir por el tubo y a derramarse en el bidón que sujetaba Pip. Cuando se llenó, cogieron otro y fueron a por la siguiente máquina.

Pip se estaba empezando a marear, por los gases, por la falta de sueño, por su viaje de ida y vuelta a la muerte. No sabía muy bien cuál era la causa. Sabía que lo que ardía eran los gases, no el líquido. Y, si los gases estaban dentro de ella, igual también estallaba en llamas.

—Ya falta poco —dijo Ravi, a ella o al bidón, no estaba segura.

Él se levantó y dio una palmada cuando el tercer tanque ya estaba casi lleno.

—Necesitamos algo para iniciar el fuego, algo que prenda rápido.

Pip miró a su alrededor, escaneando todas las estanterías.

—Esto.

Caminó hasta una caja de cartón llena de macetas de plástico. Arrancó varias tiras y las metió en el bolsillo de Max.

—Perfecto.

Ravi cogió dos bidones para que ella solo tuviera que cargar con uno. Pesaba más de lo que debería. Parecía que el peso del cadáver seguía sobre sus músculos.

—Deberíamos guiar el fuego hasta aquí también —propuso Pip, rociando una hilera de cortacéspedes, aún con el tanque lleno, dejando un camino detrás de ella a medida que iban avanzando hasta el almacén de químicos—. Queremos que explote. Que revienten las ventanas para cubrir la que rompí yo.

—Aquí hay muchas cosas que explotan.

Ravi apagó las luces con el codo, inclinó uno de los bidones y vertió un camino de gasolina junto al de Pip mientras caminaban juntos. Ella roció la mesa de trabajo y él siguió hasta la estantería volcada, levantando el bidón para llenarla entera de gasolina, salpicando contra las cubas de plástico y derramándose por los estantes metálicos.

Cubrieron toda la sala, las paredes, el suelo. Ahora había otro río sobre el hormigón, además del herbicida. El bidón de Pip estaba casi vacío, y las últimas gotas cayeron al suelo mientras ella evitaba pisar el charco de sangre; no querían que eso ardiera. El fuego era para atraer a la policía, la sangre los tenía que llevar hasta Jason. Así era como por fin terminaría esa noche, con fuego y sangre, y con un rastreo de los árboles para encontrar lo que Pip les había dejado allí.

Ravi también vació su bidón y lo lanzó hacia atrás por encima de los hombros.

Pip salió y dejó que la brisa nocturna jugara con su cara y respiró hasta que se volvió a sentir bien. Pero no lo estuvo hasta que Ravi llegó a su lado y le agarró la mano enguantada. Ese pequeño gesto la afianzó. En su otra mano tenía el último bidón.

En la mirada de Ravi había una pregunta y Pip asintió.

Ravi se giró hacia el SUV de Jason. Empezó por el maletero, empapando la moqueta del suelo y los laterales de plástico. Por encima de la lona plegable y en el tejido suave del techo. Cubrió los asientos traseros y el espacio para los pies, y los de delante, también. Dejó el bidón en el asiento trasero, donde Jason había estado tumbado, con un poco de gasolina todavía en su interior.

«¡Bum!», gesticuló con las manos.

Pip ya se había colocado la gorra de Max sobre el gorro de lana que llevaba puesto, para que no la tocara, para no dejar rastro. E hizo una última cosa con la mochila antes de ponérsela. Metió el tubo de plástico por el que había absorbido Ravi y sacó el mechero que su madre utilizaba para encender la vela perfumada de otoño todas las noches.

Pip preparó el mechero y sacó los trozos de cartón.

Lo apretó y una llama azulada emergió del extremo. Lo llevó hasta la esquina de una tira de cartón y esperó a que prendiera. Dejó que el fuego creciera, susurrándole, dándole la bienvenida al mundo.

—Échate hacia atrás —le sugirió a Ravi mientras ella se inclinaba hacia delante y tiraba el cartón en el maletero del coche de Jason.

Un remolino de llamas amarillas brotó con violencia, expandiéndose y haciéndose cada vez más grandes, acercándose peligrosamente a ella.

Hacía calor, muchísimo calor. Le secaba los ojos y se le pegaba a la garganta.

—Nada limpia como el fuego —comentó Pip, dándole el mechero y otro trozo de cartón a Ravi, que se dirigía hacia el almacén.

El clic del encendedor, la llama devorando el cartón lentamente. Hasta que Ravi lo lanzó al nuevo río, y esa pequeña llama explotó en un infierno, grande y furioso. Los fantasmas gritaban a medida que se derretía el plástico y se empezaba a retorcer el metal.

—Siempre había albergado el deseo secreto de prenderle fuego a algo —dijo Ravi al volver con ella, cogiéndole de nuevo la mano, fusionando los dedos mientras la gravilla crujía bajo sus pies y las llamas chispeaban a sus espaldas.

—Pues nada —dijo Pip con una voz grave y chamuscada—, ya podemos tachar también el incendio provocado de nuestra lista de crímenes de esta noche.

—Creo que, de momento, ya tenemos suficientes —respondió él—. Bingo.

Fueron hasta el coche de Max.

Volvieron a salir por las puertas de Green Scene. Los postes de metal puntiagudos parecían una mandíbula abierta que los escupía a medida que su cuerpo se quemaba entre susurros.

Pip se imaginó cómo estarían las puertas dentro de unas horas, bloqueadas con la cinta policial azul y blanca, y el murmullo de las voces y de las radios policiales en la escena humeante. Una bolsa con un cadáver y las ruedas chirriantes de una camilla.

Lo único que tenían que hacer era seguir el fuego, la sangre, su historia. Ella ya no podía hacer nada más.

Sus dedos se separaron cuando Pip se metió en el asiento del conductor y cerró la puerta. Ravi abrió la trasera, subió al coche y se tumbó en el suelo, para esconderse. No lo podían ver. Iban a volver a Little Kilton por las carreteras principales, pasando bajo el mayor número de cámaras posible. Porque no conducía Pip, sino Max, de vuelta a casa después de romperle la cabeza a un hombre y prenderle fuego a la escena del crimen. Allí estaba, con su sudadera y su gorra, por si algunas de aquellas cámaras podían verlo a través del parabrisas. Pisando los pedales con sus deportivas, dejando restos de sangre.

Max arrancó el motor y dio marcha atrás. Se alejó justo cuando detrás comenzaron las explosiones. Haciendo estallar aquellas hileras e hileras de cortacéspedes, disparando en mitad de la noche. Seis agujeros en el pecho de Stanley.

Un brillo amarillento que prendió el cielo en llamas, cada vez más pequeño en el espejo retrovisor. Alguien lo escucharía, se dijo Pip mientras Max conducía. Otro estallido quebró la tierra a su alrededor, mucho más fuerte que miles de gritos.

Una ondulante columna de humo asfixiaba a la luna.

Cuarenta y tres

Max llegó a su casa a las 3.27 de la madrugada después de matar a Jason Bell.

Pip aparcó en el camino de la casa de los Hastings, exactamente en el mismo sitio donde estaba el coche al principio de la noche. Apagó el motor; los faros se apagaron y se hizo la oscuridad.

Ravi se levantó del suelo del asiento trasero y estiró el cuello.

—Menos mal que se ha encendido el indicador de la reserva de gasolina, porque no habíamos tenido suficiente adrenalina esta noche. Necesitaba de verdad ese último subidón.

—Ya. —Pip soltó aire—. Ha sido un giro de guion bastante divertido.

No habían podido parar a repostar, claro; se suponía que eran Max Hastings y en las gasolineras hay muchas cámaras de seguridad. Pero consiguieron llegar —con la atenta mirada de Pip en la luz de reserva— y ahora ya daba igual.

—Debería entrar yo sola —dijo Pip, cogiendo la mochila y sacando las llaves del coche—. Seré lo más rápida y discreta posible. No sé cómo de dormido seguirá. Tú puedes irte a casa.

—Te espero. —Ravi salió del coche y cerró la puerta con cuidado—. Quiero asegurarme de que estás bien.

Pip bajó y estudió su cara en la penumbra mientras apretaba el botón para cerrar el coche. Tenía los ojos rojos.

—Está inconsciente —le recordó ella.

—Sigue siendo un violador —respondió Ravi—. Te espero aquí. Venga, vete.

—Vale.

Pip avanzó en silencio hasta la puerta y echó un vistazo a las cámaras tapadas a cada lado. Introdujo la llave en la cerradura y entró en la oscuridad de la casa durmiente.

Escuchó la respiración de Max en el sofá, profunda y sonora. Aprovechaba cada una para avanzar y esconder sus pasos. Limpió las llaves con la sudadera de Max; ninguno de los dos las había tocado con las manos descubiertas, pero por si acaso.

Primero subió con pasos ligeros y concienzudos, dejando el barro de la escena del crimen sobre la moqueta. Encendió la luz de la habitación de Max y soltó la mochila en el suelo. Se quitó la gorra y la sudadera con cuidado de no mover su gorro de lana. Comprobó la tela gris en busca de algún pelo oscuro que pudiera haberse quedado enganchado. Estaba limpia.

Examinó las mangas y encontró la mancha de sangre. Fue sigilosamente hasta el baño. Encendió la luz. Abrió el grifo. Sumergió la prenda sangrienta bajo el agua y frotó con los dedos enguantados hasta que la mancha se convirtió en una marca marrón. La volvió a llevar a la habitación, hasta el cesto de la ropa sucia donde la había encontrado. Apartó la pila de ropa y metió la sudadera gris, empujándola hasta el fondo.

Se desató los zapatos de Max. Sus pies parecían enormes y ridículos con los cinco pares de calcetines. Las suelas en zigzag de las deportivas todavía estaban cubiertas de barro, que cayó al suelo mientras Pip las dejaba en el fondo del armario. Las cubrió con montones de zapatos para esconderlas. De Max, no de quienes de verdad importaba: el equipo forense.

Volvió a por la gorra, la colocó donde la había encontrado —colgada en los pomos— y cerró el armario. Regresó a su mochila, se puso sus zapatos y metió la mano para sacar la bolsa con el teléfono de Max. Bajó en silencio con el móvil en la mano.

Pip pasó por el pasillo y se acercó a él, cuando lo único que quería era retroceder, esconderse, por si acaso se abrían de golpe los ojos brillantes de aquella cara angulosa. La cara de un asesino; eso es lo que todos debían creer.

Dio un paso más y vio a Max por encima del respaldo del sofá, en la misma posición en la que ella lo había dejado hacía más de seis horas. Con la mejilla aplastada contra el reposabrazos y una bolsa de guisantes descongelada conectada a él por un hilo de saliva. Respiraba tan profundamente que se le movía todo el cuerpo.

Todavía estaba muy dormido. Pip lo comprobó arrastrando un poco el sofá, preparada para agacharse por si se movía. Pero ni se inmutó.

Dio un paso adelante, sacó el teléfono de la bolsa de plástico y lo dejó sobre la mesa. Cogió la botella de agua, la llevó hasta la cocina a oscuras y la lavó varias veces antes de rellenarla, para que no hubiera rastro de la droga por el fondo.

La volvió a colocar sobre la mesa, con la boquilla abierta. Miró a Max cuando respiró especialmente fuerte, casi como un suspiro.

—Sí —susurró Pip, mirándolo. Max Hastings. Su piedra angular. El espejo invertido por el que se definía, todo lo que él era y ella no—. Es una mierda que alguien ponga algo en tu bebida y te arruine la vida, ¿verdad?

Volvió a salir a la oscuridad de la noche, tapándose los ojos para protegerlos del brillo demasiado intenso de las estrellas.

—¿Estás bien? —le preguntó Ravi.

Se le escapó un sonido, un golpe de aire que sonó casi como una risa. Sabía lo que había querido decir, pero la pregunta le llegó más adentro y retumbó en sus entrañas. No, no estaba bien. Después de esa noche, jamás volvería a estar bien.

—Estoy cansada. —Le tembló el labio inferior, pero lo controló. Todavía no podía ceder. No había acabado, aunque ya faltaba muy poco—. Bien —dijo—. Solo queda quitar la cinta de las cámaras.

Ravi la esperó de nuevo. La retiró de la misma forma que la había puesto: deslizándose contra la pared, despegándola y dando la vuelta, esta vez por detrás de la casa, para despegar la otra. Pero no era ella la que lo estaba haciendo, claro; era Max Hastings. Y esa era la última vez que ella tenía que ser él. No le gustaba estar en su cabeza; o que él estuviera en la suya. No era bienvenido.

Pip saltó por encima de la valla y vio a Ravi bajo la luz de la luna. Ninguno de los dos se había ido aún, la luna seguía mostrándole el camino.

Se quitaron por fin los guantes de látex. Los dos tenían la piel de las manos húmeda y arrugada cuando entrelazaron los dedos, colocándolos en su hogar, o lo que ella esperaba que aún fuera su hogar. Ravi la acompañó a casa y no dijeron ni una palabra, solo se agarraron de las manos, como si ya lo hubieran dado todo y no les quedaran palabras. Solo dos, los dos únicos que importaban cuando Ravi se despidió de ella frente a su casa.

Rodeándola con los brazos, demasiado fuerte, como si ese abrazo fuera lo único que impidiese que desapareciera. Porque ya lo había hecho una vez; había desaparecido y se había despedido de él para siempre. Pip enterró la cara entre el cuello y el hombro de Ravi, cálido, incluso cuando no había motivos para que lo estuviera.

—Te quiero —dijo ella.

—Te quiero —le respondió él.

Pip se guardó muy cerca esas palabras. Obligó al Ravi que vivía en su cabeza a repetirlas mientras abría la puerta en silencio y entraba en su casa.

Subió la escalera, evitó el escalón que crujía y entró en su habitación con olor a lejía.

Lo primero que hizo fue llorar.

Se tiró en la cama y se tapó la cara con una almohada, que la hizo desaparecer como había hecho el Asesino de la Cinta. Sollozos silenciosos y dolorosos que la quebraban, le desgarraban la garganta, hilos deshechos en su pecho que la dejaban desarmada y descubierta.

Lloró y se permitió llorar. Unos minutos de luto por la chica que jamás volvería a ser.

Luego se levantó y se recompuso, porque todavía no había acabado. Sentía un cansancio como nunca antes, y se tambaleaba sobre la moqueta como una chica muerta que caminaba.

Cogió con cuidado el cubo de lejía y lo sacó de la habitación, dando un paso con cada respiración de su padre al fondo del pasillo, disfrazando sus movimientos tras ella. Entró en el baño, en la ducha, y fue vertiendo lentamente la mezcla de agua y lejía por el desagüe. La ropa y la cinta adhesiva que quedaron en el cubo estaban empapadas, con marcas blancas de la lejía, que ya había empezado a robarles el color.

Pip llevó el cubo y todo lo que había dentro a su habitación, dejando la puerta encajada para que no hiciera ruido, ya que iba a estar entrando y saliendo durante las próximas horas.

Sacó una de las bolsas de plástico de la mochila —ahora vacía— para proteger la moqueta y puso encima las cosas mojadas del cubo. Encima vertió el resto del contenido de la mochila, todo de lo que se tenía que deshacer, lo que debía destruir para que no la relacionaran con el crimen. Sabía exactamente cómo hacerlo.

Del primer cajón del escritorio sacó un par de tijeras y metió los dedos entre los agujeros de plástico. Se puso de pie frente al montón de cosas y lo analizó, creando nuevas hileras de elementos que tachar en la lista de su cabeza. Tareas pequeñas y manejables.

- ☐ Sujetador deportivo
- ☐ Mallas
- ☐ Sudadera
- ☐ Deportivas
- ☐ Tubo de goma
- ☐ Guantes de Green Scene ×2
- ☐ Guantes de látex usados ×3
- ☐ Manoplas de Nisha Singh
- ☐ Trapos
- ☐ Pastillas de Rohypnol
- ☐ Ropa interior
- ☐ Camiseta de repuesto
- ☐ Cinta americana
- ☐ Teléfono prepago
- ☐ Teléfono prepago de Jason

Empezó con el primer elemento. Cogió el sujetador deportivo que había llevado puesto, empapado y con manchas blancas. La mancha de sangre ya no era perceptible a simple vista, pero siempre quedaban rastros.

—Era mi favorito, desgraciado —murmuró mientras cortaba la tela en tiras pequeñas y luego en cuadrados aún más diminutos.

Hizo lo mismo con las mallas, y luego con la sudadera y con toda la ropa que había estado en contacto con Jason Bell o con su sangre. Los trapos también. Mientras cortaba, se imaginaba una escena a dieciséis kilómetros de allí, al cuerpo de bomberos llegando a un incendio descontrolado en el complejo de una empresa de jardinería y limpieza, los habría avisado algún vecino preocupado, que no estaba lo bastante cerca como para escuchar los gritos pero sí las explosiones en mitad de la noche, pensando si serían fuegos artificiales.

Una pila de cuadros de tela desiguales se amontonaba ante ella.

Lo siguiente eran los guantes. Cortó el látex en trozos de cinco centímetros. El material de los guantes de Green Scene era más grueso, más difícil de rasgar, pero Pip insistió y se aseguró de dañar el logo lo máximo posible. Las manoplas de la madre de Ravi también. No estaban ligadas a la escena del crimen, pero él las llevaba puestas cuando había recogido el coche de Max y podían quedar algunas fibras en el interior; tenía que destruirlas. No había margen de error. Hasta uno microscópico podría suponer el final del plan, y el final de Pip.

Cortó la cinta adhesiva en trozos de cinco centímetros, y encontró el origen de la calva que tenía en la ceja izquierda. Los pelos estaban pegados en la cinta que le había envuelto la cara. Y, por último, cortó el tubo de plástico en trozos pequeños. Apartó las deportivas y los dos teléfonos a un lado, se desharía de ellos de otra forma.

El resto, ese montón que había delante de ella, iba a tirarlo por el retrete.

Gracias, red de saneamiento central. Siempre que no atascara las tuberías de su casa —lo había cortado todo en trozos muy pequeños precisamente para evitarlo—, todo lo que había allí terminaría en el centro de tratamiento de aguas residuales, y no había forma posible de que lo vincularan con ella ni con su casa. Tampoco es que lo fueran a encontrar nunca, de todos modos; la gente tiraba por el retrete todo tipo de cosas. Las aguas residuales se filtrarían y todo acabaría en un vertedero, o incluso incinerado. Sin rastro. Hermético. Irrefutable. Nunca había pasado.

Pip cogió primero la bolsa de plástico con el resto de las

pastillas de Rohypnol; no le gustaba cómo la miraban, y no se fiaba de sí misma con ellas. Cogió también un pequeño montón de recortes y, moviéndose con cuidado, fue hasta el baño, cerró la puerta, metió las manos en el retrete y lo soltó todo.

Tiró de la cisterna y lo vio desaparecer. Las pastillas fueron lo último que se tragó el remolino de agua. Su familia no debería despertarse; dormían como troncos. Y la cisterna no hacía demasiado ruido, sobre todo con la puerta del baño cerrada.

La taza del retrete se volvió a llenar con normalidad. Bien. No debía forzar, tenía que echar montones pequeños y dejar pasar varios minutos entre cada descarga, para que nada se acumulara en las tuberías.

Pip lo tenía todo pensado. Estaba ese retrete, que era el del cuarto de baño grande, que estaba arriba, y el del baño de abajo, cerca de la puerta. Dos inodoros, pequeños montones, una pila enorme de pruebas. Iba a llevarle un buen rato, pero tenía que hacerlo antes de que su familia se despertara. Por otro lado, no podía dejar que el agotamiento la hiciera ir más rápido, coger demasiada cantidad y atascar las tuberías.

Pip volvió a su habitación y agarró otro montón con las dos manos, bajó la escalera —saltándose el tercer escalón— y lo tiró por el retrete.

Viajes alternos al baño de arriba y de abajo, con tiempo suficiente para que se llenaran por completo. Dudando cada vez que tiraba de la cisterna, durante ese breve segundo de pánico en el que parecía que el retrete no se rellenaba y, joder, ya se ha atascado, estaba acabada, era el fin, pero el agua siempre volvía.

Se preguntó si el cuerpo de bomberos habría llamado a la policía en cuanto habían visto el coche ardiendo y olido el combustible. Estaba claro que era un incendio provocado.

¿O esperarían hasta controlar el fuego y ver el suelo de hormigón empapado en sangre en el edificio destrozado?

Otro montón. Otra descarga de agua. Pip despejó la mente durante las repeticiones, dejando que sus manos hicieran todo el trabajo, todo el raciocinio. Arriba y abajo. Entrar en la habitación, coger el montón y volver a salir.

A las seis de la mañana, su consciencia volvió a la vida tras los ojos secos. Pensó en si la policía habría llegado a la escena, tal vez estuviesen asintiendo mientras los bomberos señalaban los indicios evidentes de un asesinato. Estaba claro que habían herido gravemente a alguien allí, puede que incluso asesinado. Mirad ese martillo, creemos que puede ser el arma. ¿Habrían empezado a rastrear la zona? No tardarían en encontrar la lona, y al hombre muerto en su interior.

¿Llamarían entonces a un inspector? ¿Sería Hawkins, que interrumpiría su domingo, cogería su chaqueta verde y haría una llamada a los técnicos de la escena del crimen y para decirles que se reunieran con él allí enseguida?

Abajo. Cisterna. Arriba. Montón.

«Acordonad la escena del crimen», gritaría Hawkins con el frío de la mañana cortándole la cara y los ojos.

«¿Dónde están los técnicos de emergencias? Que nadie se acerque al cadáver hasta que tenga fotografías y moldes de esas huellas.»

Cisterna.

Ya debían de ser las seis o las siete de la mañana. El examinador médico ya debería haber llegado a la escena, con su traje forense de plástico. ¿Qué haría primero? ¿Tomarle la temperatura al cuerpo? ¿Tocar los músculos para comprobar la fase del *rigor mortis*? ¿Presionar con el dedo la piel de la espalda de Jason para ver si aún se blanqueaba? Caliente, rígido, blanqueable; Pip lo repetía mentalmente como un mantra. Caliente. Rígido. Blanqueable.

¿Estaban, en este preciso instante, haciendo todas esas pruebas para averiguar la posible ventana de tiempo en la que había muerto ese hombre? ¿Haciendo las observaciones iniciales, fotografías? Y Hawkins observándolo todo desde la distancia. ¿Qué estaba pasando? A dieciséis kilómetros y con la persona responsable de todo, quien decidiría si Pip vivía o no.

Escalera abajo. Cisterna.

¿Habrían averiguado ya quién era el hombre muerto? El inspector Hawkins lo conocía —eran vecinos, puede que hasta amigos—, debería reconocer su cara. ¿Cuándo se lo dirían a Dawn Bell? ¿Cuándo llamarían a Becca?

Los dedos de Pip rozaron la bolsa de plástico sobre la moqueta. Se acabó, solo quedaban cuatro trozos. Uno de lo que habían sido sus mallas, dos trozos de un guante de látex y una muestra de su sudadera.

Pip se puso de pie y respiró hondo antes de tirar de la cisterna, observando aquel último remolino de agua llevándoselo todo, haciéndolo desaparecer.

No quedaba nada.

Nunca había ocurrido.

Pip se quitó la ropa y se volvió a duchar. No tenía nada en la piel, pero se sentía sucia, marcada de alguna forma. Metió la sudadera negra y las mallas en el cesto de la ropa sucia; no tenía por qué haber restos incriminatorios, pero la lavaría con agua caliente, por si acaso.

Se puso el pijama y se envolvió en el edredón, tiritando.

No era capaz de cerrar los ojos. Era lo único que quería hacer, pero sabía que no podía, porque, en cualquier momento...

Pip escuchó la alarma en la habitación de sus padres, ese canto de pájaro chirriante que debía resultar agradable pero no lo era porque su madre tenía el volumen del teléfono demasiado alto. Pip pensó que sonaba como si se acabara el mundo, como un montón de palomas decapitadas que se lanzaban contra su ventana.

Eran las 7.45. Demasiado temprano para un domingo. Pero los padres de Pip habían prometido que llevarían a Joshua a Legoland.

Pip no iba a ir a Legoland.

No podía, porque se había pasado toda la noche vomitando y sentada en el retrete. Alternando entre los dos mientras su estómago se encogía y temblaba. Tirando de la cisterna cientos de veces y terminando otra vez allí, agarrada a la taza. Por eso tenía el cubo de la basura en su habitación y olía a lejía. Había intentado quitarle la peste a vómito.

Pip escuchó unos murmullos en el pasillo cuando su madre fue a despertar a Josh, que soltó un pequeño grito de emoción al recordar el motivo del madrugón. Las voces iban y venían, el ruido de su padre saliendo de la cama, el suspiro tan fuerte que daba mientras se estiraba.

Alguien llamó con los nudillos a su puerta.

—Entra —indicó Pip con una voz áspera y nauseabunda.

Ni siquiera tuvo que esforzarse en parecer enferma; sonaba rota. ¿Estaba rota? Ya pensaba que lo estaba antes de que empezara el día más largo de su vida.

Su madre asomó la cabeza y arrugó la cara de inmediato.

—Huele a lejía —observó, confusa, mirando el cubo junto a la cama de Pip—. Ay, cariño, ¿te has puesto enferma? Josh me ha dicho que ha estado toda la noche escuchando la cisterna del baño.

—Llevo vomitando desde las dos de la mañana. —Pip sorbió por la nariz—. Y lo otro también. Lo siento. Intenté no despertar a nadie. Traje el cubo, pero olía a vómito, así que lo limpié con la lejía del baño.

—Mi amor. —Su madre se acercó para sentarse en la cama y le puso el dorso de la mano en la frente.

Pip casi se rompe en ese momento, en cuanto la tocó, por la devastadora normalidad de la escena. Por una madre que no sabía lo cerca que había estado de perder a su hija. Y aún podría perderla si el plan salía mal, si los números que el examinador médico le estaba diciendo a Hawkins no eran los que ella necesitaba. Si había pasado por alto algo que revelaría la autopsia.

—Parece que tienes un poco de fiebre. ¿Crees que es un virus? —le preguntó, con la voz tan suave como su mano, y Pip se alegró muchísimo de estar viva y volver a escucharla.

—Puede ser. O a lo mejor me ha sentado mal algo que comí.

—¿Qué comiste?

—McDonald's —respondió Pip, con una pequeña sonrisa.

Su madre abrió mucho los ojos, como diciendo: «Pues ya está». Miró hacia atrás, a la puerta.

—Le prometí a Josh que iríamos hoy a Legoland —dijo insegura.

—Id vosotros —dijo Pip. «Por favor, marchaos.»

—Pero no te encuentras bien —se quejó su madre—. Debería quedarme a cuidar de ti.

Pip negó con la cabeza.

—Hace ya tiempo que no vomito, de verdad. Creo que ya se me ha pasado. Solo quiero dormir un rato. En serio. Quiero que vayáis. —Su madre movió los ojos mientras se lo pensaba—. Imagina el coñazo que dará Josh si lo canceláis.

Su madre sonrió y acarició a Pip bajo la barbilla, y ella esperó que no se diera cuenta del escalofrío que sintió.

—Eso no te lo voy a negar. ¿Seguro que vas a estar bien? A lo mejor le puedo decir a Ravi que venga a verte.

—De verdad, mamá, me encuentro bien. Solo voy a dormir. Tengo que practicar dormir de día para cuando vaya a la universidad.

—Vale. Te voy a traer un vaso de agua.

Su padre también tuvo que entrar, por supuesto, después de que le dijeran que no se encontraba bien y que no iba a ir con ellos.

—Ay, mi Pipsicola —susurró, sentándose a su lado y hundiendo toda la cama. Pip casi rueda hasta sus piernas porque no le quedaban fuerzas—. Qué mala cara tienes. ¿Soldado herido?

—Soldado herido —respondió ella.

—Bebe mucha agua —le aconsejó él—. Y aunque me duela decirlo, tienes que comer pan solo, arroz blanco y esas cosas.

—Ya lo sé, papá.

—Vale. Tu madre dice que has perdido el teléfono y, por lo visto, me lo contaste anoche, pero yo no me acuerdo de tal cosa. Llamaré al fijo en unas horas, para ver si sigues viva.

Su padre estaba a punto de salir de la habitación.

—¡Espera! —Pip se incorporó revolviendo el edredón. Su padre dudó en la puerta—. Te quiero, papá —susurró, porque no se acordaba de la última vez que se lo había dicho, y todavía seguía viva.

Una sonrisa le atravesó la cara.

—¿Qué quieres de mí? —Se rio—. Tengo la cartera en la habitación.

—No, nada —dijo ella—. Solo quería decírtelo.

—Ah, bueno. Pues en ese caso, yo también te quiero, Pipsicola.

Pip esperó hasta que se fueron. Escuchó el ruido del coche y miró entre las cortinas cómo se alejaban.

Entonces, reunió las últimas fuerzas que le quedaban, se levantó de la cama y se tambaleó por la habitación arrastrando los pies. Cogió las deportivas empapadas que había escondido tras la mochila y los dos teléfonos de prepago.

Solo quedaban tres elementos que tachar de la lista, podía hacerlo, ya veía la línea de meta y el Ravi de su cabeza le decía que ella podía. Deslizó la tapadera trasera de su teléfono. Sacó la batería y la tarjeta SIM. Rompió el pequeño plástico con los pulgares, justo por el medio del chip, igual que había hecho con el de Jason. Lo llevó abajo.

Al garaje, a la caja de herramientas de su padre. Sustituyó su cinta americana por otra.

—Puta cinta americana —siseó apretando los dientes.

Luego cogió el taladro, apretó el gatillo y miró durante un instante cómo giraba la broca, retorciendo las partículas de aire. Atravesó la pantalla del pequeño Nokia que solía vivir en su cajón, haciéndola añicos. Los diminutos trozos de plástico negro se dispersaban alrededor del nuevo agujero. Y repitió la operación en el teléfono que había pertenecido al Asesino de la Cinta.

Cogió una bolsa de basura negra para las deportivas y la cerró bien. Otra para las tarjetas SIM y las baterías. Otra para los teléfonos destrozados.

Pip se puso su abrigo largo, que estaba colgado en la percha junto a puerta, y se calzó los zapatos de su madre, aunque no le quedaban bien.

Todavía era muy temprano, no había prácticamente nadie por el pueblo. Pip bajó la calle con las bolsas de basura en una mano, y con la otra se sujetaba bien cerrado el abrigo. Vio a la señora Yardley paseando a su perro y fue por el otro lado.

La luna ya no estaba, así que Pip tenía que guiarse sola, pero le pasaba algo en los ojos, el mundo se movía de forma extraña a su alrededor, titubeante, como si no se hubiera cargado bien.

Estaba muy cansada. Su cuerpo estaba a punto de ceder. Ya no era capaz de levantar los pies, solo arrastrarlos, tropezándose con los bordes de la acera.

Subió por West Way y eligió una casa cualquiera, aleatoria: el número trece. Pensándolo mejor, igual no era tan aleatoria. Se acercó a los cubos de basura que había al final del camino de la entrada, al negro, de basura no orgánica. Lo abrió. Dentro ya había bolsas negras. Sacó la que estaba más arriba. Olía a podrido. Metió la bolsa con las deportivas debajo, enterrándola bajo la otra basura.

Ahora a Romer Close, la calle en la que había vivido Howie Bowers. Se acercó hasta su casa, aunque ya no podía ser suya, y abrió el cubo de basura para echar la bolsa con las tarjetas SIM y las baterías.

La última bolsa, el Nokia 8210 y otro modelo de la misma marca, con agujeros en el medio. Pip metió esa bolsa en el contenedor de esa casa tan bonita de Wyvil Road, la que tenía un árbol rojo en el jardín que a Pip le gustaba mucho.

Sonrió al árbol mientras tachaba ese último elemento de la lista de su cabeza. Listo. Toda la noche anterior se desmoronó en su mente.

Los contenedores los recogían el martes. Pip lo sabía porque todos los lunes por la noche su madre gritaba: «¡Victor, te has olvidado de sacar los contenedores!».

En dos días, los teléfonos y las deportivas llegarían hasta un vertedero y desaparecerían con todo lo demás.

Se había librado de ellos. Ya había acabado.

Pip volvió a casa. Se tropezó al entrar porque sus piernas intentaron ceder bajo su peso. Estaba temblando. Temblando y con escalofríos. A lo mejor era algo que hacían los cuerpos después de una noche como aquella, destruidos por la adrenalina que los había mantenido activos cuando más falta les hacía.

Pero ya no había nada más que hacer. Ningún otro sitio al que ir.

Pip se tiró en la cama, demasiado cansada como para alcanzar las almohadas. Allí estaba bien. Allí estaba cómoda, y segura, y quieta.

El plan había terminado, de momento. En pausa.

Pip ya no podía hacer nada más. De hecho, se suponía que no debía hacer nada, vivir la vida como si acabara de ir a comer comida basura con sus amigas y luego a dormir. Nada más. Solo tenía que llamar a Ravi más tarde desde el fijo para decirle que había perdido el móvil, para que la conversación quedara registrada, porque, por supuesto, no lo había visto. Iría a por uno nuevo el lunes.

Vivir. Y esperar.

Nada de buscar en Google su nombre. Ni pasar por delante de su casa. Ni actualizar con impaciencia las páginas de noticias. Eso era lo que haría un asesino, y Pip no podía ser una.

Las noticias llegarían a su debido tiempo. «Descubren el cadáver de Jason Bell. Homicidio.»

Se le cayeron los párpados. Las respiraciones se hicieron cada vez más profundas en su pecho mientras entraba sigilosamente una nueva oscuridad que la hacía desaparecer.

Pip por fin durmió.

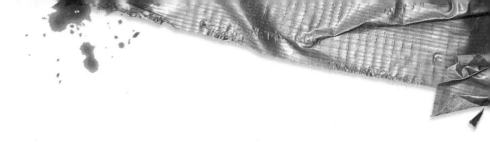

Cuarenta y cuatro

Pip esperó.

Se le había empezado a curar la piel de la cara y de las muñecas. Y esperó.

No lo anunciaron el lunes; Pip se sentó en el sofá a ver las noticias de las diez, mientras su madre gritaba por encima de la tele a su padre para que sacara los contenedores de la basura.

Tampoco lo anunciaron el martes. Pip tuvo las noticias de la BBC de fondo todo el día mientras configuraba su móvil nuevo. Nada. Nadie había encontrado ningún cuerpo. Las dejó hasta cuando Ravi fue a verla por la noche. Hablaban con miradas atormentadas en los ojos, y con pequeñas caricias en las manos, porque no podían utilizar palabras. No hasta que estuvieran tras la puerta cerrada de su habitación.

¿Acaso no lo habían encontrado? No podía ser: el fuego, la sangre. Seguro que los empleados de Green Scene tenían que saberlo, les tenían que haber dicho que algo iba mal, por qué no podían ir a trabajar: el fuego, la escena del crimen. Pip podía buscarlo...

No. No podía buscar nada. Eso dejaría un rastro.

Solo tenía que esperar, luchar contra esa necesidad de saber; si no, acabarían pillándola.

Le costaba dormir. ¿Qué esperaba? No tenía nada que tomarse y quizá ahora lo necesitara incluso más, porque cada vez que cerraba los ojos, temía que no volvieran a abrirse, que estuvieran tapados con cinta, como su boca al intentar respirar. Latidos que sonaban a disparos. Solo era el cansancio, que se había quedado a vivir con ella.

—Hola, dormilona —le dijo su madre el miércoles por la mañana, mientras ella bajaba a trompicones la escalera, saltándose el último escalón por inercia—. Me han cancelado un par de citas esta mañana, así que he preparado el desayuno.

Tortitas.

Pip se sentó en la isla de la cocina y le dio un sorbo largo al café, demasiado caliente para su garganta aún irritada.

—Te voy a echar de menos cuando te vayas a la universidad —dijo su madre, sentándose frente a ella.

—Vamos a seguir viéndonos continuamente —dijo Pip con la boca llena.

No tenía hambre, pero quería complacer a su madre.

—Ya lo sé, pero no va a ser lo mismo, ¿no? Has crecido mucho, el tiempo ha pasado volando. —Chasqueó los dedos mirando su teléfono sobre la encimera, que acababa de emitir el sonido de un mensaje—. Qué raro. Es Siobhan, del trabajo. Dice que ponga las noticias.

A Pip se le cerró el pecho alrededor del corazón y su cabeza se llenó con el ruido de todas las costillas rompiéndose. Tenía el cuello demasiado frío, la cara demasiado caliente. Era eso, ¿verdad? ¿A qué otra cosa si no se podía referir Siobhan? Mantuvo una expresión neutra, clavando el tenedor en las tortitas para tener las manos ocupadas con algo.

—¿Por qué? —preguntó de forma casual, mirando la cara caída de su madre.

—Solo me ha dicho que las ponga, no sé nada más. A lo mejor ha pasado algo en el colegio. —Su madre se bajó del taburete y fue corriendo hasta el salón.

Pip esperó un momento, luego dos, intentando respirar

para calmar el pánico, que era cada vez más intenso en su interior. Ese era el momento en el que todo se volvía real, e irreal; debía interpretar un papel, y hacerlo bien. La interpretación de su vida. Dejó el tenedor en la encimera y fue detrás de su madre.

Ya había cogido el mando y la televisión se estaba encendiendo. Directamente en el canal de BBC News, donde Pip la había dejado anoche.

La imagen de la presentadora del telediario estaba cortada por la mitad por un texto en la parte inferior de la pantalla.

«Última hora.»

Se le fue formando una curva en la ceja conforme hablaba a cámara.

«... en Buckinghamshire, un pueblo que ya ha tenido más que suficiente tragedia. Hace seis años, dos adolescentes, Andie Bell y Sal Singh, murieron en el que, desde entonces, se ha convertido en el crimen del que más se ha hablado en todo el país. A principios de este año, un hombre, que resultó ser el Niño Brunswick y que había estado viviendo en Little Kilton bajo el nombre de Stanley Forbes, fue asesinado a tiros. El sospechoso, Charlie Green, fue arrestado y condenado la semana pasada. Y ahora nos encontramos con ese mismo pueblo otra vez en el punto de mira, con la confirmación de la policía local de que se ha encontrado el cuerpo sin vida de Jason Bell, padre de Andie Bell.»

Su madre soltó un grito ahogado y abrió la boca aterrorizada. Pip imitó su expresión y la compartió con ella.

«Las autoridades están tratando esta muerte como sospechosa y han realizado unas primeras declaraciones frente a la comisaría de policía de Amersham hace escasos minutos.»

El plano pasó de la sala de redacción a una escena exterior, con un cielo gris y un edificio grisáceo que Pip conocía demasiado bien. El lugar malo.

En el aparcamiento habían levantado un escenario con un micrófono que se movía ligeramente por el viento.

Él estaba detrás, con una camisa clara y un traje de chaqueta entallado. El abrigo acolchado verde parecía poco apropiado para una rueda de prensa.

El inspector Hawkins carraspeó.

—Lamentablemente, debemos confirmar que Jason Bell, de cuarenta y ocho años, residente de Little Kilton, fue hallado muerto el domingo por la mañana muy temprano. Su cuerpo se encontró en su lugar de trabajo, en la empresa de la que era dueño, con sede en Knotty Green. Estamos tratando la muerte como un homicidio, y aún no puedo hacer ningún comentario sobre los detalles del caso, ya que aún nos encontramos en la etapa inicial de la investigación. Desde aquí, hacemos un llamamiento a cualquier testigo que estuviera en la zona de Knotty Green el sábado bien entrada la noche, sobre todo en las proximidades de Witheridge Lane, que pueda haber visto algo sospechoso.

«No hay testigos», pensó Pip, diciéndoselo con los ojos a través del cristal de la pantalla del televisor. No había nadie cerca que escuchara sus gritos. Y, además, había dicho el sábado bien entrada la noche, ¿verdad? Pero ¿a qué hora se refería? Podría tratarse de las siete, o incluso antes, según a quién le preguntaras. El término era demasiado impreciso, demasiado vago; todavía no sabía si lo había conseguido.

—¿Alguna pregunta? —Hawkins hizo una pausa y miró más allá de la cámara—. Sí. —Señaló a alguien.

Una voz fuera de plano.

—¿Cómo lo asesinaron?

Hawkins estiró la cara.

—No te lo puedo decir porque la investigación sigue activa.

«Golpeándolo con un martillo en la cabeza —respondió

Pip mentalmente—. Le dieron, al menos, nueve veces. Rematado. Una muerte con mucha mucha rabia.»

—Qué horror —comentó su madre tapándose la cara con las manos.

Pip asintió.

Otra voz diferente detrás de la cámara.

¿Tiene algo que ver con la muerte de su hija, Andie?

Hawkins analizó al hombre durante un instante.

—Andie Bell falleció de forma trágica hace más de seis años, y su caso se resolvió el año pasado. Yo me encargué personalmente de la investigación. Tengo relación con la familia Bell, y prometo que averiguaré qué le ha pasado a Jason, quién lo ha matado. Gracias.

Hawkins bajó del escenario con un breve saludo y el plano volvió a la sala de redacción.

—Horrible, horrible —dijo la madre de Pip negando con la cabeza—. No me lo puedo creer. Pobre familia. Jason Bell está muerto. Lo han asesinado. —Se giró para mirar a Pip con una expresión severa—. No —dijo, levantando un dedo.

Pip no sabía qué había hecho mal. Jason Bell merecía morir, pero su madre no era capaz de darse cuenta de eso mirándola a la cara, ¿verdad?

—¿No qué? —le preguntó.

—Lo veo en el brillo de tus ojos, Pip. No te vas a obsesionar con esto. No vas a empezar a investigarlo.

Pip volvió a mirar al televisor y se encogió de hombros.

Pero era precisamente eso lo que iba a hacer.

Es lo que habría hecho si se acabara de enterar de lo que había pasado. Es lo que haría: investigarlo. Se sentía atraída por la gente muerta, por los desaparecidos, intentando averiguar los porqués y los cómos. Era lo esperable. Era lo normal. Y Pip tenía que actuar de forma normal, tal como la gente esperaba que hiciera.

Empezaba la última parte del plan, repetido una y otra vez en intensos suspiros con Ravi la noche anterior. Interferir, pero no demasiado. Guiar, no liderar.

La policía tenía a su asesino. Solo debían saber dónde buscar.

Pip les podía dar un empujoncito hacia la dirección correcta, para encontrar a la persona que se escondía tras todas esas pruebas que ella les había dejado. Y tenía la forma perfecta, esperada y normal de hacerlo. Su podcast.

Asesinato para principiantes. Temporada 3: ¿Quién mató a Jason Bell?

Sabía exactamente a quién entrevistar primero.

Cuarenta y cinco

La cara de Pip solo estaba iluminada por el brillo de la pantalla del ordenador. Las sombras parecían hematomas alrededor de sus ojos. Escuchaba voces, la de Jackie, de la cafetería, y la suya propia. Era la entrevista que había grabado el día anterior. De fondo se escuchaba el rumor de la voz de Cara. Había ido como la seda: Pip la había presionado lo necesario para conseguir que dijera lo que ella necesitaba, las frases bailaban las unas con las otras y los silencios estaban llenos de significado. La forma en la que la voz de Jackie siseaba entre los dientes mientras pronunciaba el nombre de Max. A Pip se le erizaban los pelos de la nuca.

La volvió a escuchar, en el silencio de la noche, con un par de viejos auriculares blancos conectados al ordenador. Josh le habría vuelto a coger los auriculares negros para jugar al FIFA, pero no pasaba nada; le podía quitar lo que quisiera. Hacía tan solo una semana, pensaba que no iba a volver a verlo, creía que se convertiría en el fantasma en el que él intentaba no pensar. Podía tomar prestado lo que le apeteciera, y Pip lo querría aún más.

Analizó las líneas azules en el programa de audio, los dibujos erráticos de su voz, firme cuando hacía falta, tranquila cuando debía, arriba y abajo, montañas y valles. Aisló el audio y lo copió en un nuevo archivo.

Pip se imaginó a Hawkins escuchando esas mismas palabras en un par de días, se lo imaginó prestando atención, apartando su silla mientras esa Pip de otro tiempo movía los hilos. La misma a la que encontraría sonriendo en la grabación de seguridad del McDonald's si en algún momento necesitaba verla. Pip no podía incluir el nombre de Max, Hawkins tendría que averiguarlo él solito, pero le estaba indicando exactamente dónde buscar.

«Sigue el camino, Hawkins.» El camino más fácil estaba justo allí, solo tenía que seguirlo, como lo había hecho hasta Sal Singh. Pip se lo estaba poniendo muy fácil. Solo debía entrar en el mundo que ella estaba creando solo para él.

Nombre del archivo:

 Prueba para APP temporada 3: ¿Quién mató a Jason Bell?.wav

[Música]

[Clip insertado]

Periodista: *Little Kilton [...], un pueblo que ya ha tenido más que suficiente tragedia [...] la confirmación de que se ha encontrado sin vida el cuerpo de Jason Bell, padre de Andie Bell [...]. Las autoridades están tratando esta muerte como sospechosa [...]*

[Final del clip]

[Archivo de sonido de una sirena de policía]

Pip: Hola, soy Pip Fitz-Amobi, y vivo en un pueblo pequeño. Hace más de seis años, asesinaron a dos adolescentes aquí. Hace unos meses, mataron a tiros a un hombre. Como dice el refrán, no hay dos sin tres, hasta en los asesinatos. Un pueblo pequeño, donde esta semana hemos descubierto que ha muerto otra persona.

[Clip insertado]

Hawkins: *Jason Bell [...], residente de Little Kilton, fue hallado muerto el domingo por la mañana.*

[Final del clip]

Pip: A Jason Bell, el padre de Andie y Becca Bell, lo encontraron muerto en su lugar de trabajo en un pueblo cercano la semana pasada.

[Clip insertado]

Hawkins: *Estamos tratando la muerte como un homicidio [...].*

[Final del clip]

Pip: No fue un accidente, ni muerte natural. Alguien lo mató, pero, más allá de eso, aún se conocen muy pocos detalles del caso. Parece ser que el asesinato ocurrió la noche del 15 de septiembre, según la información que dio la policía en su llamamiento a los posibles testigos de la zona. Encontraron a Jason en su lugar de trabajo, en el complejo de dos empresas de mantenimiento y limpieza de su propiedad, llamadas Green Scene y Clean Scene. Ya está. Puede que no sepamos mucho, excepto una cosa: hay un asesino suelto, y alguien tiene que capturarlo. Acompáñanos en esta nueva temporada, mientras intentamos unir las piezas de este caso junto a la investigación activa de la policía. Alguien lo mató, o sea que alguien lo quería ver muerto, y debe de haber dejado un rastro. En los pueblos pequeños, la gente habla. Y se ha hablado mucho a lo largo de esta semana pasada: Little Kilton está lleno de susurros y miradas furtivas. La mayoría no merecen la pena, pero hay algunos comentarios que no pueden ignorarse.

[Clip insertado]

Pip: *Hola, Jackie. A ver, vamos a presentarte. Eres la propietaria de una cafetería independiente en Little Kilton, en High Street.*

Jackie: *Exacto, esa soy yo.*

[...]

Pip: *¿Podrías contarme qué pasó?*

Jackie: *Jason Bell vino hace algunas semanas y se puso en la cola para pedir su café. Venía muy a menudo. Delante de él estaba [PIIIIIIIII].*

[...] Jason le devolvió el empujón y le derramó el café [...], le dijo que se quitara del medio.

Pip: *¿Dirías que fue un altercado físico?*

Jackie: *Sí. Fue violento, estaba bastante enfadado. [...] Era muy evidente que no se caían bien.*

Pip: *¿Y dices que esto sucedió tan solo dos semanas antes de que asesinaran a Jason?*

Jackie: *Sí.*

Pip: *¿Estás insinuando que [PIII] lo mató?*

Jackie: *No, yo... No, por supuesto que no. Pero sí que creo que había hostilidad entre ellos.*

Pip: *¿Resentimiento?*

Jackie: *Sí [...], por lo que [PIII] le hizo a la hija de Jason, Becca. Aunque no lo condenaran. Estoy segura de que el hombre tenía motivos de sobra para odiarlo.*

[Final del clip]

Pip: No sé qué os parece a vosotros, pero en mi lista de personas de interés ya hay un nombre. Todo esto y mucho más a continuación en el episodio uno. Acompáñanos en la tercera temporada de *Asesinato para principiantes: ¿Quién mató a Jason Bell?*

[Clip insertado]

Hawkins: *Prometo que averiguaré qué le ha pasado a Jason, quién lo ha matado.*

[Final del clip]

Pip: Yo también.

[Música]

Cuarenta y seis

Todo empezó con una llamada de teléfono.

—Hola, Pip, soy el inspector Hawkins. ¿Puedes acercarte un momento a la comisaría para que charlemos?

—Claro —le había dicho Pip—. ¿Sobre qué?

—Sobre el episodio del podcast que publicaste hace un par de días, el que trata del caso de Jason Bell. Me gustaría hacerte unas preguntas, eso es todo. Es un interrogatorio voluntario.

Fingió que se lo pensaba.

—De acuerdo. ¿Le parece bien dentro de una hora?

La hora ya había pasado y ella estaba de pie en lugar malo. El edificio grisáceo de la comisaría de Amersham. Un arma se disparó en su pecho y sus manos estaban pegajosas por el sudor y la sangre de Stanley. Pip cerró el coche y se limpió las palmas rojas sobre los vaqueros.

Había llamado a Ravi para contarle dónde iba. Él no le había dicho gran cosa, además de «joder» una y otra vez, pero Pip le aseguró que no pasaba nada, que no entrara en pánico. Era lo que esperaban; estaba indirectamente involucrada en el caso, ya fuera por la entrevista a Jackie o por la llamada al abogado de Max aquella noche. De eso era de lo que iban a hablar, y Pip sabía perfectamente cómo interpretar su papel. Estaba en las afueras de ese asesinato. Era un personaje periférico. Hawkins solo quería su información.

Y ella iba a pedirle algo a cambio. Esa podría ser la oportunidad: la respuesta a la pregunta que no podía soltar, la resaca que perseguía cada pensamiento. El momento en el que Pip sabría si lo habían conseguido o no, si el truco que habían llevado a cabo para retrasar la hora de la muerte había funcionado. En caso afirmativo, era libre. Sobreviviría. Nunca había estado allí y no había matado a Jason Bell. Si no había salido bien... Bueno, no merecía la pena pensar en eso ahora. Bloqueó ese pensamiento en el lugar oscuro de su mente y entró en la comisaría.

—Hola, Pip. —Eliza, la agente de detención, le sonrió desde detrás del mostrador de recepción—. Me temo que no hay nadie —la informó, removiendo entre una pila de papeles.

—El inspector Hawkins me ha llamado y me ha pedido que venga —respondió Pip, metiéndose las manos en los bolsillos de atrás para que Eliza no viera cómo le temblaban.

«Relájate. Tienes que relajarte.» Podía desmoronarse dentro, pero sin que nadie lo viera.

—Ah, vale. —Eliza retrocedió—. Entonces voy a avisarle de que estás aquí.

Pip esperó.

Vio a Soraya, una agente a la que conocía, pasar rápidamente por recepción. Se detuvo un segundo para intercambiar unos «hola» y «¿qué tal?» rápidos. Esta vez, Pip no estaba cubierta de sangre, al menos no de la que se ve.

Mientras Soraya se marchaba por el fondo, otra persona entró por la otra puerta. El inspector Hawkins, con el pelo hacia atrás y la cara más pálida de lo habitual, más gris, como si hubiera pasado mucho tiempo en ese edificio y estuviera absorbiendo su color, haciéndolo suyo.

No debía de haber dormido demasiado desde que habían encontrado el cuerpo de Jason.

—Hola, Pip. —Le hizo un gesto y ella lo siguió.

Pasaron por ese mismo pasillo. Del lugar muy muy malo al lugar aún peor. Caminando de nuevo sobre sus propios pasos, pero, esta vez, Pip era la que tenía el control, no aquella chica asustada que acababa de enfrentarse por primera vez a la muerte. Y puede que Hawkins la estuviese llevando a la sala de interrogatorios 3, pero, en realidad, era él quien la seguía a ella.

—Siéntate, por favor. —El inspector le señaló una silla mientras él se sentaba en la suya.

En el suelo, al lado de él, había una caja abierta con un montón de archivos dentro y una grabadora esperando sobre la mesa metálica.

Pip se sentó en el borde de la silla y asintió, esperando a que él empezara.

Pero no lo hizo. Simplemente se quedó mirándola, y al movimiento rápido de sus ojos.

—Pues nada —dijo Pip, carraspeando—. ¿Qué me quería preguntar?

Hawkins se inclinó hacia delante y cogió la grabadora mientras se crujía el cuello.

—Sabes que, aunque sea voluntario y solo queremos que nos ayudes con nuestra investigación, tengo que interrogarte bajo advertencia y grabar nuestra conversación, ¿verdad? —Buscó su cara con la mirada.

Sí, lo sabía. Si creyeran que ella tenía algo que ver con el caso, la habrían arrestado. Ese era el procedimiento estándar, pero él tenía una mirada extraña, como si quisiera asustarla. No tenía miedo, ella estaba al mando de la situación. Asintió.

Hawkins pulsó el botón.

—Soy el inspector Hawkins interrogando a Pippa Fitz-Amobi. Son las 11.31 del martes 25 de septiembre. Este interrogatorio es voluntario, en relación con la investigación de la muerte de Jason Bell y puedes marcharte cuando quieras, ¿entendido?

—Sí —dijo Pip, dirigiendo la voz hacia la grabadora.

—No tienes que decir nada, pero, más adelante, en el juicio, puede que tu defensa se vea perjudicada si no hablas ahora. Cualquier cosa que digas puede ser utilizada como prueba. —Hawkins volvió a ponerse recto en la silla, que crujió—. Muy bien —dijo—. He escuchado el avance de la nueva temporada de tu podcast, al igual que cientos de miles de personas.

Pip se encogió de hombros.

—Pensé que igual les vendría bien para el caso. Teniendo en cuenta que me necesitaron para resolver los anteriores. ¿Por eso quería hablar conmigo? ¿Necesita mi ayuda? ¿Quiere darme una exclusiva?

—No, Pip. —El aire silbó entre sus dientes—. No necesito tu ayuda. La investigación está activa, se trata de un homicidio. Ya sabes que no puedes interferir ni publicar información relevante en internet. La justicia no funciona así. Los estándares periodísticos también se te aplican a ti. Hay quienes podrían ver esto como rebeldía.

—No he publicado ninguna «información relevante», solo era un avance —se defendió ella—. Aún no tengo ningún detalle del caso, aparte de lo que dijo usted en la rueda de prensa.

—Has publicado una entrevista con una tal... —Hawkins miró sus notas— Jackie Miller, en la que especulas sobre quién puede haber matado a Jason Bell —dijo él, abriendo los ojos como si hubiera ganado un tanto.

—No he publicado la conversación entera —puntualizó Pip—, solo las partes más interesantes. Y tampoco he dicho el nombre de la persona de la que hablamos. Sé que puede afectar a un posible juicio. Sé lo que estoy haciendo.

—Podría decirse que el contexto dejó bastante claro de quién estabais hablando —dijo Hawkins, agachándose hacia la caja llena de archivos. Se volvió a incorporar con un montón de papeles en la mano—. Después de escuchar el avance, yo mismo hablé con Jackie, como parte de nuestra investigación. —Sacudió los papeles y Pip reconoció la transcripción de un interrogatorio. Lo dejó sobre la mesa y pasó algunas hojas—. «Creo que había bastante resentimiento entre Max Hastings y Jason Bell.» —Leyó en voz alta—. «En el pueblo se escuchan muchos rumores sobre la relación que tenía con la muerte de Andie... Y, desde luego, era evidente que a Max tampoco le caía bien Jason... Había mucha rabia. Fue muy violento, nunca había vivido una situación así con dos clientes. Y, como dijo Pip, ¿no es preocupante que eso ocurriera dos semanas antes de que asesinaran a Jason?» —Hawkins terminó de leer, cerró la transcripción y miró a la chica.

—Yo diría que es un primer paso bastante estándar en una investigación —comentó ella sin romper el contacto visual. No sería la primera en apartar la mirada—. Averiguar si ocurrió algo extraño en la vida de la víctima recientemente, buscar posibles personas de interés. Un incidente violento que lleve hasta su asesinato, interrogar a testigos. Disculpe si yo lo he hecho antes.

—Max Hastings —dijo Hawkins, siseando tres veces conforme lo pronunciaba.

—Parece que no es demasiado popular en el pueblo —observó Pip—. Tiene muchos enemigos. Y, por lo visto, Jason Bell era uno de ellos.

—Muchos enemigos. —Hawkins repitió sus palabras, endureciendo su mirada—. ¿Te considerarías enemiga suya?

—A ver —Pip estiró la cara—, es un violador en serie que se fue de rositas y le hizo daño a algunas de las personas que más me importan. Sí, lo odio. Pero no sé si tengo el honor de ser su peor enemiga.

—Te ha demandado, ¿no? —Hawkins cogió un boli y se

dio golpecitos en los dientes con él—. Por difamación, por una declaración y un archivo de audio que publicaste en las redes sociales el día de la lectura del veredicto de su juicio por abuso sexual.

—Sí, esa era su intención —respondió Pip—. Como he dicho antes: un tío de puta madre. Aunque, en realidad, hemos llegado a un acuerdo sin necesidad de juicio.

—Interesante —comentó Hawkins.

—¿Sí?

—Bueno. —Hizo clic con el boli que tenía en la mano, abriéndolo y cerrándolo, y lo único que Pip escuchaba era cinta cinta—. Por lo que yo sé de tu carácter, Pip, gracias a nuestras innumerables interacciones, diría que me sorprende que hayas decidido llegar a un acuerdo, pagar por lo que hiciste. Pensaba que eras de las que luchan hasta el final.

—Normalmente, lo soy —admitió—. Pero creo que he perdido toda mi confianza en los tribunales y en el sistema judicial, ya sea criminal o civil. Y estoy cansada. Quiero dejarlo todo atrás y empezar de cero en la universidad.

—Y ¿cuándo decidiste aceptar?

—Hace no mucho —respondió Pip—. Este fin de semana pasado, no; el anterior.

Hawkins asintió, sacando otra hoja de papel del archivador que había al principio de la caja.

—He hablado con Christopher Epps, el abogado que representa a Max Hastings en el caso de difamación, y me ha dicho que lo llamaste a las 21.41 el sábado 15 de septiembre. Y que en esa llamada aceptaste el trato que te había ofrecido unas semanas antes.

Pip asintió.

—Una hora un poco rara para llamarlo, ¿no? ¿Un sábado por la noche, tan tarde?

—No tanto —explicó ella—. Me dijo que lo podía llamar

a cualquier hora. Me había pasado todo el día dándole vueltas y, al final, tomé la decisión. No veía ningún motivo por el que retrasarlo más. Según me dijo, iba a archivar la demanda a primera hora del lunes.

Hawkins asintió a sus palabras, escribiendo algo en la hoja que Pip no podía leer porque estaba al revés.

—¿Por qué me pregunta por la conversación que mantuve con el abogado de Max Hastings? —quiso saber ella, entornando los ojos, confundida—. ¿Eso quiere decir que ha estado investigando a Max como persona de interés?

Hawkins no dijo nada, pero Pip no necesitaba que lo verbalizase. Lo sabía. Hawkins no tendría constancia de la llamada entre Pip y Epps si no supiera que él había llamado a Max unos minutos después. Y el único motivo por el que podía saber eso era si ya hubiese revisado los registros telefónicos de Max. Quizá ni siquiera hubiera hecho falta una orden; probablemente Max hubiese entregado voluntariamente su teléfono, siguiendo el consejo de Epps, pensando que no tenía nada que esconder.

Hawkins ya había colocado a Max en la escena del crimen a la hora en la que Epps lo había llamado y más tarde, cuando lo llamaron sus padres; ¿sería una causa suficiente para conseguir una orden de registro domiciliario? ¿Para tomar muestras de ADN y compararlas con las que se habían encontrado en la escena del crimen? A no ser que la hora a la que Max había estado allí no coincidiera con la ventana de la muerte de Jason. Esto último lo desconocía.

Pip intentó que no se le oscureciera la cara. Miró fijamente a Hawkins con interés, pero tampoco demasiado.

—¿Cuánto conocías a Jason Bell? —preguntó él cruzándose de brazos.

—No tan bien como usted —contestó ella—. Sabía muchas cosas sobre él, más que conocerlo. No sé si tiene sentido.

Nunca tuvimos una conversación propiamente dicha, pero, claro, cuando investigué lo que le pasó a Andie, tuve que interesarme mucho por su vida. Nuestros caminos se han cruzado, pero no nos tratamos realmente.

—Sin embargo, parece que estás determinada a encontrar a quien lo mató, para el podcast.

—Es a lo que me dedico —dijo Pip—. No me hace falta conocerlo bien para pensar que merece que se haga justicia. Parece que los casos en Little Kilton no se resuelven si yo no me involucro.

Hawkins se rio, como un ladrido al otro lado de la mesa, mientras se pasaba la mano por la barba.

—Jason se me quejó después de que lanzaras la segunda temporada del podcast. Dijo que la prensa lo estaba acosando, y en internet también. ¿Crees que se podría decir que no le caías bien? Por eso.

—No tengo ni idea —aseguró Pip—, y no sé muy bien qué relevancia puede tener eso. Aunque yo no le cayera bien, sigue mereciendo que se haga justicia, y yo ayudaré como pueda.

—¿Has tenido contacto recientemente con Jason Bell? —preguntó Hawkins.

—¿Recientemente? —Pip miró al techo, como si estuviera rebuscando entre sus recuerdos.

Claro que no tenía que buscar demasiado; solo habían pasado diez días desde que había arrastrado su cuerpo entre los árboles. Y, antes de eso, había llamado a la puerta de Jason para preguntarle por Green Scene y el Asesino de la Cinta. Pero Hawkins no podía saber nada de esa conversación. Pip ya estaba indirectamente relacionada con el caso por partida doble. El contacto reciente con Jason era demasiado arriesgado, quizá incluso les proporcionara una causa probable para conseguir una orden para coger muestras de ADN de ella, sobre todo por la forma en la que Hawkins la estaba mirando, estudiándola.

—No. No hablé con él. Y mucho menos lo vi por el pueblo. Creo que hace meses —dijo—. Me parece que la última vez que nos cruzamos fue en el aniversario de la muerte de Andie y Sal, ¿se acuerda? Usted también estuvo. La noche que desapareció Jamie Reynolds.

—¿Esa es la última vez que recuerdas ver a Jason? —preguntó Hawkins—. ¿A finales de abril?

—Correcto.

Otra nota en el papel. El ruido del bolígrafo contra el folio le llegó hasta la nuca. ¿Qué estaba escribiendo? Y, en ese momento, Pip no podía eliminar esa sensación inquietante de que no era Hawkins quien la estaba interrogando, sino la Pip de hacía un año. La chica de diecisiete años que pensaba que la verdad era lo único que importaba, daba igual el contexto, y no había ninguna zona gris agobiante. La verdad era el destino y el trayecto, eso mismo pensaba el inspector Hawkins. Esa era quien estaba sentada delante de ella: su antigua yo contra quienquiera que fuese en quien se había convertido. Y esta nueva persona tenía que ganar.

—El número de teléfono que utilizaste para llamar a Christopher Epps —continuó Hawkins, pasando el dedo por una hoja impresa— no es el de tu móvil. Ni el fijo de tu casa.

—No —confesó Pip—. Llamé desde el fijo de una amiga.

—¿Y eso por qué?

—Porque estaba en su casa —dijo Pip—. Y había perdido mi teléfono por la tarde; el móvil, vaya.

Hawkins se inclinó hacia delante con los labios muy apretados mientras pensaba en lo que ella acababa de decir.

—¿Perdiste tu móvil aquel día? ¿El sábado 15?

Pip asintió y luego dijo:

—Sí. —Para la grabadora, impulsada por la mirada de

Hawkins—. Fui a correr y creo que se me debió de salir del bolsillo. No lo encontré. Ahora tengo otro.

Otra nota en la hoja, otro escalofrío en la columna de Pip. ¿Sobre qué estaba escribiendo? Se suponía que ella estaba en control, debería saberlo.

—Pip. —Hawkins se quedó callado un instante, rodeándole la cara con la mirada—. ¿Podrías decirme dónde estuviste entre las 21.30 y la medianoche del sábado 15 de septiembre?

Ahí estaba. La última incógnita.

Algo se liberó en su pecho, dejando un poco más de espacio alrededor del corazón, que latía disparos. Una ligereza en los hombros, una soltura en la mandíbula. La sangre en las manos que solo era sudor.

Lo habían conseguido.

Se había acabado.

Mantuvo una expresión neutral, pero le temblaban las comisuras de la boca. Una sonrisa invisible y un suspiro mudo.

Le estaba preguntando dónde había estado entre las 21.30 y la medianoche porque esa era la hora estimada de la muerte. Lo habían conseguido. La habían retrasado más de tres horas y estaba a salvo. Había sobrevivido. Y Ravi, y todos a los que había pedido ayuda, también estarían bien. Porque era imposible que Pip hubiera matado a Jason Bell; estaba en otro sitio completamente diferente.

No podía mostrarse demasiado alegre al decírselo, ni que parecería demasiado ensayado.

—¿Esa es la noche en la que mataron a Jason Bell? —preguntó, para comprobarlo.

—Así es.

—Pues... fui a casa de mi amiga...

—¿Qué amiga?

—Cara Ward y Naomi Ward —añadió Pip, mirando cómo él tomaba nota—. Viven en Hogg Hill. Fue desde allí desde donde llamé a Christopher Epps a las... ¿qué hora había dicho?

—21.41 —dijo Hawkins, con la respuesta preparada en la punta de la lengua.

—Eso, a las 21.41 o por ahí; a su casa había llegado unos minutos antes, así que supongo que a las 21.30 estaría de camino.

—De acuerdo —aceptó—.Y ¿cuánto tiempo estuviste en casa de las Ward?

—No mucho —dijo Pip.

—¿No? —La analizó.

—No, estuvimos allí un rato y luego nos entró hambre, así que fuimos a por algo de cenar.

Hawkins garabateó algo más.

—¿Cenar? —dijo—. ¿Dónde fuisteis?

—Al McDonald's que está en la estación de servicio de Beaconsfield —dijo Pip con una sonrisa vergonzosa, hundiendo la cabeza.

—¿En Beaconsfield? —Mordisqueó el bolígrafo—. ¿Era el sitio más cercano?

—Bueno, era el McDonald's más cercano, que era lo que queríamos.

—¿A qué hora llegasteis?

—Um... —Pip lo pensó—. No estuve demasiado pendiente del reloj, más que nada porque no tenía móvil, pero si nos fuimos poco después de que llamara a Epps, supongo que llegaríamos sobre las diez pasadas, o así.

—Has dicho que condujiste tú. ¿En tu coche? —preguntó él.

—Sí.

—¿Qué coche tienes?

Pip sorbió por la nariz.

—Un Volkswagen Beetle. Gris.

—Y ¿cuál es su matrícula?

Ella se lo dijo, mirando cómo lo anotaba y lo subrayaba.

—Entonces, llegasteis al McDonald's a eso de las diez —resumió él—. ¿No es un poco tarde para cenar?

Pip se encogió de hombros.

—Soy una adolescente, ¿qué quiere que le diga?

—¿Estuvisteis bebiendo? —le preguntó.

—No —dijo ella con firmeza—, porque eso habría sido un delito.

—Así es —afirmó él, volviendo a mirar sus notas—. ¿Cuánto tiempo estuvisteis en el restaurante?

—Pues un buen rato —dijo Pip—. Pedimos unos menús y nos quedamos allí..., no sé, una hora, hora y media o así, creo. Luego compré un par de helados para el viaje de vuelta. Si quiere puedo mirar en la aplicación del banco a qué hora fue, pagué yo.

Hawkins negó ligeramente con la cabeza. No necesitaba verlo en su móvil, tenía sus propios medios para verificar su coartada. Y la veía en las grabaciones, clara como el agua, de pie en la cola, evitando hacer contacto visual con la cámara. Dos pagos por separado con su tarjeta. Irrefutable, Hawkins.

—Vale, entonces crees que os fuisteis del McDonald's sobre las once y media, ¿no?

—Yo diría que sí —dijo ella—. Sin comprobarlo.

—Y ¿dónde fuisteis luego?

—A casa —respondió ella, bajando las cejas porque la respuesta era demasiado obvia—. Conduje de vuelta a Kilton, dejé a las hermanas Ward en su casa y luego volví yo a la mía.

—¿A qué hora llegaste a tu casa?

—Repito, no estaba muy pendiente de la hora, más que

nada porque no llevaba el móvil, pero, cuando entré, mi madre todavía estaba esperándome despierta, aunque ya en la cama, así que deberían de ser pasadas las doce, porque me hizo un comentario sobre que era más de medianoche. Íbamos a madrugar al día siguiente.

—¿Y luego? —Él levantó la mirada.

—Y luego me fui a la cama. A dormir.

Cubierta para toda la ventana de la hora de la muerte. Pip lo iba viendo en las nuevas arrugas que aparecían en la frente de Hawkins. Claro que ella podría estar mintiendo, y a lo mejor era eso lo que él estaba pensando. Tendría que comprobarlo. Pero no estaba mintiendo sobre eso, y las pruebas estaban allí, esperándolo.

Hawkins soltó aire y volvió a pasar el dedo por la hoja. Había algo que no le encajaba, Pip se lo veía en los ojos.

—Pausa en el interrogatorio a las 11.43. —Hizo clic en el botón de *stop* de la grabadora—. Voy a por un café —dijo, levantándose de la silla y recogiendo los archivadores—. ¿Quieres uno?

No, no le apetecía. No se encontraba bien por culpa de la adrenalina. El nudo del estómago por fin se le estaba deshaciendo, ahora que sabía que había sobrevivido, que había ganado, que Max había matado a Jason y que no había forma posible de que hubiera sido ella. Pero no se había deshecho del todo; era esa mirada en sus ojos lo que no era capaz de descifrar. Hawkins esperaba más respuestas.

—Sí, por favor —dijo, aunque no lo quería—. Con leche, sin azúcar.

Una persona inocente habría aceptado ese café, alguien que no tuviera nada que esconder, nada de lo que preocuparse.

—Dos minutos.

Hawkins le sonrió y salió de la sala de interrogatorios.

Cerró la puerta detrás de él, y Pip escuchó sus pasos amortiguados por el pasillo. Tal vez fuera a por café, pero seguramente también iba a darle esa nueva información a otro agente, y a decirle que empezara a investigar su coartada.

Pip exhaló y se hundió en la silla. No tenía que fingir, nadie la estaba mirando. Una parte de ella quería taparse la cara con las manos y llorar. Berrear. Gritar. Reírse. Porque era libre y todo se había acabado. Podría encerrar el terror y no volver a dejarlo salir jamás. Y quizá algún día, dentro de muchos años, incluso se olvidaría de todo, o la vida habría ido desvaneciendo los bordes, haciéndola olvidar la sensación de estar a punto de morir. «Solo una buena vida conseguiría eso», pensó. Una vida normal. Y, a lo mejor, con suerte, la tendría. Igual se la acababa de merecer.

El teléfono de Pip vibró en su bolsillo, contra su pierna. Lo sacó y miró la pantalla.

Un mensaje de Ravi.

¿Qué tal tu día?

Tenían que tener cuidado con lo que se escribían, porque se queda grabado de forma permanente. Ahora, la mayoría de sus mensajes estaban codificados, escondidos entre eufemismos, o simplemente los usaban para concretar una hora para hablar. «¿Qué tal tu día?» en realidad significaba «¿Qué está pasando? ¿Ha funcionado?». Era un lenguaje secreto que habían establecido juntos, como las millones de formas que tenían para decirse «te quiero».

Pip abrió el teclado de emojis. Fue deslizando hasta que encontró el pulgar hacia arriba, y se lo envió. Solo eso. Su día iba bien, gracias, eso era lo que podría significar. Pero en realidad significaba: «Lo hemos conseguido. Somos libres». Ravi lo entendería. En ese preciso instante estaría mirando la pantalla de su móvil, soltando una respiración larga, con una sensación física de alivio, desenredándose él también, cambiando la postura en la que estaba sentado en la silla, la forma de sus huesos, la sensación de su piel. Estaban a salvo, eran libres, nunca habían estado allí.

Pip se volvió a guardar el teléfono cuando se abrió la puerta de la sala de interrogatorios. Hawkins entró con dos cafés en las manos.

—Toma. —Le pasó uno a ella. Era una taza del Chelsea.

—Gracias —respondió, agarrando la taza con las dos manos y obligándose a dar un trago pequeño.

Demasiado amargo, demasiado caliente, pero sonrió en agradecimiento.

Hawkins no bebió. Dejó la taza sobre la mesa y la apartó. Volvió a coger la grabadora y pulsó el botón.

—Se retoma el interrogatorio a las... —se subió la manga de la camisa para mirar el reloj— 11.48.

Miró a Pip durante un segundo y ella lo miró a él. ¿Qué más le tenía que preguntar? Ya le había explicado la llamada a Epps y le había relatado su coartada, ¿qué más podría necesitar de ella? Pip no podía pensar. ¿Se le había escapado algo? No, todo había ido según el plan, no se le podía haber escapado nada. «Tranquila. Solo bebe, escucha y reacciona.» Pero antes tenía que secarse las manos porque la sangre de Stanley había vuelto.

—Entonces —dijo Hawkins de pronto, dando golpecitos sobre la mesa con una mano—, ¿piensas continuar con el podcast, con la investigación?

—Creo que es mi deber, o algo así —respondió Pip—. Y, como usted ha dicho, una vez que empiezo algo, me gusta continuar hasta el final. Soy así de cabezota.

—Ya sabes que no puedes publicar nada susceptible de obstaculizar la investigación, ¿verdad?

—Sí, lo sé. Y no lo haré, no sé nada. Ahora mismo, lo único que tengo son teorías sin fundamento y antecedentes. Ya he aprendido la lección en lo que a la difamación en internet respecta, así que no publicaré nada sin poner antes «supuesto» o «según una fuente». Y si encuentro algo concreto, vendré a verlo a usted primero.

—Ah —dijo Hawkins—. Te lo agradezco. ¿Cómo grabas las entrevistas?

¿Por qué quería saber eso? ¿O era simplemente una conversación sin importancia mientras esperaba algo? Pero ¿qué? ¿Que su compañero corroborara la coartada? Tardaría horas.

—Un programa de audio —explicó Pip—, o, si es una llamada, tengo una aplicación.

—¿Y utilizas micrófonos cuando grabas a alguien cara a cara?

—Sí. —Pip asintió—. Unos que se enchufan mediante USB al ordenador.

—Qué lista —comentó él.

Pip asintió.

—Un poco más compacto que este trasto. —Pip señaló con un gesto la grabadora.

—Sí. —Hawkins se rio—. Bastante. Y ¿tienes que llevar auriculares cuando le haces una entrevista a alguien? ¿Escucharlo mientras lo grabas?

—Bueno, sí. Me pongo los auriculares al principio para comprobar los niveles del sonido, para ver si la otra persona está demasiado cerca del micrófono o si hay ruido de fondo. Pero no tengo que llevarlos durante la entrevista, normalmente.

—Entiendo —dijo él—. Y ¿tienen que ser unos auriculares especializados para eso? Mi sobrino quiere empezar un podcast y su cumpleaños es dentro de poco.

—Ah, claro. —Pip sonrió—. No, los míos no son especializados, solo unos grandes con cancelación de ruido, de esos de diadema que van sobre las orejas.

—¿Y los utilizas también en tu día a día? —se interesó Hawkins—. Para escuchar música u otros podcasts.

—Sí, claro —dijo ella, intentando entender la mirada en los ojos del inspector. ¿Por qué estaban hablando de eso?—. Los míos se conectan por Bluetooth al teléfono. Vienen genial para escuchar música mientras corro o doy un paseo.

—Entonces están bien para el uso diario, ¿no?

—Sí. —Pip asintió despacio.

—Y ¿tú los usas todos los días? No quiero comprarle algo que no vaya a utilizar, sobre todo si cuestan un dinero.

—Sí, yo los uso continuamente.

—Genial. —Hawkins sonrió—. ¿De qué marca son los tuyos? He estado echando un ojo en Amazon y algunos son escandalosamente caros.

—Los míos son Sony.

Hawkins asintió. Su mirada cambió, parecía que había como una chispa en sus ojos.

—¿Negros? —preguntó él.

—S-Sí —dijo Pip.

La voz se le quedó atascada en la garganta mientras su cabeza volvía atrás, intentando entender qué estaba pasando. ¿Por qué sentía que se le hundía el estómago? Hawkins se había dado cuenta de algo, pero ¿de qué?

—*Asesinato para principiantes* —dijo Hawkins, remangándose—. Así se llama tu podcast, ¿verdad?

—Sí.

—Es un buen nombre —dijo.

—Tiene chispa —respondió Pip.

—Me gustaría hacerte otra pregunta. —Hawkins se echó hacia atrás en su silla, y metió una mano en el bolsillo interior de su chaqueta—. Me has dicho que no has tenido contacto con Jason Bell. Al menos desde el funeral en abril, ¿no es así?

Pip dudó.

—Sí.

Hawkins dejó de mirarla y se centró en sus dedos, que rebuscaban en el interior del bolsillo, cogiendo algo grande. Pip se dio cuenta por fin.

—Entonces, explícame qué hacían tus auriculares, los que usas a diario, en la casa de un hombre asesinado con el que no has tenido contacto desde hace meses.

Sacó algo. Una bolsa transparente con una tira roja en la que ponía: «Prueba». Y, dentro de ella, estaban los auriculares de Pip. Totalmente reconocibles, porque tenían la pegatina de APP que Ravi le había hecho.

Eran suyos.

Y los habían encontrado en casa de Jason Bell.

Y Hawkins había conseguido que lo admitiera en la grabación.

Cuarenta y siete

El impacto no duró demasiado. El pánico llegó enseguida. Cuajando en el estómago, subiendo por la columna, rápido como las patas de un insecto o los dedos de un hombre muerto.

Pip se quedó mirando sus auriculares dentro la bolsa. No lo entendía. No, no podía ser. Los había visto la semana pasada, ¿no? Mientras trabajaba en el audio de la entrevista a Jackie. No, no los había encontrado; pensó que Josh se los había vuelto a quitar.

La última vez que los había usado había sido... aquel día. Se los había quitado y los había metido en la mochila antes de llamar a la puerta de Nat. Y entonces Jason la había raptado.

—¿Son tuyos? —preguntó Hawkins.

Pip sentía su mirada como algo físico sobre su cara, un picor que no podía ignorar. La observaba esperando algo que la delatara. Pero ella no le podía dar nada.

—Se parecen —admitió Pip, hablando muy despacio, con seguridad por encima del pánico y del corazón latiéndole a toda velocidad—. ¿Puedo verlos mejor?

Hawkins le pasó la bolsa y Pip se quedó mirando los auriculares, haciendo como que los estudiaba detenidamente, ganando tiempo para pensar.

Había encontrado su mochila en el coche de Jason. La había comprobado antes de abandonar la escena con Ravi y había pensado que llevaba todo lo que había guardado por la tarde. Y así era, menos los auriculares. No había caído en ellos porque habían desaparecido antes. Pero dónde, cuándo...

No. Maldito hijo de mil hienas.

Jason debió de sacarlos. Cuando se marchó y la dejó allí, envuelta en cinta, fue a su casa. Rebuscó en su mochila, encontró los auriculares y se los quedó. Porque eran su trofeo. El símbolo de la sexta víctima. A lo que se aferraría para revivir la emoción de haberla matado. Sus auriculares eran el trofeo de Jason. Por eso los cogió.

Puto enfermo.

Hawkins carraspeó.

Pip lo miró. ¿Qué debía hacer? ¿Qué podía hacer? ¿Quedaba algo por hacer? Le había pillado una mentira, un enlace directo con la víctima.

Joder.

Joder.

Joder.

—Sí —dijo en voz baja—. Son míos, claro. Tienen la pegatina.

Hawkins asintió. Y entonces Pip comprendió esa mirada en sus ojos, y lo odiaba. La tenía. La había pillado. Había tejido una red que ella no había visto hasta que la había atrapado cortándole la respiración. No era libre, no estaba a salvo, no era libre.

—¿Por qué encontró el equipo forense tus auriculares en casa de Jason Bell?

—E-e... —Pip tartamudeó—. Sinceramente, no sé qué decirle. No lo sé. ¿Dónde estaban?

—En su habitación —dijo Hawkins—. En el primer cajón de su mesita de noche.

—Pues no lo entiendo —admitió Pip.

Pero no era verdad, porque sabía exactamente por qué y cómo habían llegado hasta allí. Pero no sabía qué otra cosa decir, porque tenía la mente ocupada, el plan se estaba resquebrajando en un millón de trozos que caían ante sus ojos.

—Has dicho que utilizas los auriculares a diario. «Continuamente» —la citó—. No has tenido contacto con Jason Bell desde abril. Entonces ¿cómo llegaron tus auriculares a su casa?

—No lo sé —respondió, cambiando de postura en la silla. «No, no te muevas, vas a parecer culpable. Estate quieta, y devuélvele la mirada.»—. Los uso continuamente, pero llevaba unos días sin verlos.

—Define «unos días».

—No lo sé, igual una semana, o más. A lo mejor me los dejé en algún sitio... No me acuerdo.

—¿No? —dijo Hawkins suavemente.

—No. —Pip se quedó mirándolo, pero sus ojos eran más débiles que los de él. Tenía sangre en las manos, la pistola en el corazón, la bilis al fondo de la garganta y una jaula cada vez más estrecha a su alrededor, apretándole la piel de los brazos. Clavándose en ella, como la cinta americana—. Estoy igual de confusa que usted.

—¿No tienes ninguna explicación? —dijo Hawkins.

—Ninguna —aseguró Pip—. No me había dado cuenta de que me faltaban.

—Entonces, no puede hacer mucho que desaparecieron, ¿no? —preguntó—. ¿Quizá nueve o diez días? ¿Puede que los perdieras el mismo día que el móvil?

Entonces Pip se dio cuenta. No la creía. No seguiría el camino que ella le había creado. Ya no era un personaje periférico, tenía una conexión directa con Jason. Hawkins la había encontrado, a la Pip de verdad, no a la que ella había colocado para que él encontrara. Él había ganado.

—De verdad que no lo sé —dijo Pip. El terror había vuelto, ese filo de un precipicio dentro de su propia cabeza. Respiraba cada vez más rápido, se le estrechaba la garganta—. Supongo que puedo preguntarle a mi familia, por si ellos se acuerdan de cuándo me vieron por última vez con los auriculares. Pero no se me ocurre cómo ha podido pasar.

—Ya veo —dijo Hawkins.

Tenía que irse. Salir antes de que el pánico se apoderara de su cara y no pudiera seguir escondiéndolo. Debía marcharse, y podía hacerlo, el interrogatorio era voluntario. No podían arrestarla. Aún no. Los auriculares solo eran circunstanciales; necesitaban más.

—De hecho, creo que debería irme. Mi madre va a llevarme a comprar cosas para la universidad en un rato. Me voy este fin de semana y todavía no tengo nada organizado. Lo dejo todo para el último momento, como dice ella. Voy a preguntar a mi familia a ver si recuerdan cuando llevé por última vez los auriculares, y se lo diré.

Pip se puso de pie.

—El interrogatorio finaliza a las 11.57. —Hawkins pulsó el botón de *stop* de la grabadora y se levantó, cogiendo la bolsa de pruebas—. Te acompaño —dijo.

—No —rechazó Pip desde la puerta—. No se preocupe. Ya he venido bastantes veces como para saberme el camino.

Volvió a salir a ese pasillo, al lugar muy muy malo. Tenía sangre en las manos, sangre en las manos, sangre en la cara y en todas partes, marcándola de rojo mientras se tambaleaba hacia la salida.

Le dio la vuelta al ordenador. Le temblaban los dedos y casi se le cae. Cogió un destornillador de la caja de herramientas de su padre. Pip podía eliminar el disco duro, sabía exactamente cómo hacerlo, lo metería en el microondas y lo vería explotar. Si conseguían una orden y se llevaban su portátil, descubrirían que había buscado Green Scene antes de que Jason muriera, la cuenta secreta de Andie, y las demás conexiones con Jason y con el Asesino de la Cinta. La hora de la muerte era entre las nueve y media y la medianoche y tenía una coartada, una coartada verificable, los auriculares solo eran circunstanciales y ella tenía una coartada.

Sacó un tornillo antes de darse cuenta de la verdad, antes de que la golpeara, sólida e indiscutible, atrapada en la mitad de su pecho. Estaba en fase de negación, pero la voz del fondo de su mente lo sabía, y la fue guiando, despacio, despacio.

Se acabó.

Pip lo soltó todo y se llevó las manos a la cara, y lloró. Pero su coartada; el plan había funcionado, una última parte de ella protestó. No, no. No podía seguir pensando así, no podía luchar, no podía aguantar hasta el final. Podría haberlo hecho, si hubiera estado sola, pero no era la única en peligro. Ravi, Cara y Naomi, Jamie y Connor y Nat. Ellos la habían ayudado porque ella se lo había pedido, porque la querían y ella a ellos.

Y ahí estaba. Los quería, era una verdad simple y poderosa. Pip los quería y no podía permitir que cayeran con ella.

Esa era la promesa.

Si este era el principio del final, Pip solo conocía una forma de protegerlos a todos. Tenía que asegurarse de sacarlos de la historia antes de que se destapara. Tenía que crear una nueva, otro plan.

Le dolía solo de pensarlo. Lo que supondría para ella y para la vida que jamás viviría.

Tenía que confesar.

Cuarenta y ocho

—Ni de coña —se negó Ravi. Le temblaba la voz al otro lado de la línea y respiraba rápido, con miedo.

Pip agarró el teléfono demasiado fuerte contra la oreja. Era uno de los de prepago; no se fiaba de su móvil de verdad para esa conversación. Dejaba rastros, y conexiones con Ravi.

—Tengo que hacerlo —dijo, imaginándose los ojos de su novio, mirando perdidos ese espacio vacío mientras el mundo se desmoronaba alrededor de ellos.

—Te lo pregunté muchas veces —soltó él un poco enfadado—. Te pedí que comprobaras que lo tenías todo en la mochila. ¡Te lo dije, Pip! ¡Te dije que lo comprobaras!

—Lo sé. Lo siento. Pensé que estaba todo. —Pip parpadeó y las lágrimas le cayeron sobre la boca. El estómago se le retorcía al escucharlo así—. Me había olvidado de ellos. Es culpa mía. Todo es culpa mía, por eso tengo que confesar, para que yo sea la única...

—Pero tienes una coartada —la cortó él. Estaba intentando no llorar, Pip se dio cuenta—. El patólogo cree que Jason murió entre las nueve y media y las doce, y tú tienes todas esas horas cubiertas. No se ha acabado, Pip. Los auriculares son circunstanciales, seguro que se nos ocurre algo.

—Es una conexión directa entre Jason y yo.

—Podemos pensar algo —dijo Ravi más fuerte, hablando por encima de ella—. Se nos ocurrirá un nuevo plan. Es lo que mejor se te da. Es lo que hacemos.

—Hawkins me ha pillado una mentira, Ravi, y los auriculares le dan una causa probable. Eso quiere decir que, probablemente, puedan conseguir una orden para recoger mi ADN, si quieren. Y si nos dejamos accidentalmente algún pelo, o lo que sea, en la escena, entonces se acabó. El plan solo funcionaría mientras no hubiera ninguna conexión conmigo, solo indirecta por mi llamada a Epps aquella noche, y el podcast. Se acabó.

—¡No se ha acabado! —gritó él. Estaba asustado, Pip lo notaba a través del teléfono. Estaba contagiándoselo también a ella, excavando bajo su piel como si tuviera vida—. Te estás rindiendo.

—Ya lo sé —admitió ella, cerrando los ojos—. Me estoy rindiendo. Porque no puedo permitir que te hundas conmigo. Ni los Reynolds, ni las Ward, ni Nat. Ese era el trato. Si algo salía mal, yo era la única que cargaría con la culpa. Y ha salido mal, Ravi. Lo siento.

—¡No ha salido mal! —Escuchó que resoplaba al otro lado del teléfono. Y el ruido de un puño contra la almohada—. ¡Funcionó! ¡Funcionó, joder! Y tienes una coartada. ¿Cómo vas a confesar si estabas en otro sitio a esa hora?

—Les contaré lo que hice con el aire acondicionado del coche, el truco, solo que no funcionó tan bien. Tu coartada te cubre desde las 20.15, así que a lo mejor les puedo decir que lo maté a eso de las 20.00, de ese modo tú no tienes nada que ver. Lo metí en el coche y fui a crear mi coartada falsa con Cara y Naomi. Ellas no sabían nada. Son inocentes. —Pip se secó las lágrimas—. Dejarán de investigar. Una confesión es la prueba más perjudicial, lo sabemos por Billy Karras. No les hará falta seguir indagando. Le contaré a Hawkins quién era Jason, lo que me iba a hacer. No creo que me crea, a no ser que haya alguna prueba. Y a lo mejor la hay, en algún sitio. Igual aún tenía los trofeos. La defensa propia queda descartada, sobre todo con todo el esquema tan elaborado para encubrirlo, pero a lo mejor un buen abogado podría reducir los cargos de asesinato a homicidio voluntario y pue...

—¡No! —exclamó Ravi furioso y desesperado—. Te pasarás décadas en la cárcel. Puede que hasta toda tu vida. No lo voy a permitir. Max mató a Jason, no tú. Hay muchas más pruebas que lo señalan a él que a ti. Podemos hacerlo Pip. Todavía puede salir bien.

Dolía demasiado escucharlo así. ¿Cómo iba a ser capaz de decirle adiós cuando estuvieran cara a cara? Las costillas se le cerraron alrededor del corazón, apretando hasta que cedieron al pensar en que ya no lo vería todos los días, solo en visitas quincenales y con una mesa metálica de por medio, con guardias vigilando para que no se tocaran. Eso no era vida, al menos no una que quisiera para ella, ni para él.

Pip no sabía qué decir, no podía arreglarlo.

—No quiero que... —dijo Ravi en voz baja—. No quiero que te vayas.

—Si tengo que elegir entre tú y yo, te elijo a ti —susurró Pip.

—Pero yo también te elijo a ti —dijo Ravi.

—Iré a despedirme antes de irme. —Sorbió por la nariz—. Voy a bajar a tener una cena normal con mi familia. A despedirme de ellos también, aunque no lo sabrán. Solo un último momento de normalidad. Y luego iré a despedirme de ti. Y me iré.

Silencio.

—Vale —aceptó finalmente Ravi, con una voz más densa, y un aura que Pip no supo reconocer.

—Te quiero —dijo ella.

Ravi colgó el teléfono. El tono retumbó en las orejas de Pip.

Cuarenta y nueve

—Joshua, cómete los guisantes.

Pip sonrió mientras miraba a su padre hablar con su voz de burla, abriendo mucho los ojos.

—Es que hoy no me gustan —se quejó Josh, apartándolos hacia el borde del plato y dándole una patada a Pip en la rodilla bajo la mesa. En una ocasión normal, ella le habría dicho que parase, pero esa vez no le importó. Esa vez era la última, en una hora que iba a estar llena de últimos, y Pip no iba pasar ninguno por alto. Los estudiaría, se los grabaría en el cerebro para que los recuerdos durasen décadas. Los necesitaría allí adonde iba.

—Eso es porque los he hecho yo —dijo su madre—, y no les he puesto un kilo de mantequilla. —Miró amenazante a su marido.

—¿Sabes? —le dijo Pip a Josh, ignorando su propio plato—. Los guisantes sirven para que juegues mejor al fútbol.

—Mentira —dijo Josh, con su voz de «tengo diez años, no soy idiota».

—No sé, Josh —intervino su padre pensativo—. Acuérdate de que tu hermana lo sabe todo. Y cuando digo todo, es todo.

—Ummm. —Josh miró al techo, sopesando lo que acababa de decir su padre. Miró a Pip, analizándola con intensidad, por motivos muy diferentes—. Sí que sabe muchas cosas, eso es verdad, papá.

Bueno, ella creía que sí, desde hechos inútiles hasta cómo salir impune de un asesinato. Pero se había equivocado, y un pequeño error lo había destrozado todo. Pip se preguntó cómo hablaría de ella su familia dentro de unos años. ¿Su padre seguiría presumiendo de hija, diciéndole a todo el mundo que no había nada que su Pipsicola no supiera? ¿O se convertiría en un tema tabú que no saldría de esas cuatro paredes? Un secreto vergonzoso, encerrado como un fantasma unido para siempre a la casa. ¿Se inventaría Josh alguna excusa cuando fueran a visitarla, para no tener que decirles a sus amigos dónde estaba? A lo mejor incluso fingía no tener una hermana. Pip lo entendería si tuviera que hacerlo.

—Pero eso no quiere decir que me gusten estos guisantes —siguió Josh.

Su madre sonrió exasperada, mirando a Pip al otro lado de la mesa, con una mirada que decía claramente: «¡Hombres!».

Ella la miró y parpadeó. «Qué me vas a contar a mí.»

—Pip va a echar de menos mi comida cuando no esté, ¿a que sí? —le preguntó su madre—. Cuando se vaya a la universidad.

—Sí. —Pip asintió, luchando contra el nudo de su garganta—. Echaré de menos muchas cosas.

—Pero a quien más añorarás será a tu maravilloso padre, ¿no? —intervino este, guiñándole un ojo desde su silla.

Pip sonrió y sintió un escozor en los ojos, que se le estaban humedeciendo.

—Es muy maravilloso —confirmó ella, cogiendo el tenedor y mirando hacia abajo para esconder la cara.

Una cena de familia normal, salvo que no lo era. Pero ninguno de ellos sabía que, en realidad, era una despedida. Pip había sido muy afortunada. ¿Por qué no se había parado a pensar en ello antes? Debería haberlo pensado todos los días. Y ahora iba a renunciar a todo. A todos. No quería hacerlo. No quería esto. Prefería luchar, luchar con rabia. No era justo, pero era lo correcto. Pip ya no sabía qué era el bien ni el mal, lo correcto o lo incorrecto, esas palabras ya no tenían significado y estaban vacías, pero sí sabía lo que tenía que hacer. Max Hastings seguiría en libertad, pero también todas las personas que a ella le importaban. Un compromiso, un intercambio.

La madre de Pip estaba ocupada elaborando una lista de todas las cosas que necesitaban antes de ese domingo.

—Todavía no te has comprado las sábanas nuevas.

—Me puedo llevar las viejas, no pasa nada —dijo Pip.

No le gustaba esa conversación. No le gustaba planificar para un futuro que jamás ocurriría.

—Es que me sorprende que aún no hayas empezado a empaquetar, eso es todo —dijo su madre—. Con lo organizada que eres.

—He estado muy ocupada —se disculpó Pip, y ahora era ella la que estaba apartando los guisantes hacia el borde del plato.

—¿Con la nueva temporada del podcast? —preguntó su padre—. Es horrible lo que le ha pasado a Jason, ¿no?

—Sí, es horrible. —murmuró Pip.

—¿Qué le pasó exactamente? —Josh agudizó los oídos.

—Nada —zanjó la madre de Pip, firme, y eso fue todo. Se acabó.

Su madre se puso a recoger los platos vacíos y casi vacíos y los dejó a un lado. El lavavajillas se abrió con un suspiro.

Pip se levantó, pero no estaba muy segura de qué hacer. Quería abrazarlos fuerte a todos y llorar, pero no podía, porque entonces tendría que decírselo, contarles la cosa horrible que había hecho. Pero ¿cómo iba a despedirse sin hacer eso? Venga, solo uno. Un abrazo a Josh.

Lo cogió cuando se estaba bajando de su silla y lo envolvió en un abrazo rápido, disfrazado de una pelea, lo cogió y lo tiró en el sofá.

—¡Déjame en paz! —Se rio él mientras le daba patadas.

Pip cogió su chaqueta y se obligó a separarse de ellos; si no, no se iría nunca. Fue hasta la puerta. ¿Sería esa la última vez que la cruzaría? ¿Sería una mujer de cuarenta y tantos o cincuenta años la próxima vez que volviera allí? Con todas las líneas que tenía aquella noche en la cara, grabadas para siempre. ¿O no regresaría jamás a casa?

—Adiós —gritó. La voz se le quedó atrapada en la garganta y se le abrió un agujero negro en el pecho que quizá no se cerrara jamás.

—¿Dónde vas? —Su madre asomó la cabeza desde la cocina—. ¿Algo del podcast?

—Sí. —Pip se encogió de hombros mientras se ponía los zapatos, sin mirar a su madre porque le dolía demasiado.

—Os quiero —gritó fuerte, más de lo que pretendía, porque así cubría las grietas de su voz.

Cerró la puerta al salir. El golpe la cortó, separándola de ellos. Justo a tiempo, porque había roto a llorar, con sollozos que le dificultaban respirar. Abrió la puerta del coche y entró.

Gritó sobre las manos. Durante tres segundos. Solo tres segundos. Luego tenía que irse. Con Ravi. Ya estaba rota, pero la siguiente despedida la dejaría hecha añicos.

Arrancó el coche y condujo, pensando en toda la gente de la que no se podía despedir: Cara, Nat, los Reynolds, Naomi. Pero lo entenderían, comprenderían por qué no podía.

Pip bajó por High Street y giró en Gravelly Way, hacia casa de Ravi. Hacia la despedida por la que jamás había querido pasar. Aparcó frente a la casa de los Singh, recordando a aquella chica ingenua que había llamado a esa puerta hacía tanto tiempo, presentándose diciéndole a Ravi que no creía que su hermano fuera un asesino. Tan diferente de la persona que estaba allí en ese momento; y, aun así, las dos compartían algo: a Ravi. Era lo mejor que tenía tanto esa chica como la de antes.

Pero algo no iba bien, Pip ya se había dado cuenta. No había ningún coche en la entrada. Ni el de Ravi, ni el de sus padres. Llamó de todos modos. Apoyó la oreja en el cristal para escuchar. Nada. Volvió a llamar, una y otra vez, golpeando los nudillos contra la madera hasta que le dolieron y empezó a salirle sangre invisible.

Abrió el buzón y gritó su nombre, intentando alcanzarlo en cada esquina y en cada grieta. No estaba allí. Ella le había dicho que iba a venir, ¿por qué se había marchado?

¿Esa había sido su despedida, por teléfono? ¿Nada de un último adiós, cara a cara, a los ojos? ¿Ni enterrar su cara entre su cuello y su hombro, en su casa? ¿Nada de agarrarse a él y negarse a soltarlo, a desaparecer?

Pip lo necesitaba. Le hacía falta ese momento para continuar. Pero puede que a Ravi no. Estaba enfadado con ella. Lo último que iba a escucharle decir, antes de que todas sus conversaciones fueran desde un teléfono de prepago en la cárcel, había sido aquel extraño «Vale», y el último clic al colgar. Ravi estaba listo, y ella tenía que estarlo también.

No podía esperar. Tenía que decírselo a Hawkins esa noche, ya, antes de que investigaran demasiado y encontraran alguna conexión con aquellos que habían ayudado a Pip. Una confesión sería como los salvaría de ella, como salvaría a Ravi, aunque él la odiara por ello.

—Adiós —dijo Pip a la casa vacía, dejándola detrás.

Su pecho temblaba mientras se subía en el coche. Desvaneciéndose, tanto ella como el vehículo.

Giró por una de las carreteras principales y dejó Little

Kilton atrás, en el espejo retrovisor. Una parte de ella quería volver y quedarse allí para siempre con su gente, con los que podía contar con los dedos de la mano, y la otra parte quería quemarlo. Verlo morir entre las llamas.

Ahora se sentía como anestesiada, y agradeció a aquel agujero negro en su pecho que se hubiera llevado también el dolor, permitiendo que el entumecimiento se expandiera a medida que conducía hacia Amersham, hacia la comisaría y hacia el lugar muy muy malo. Estaba centrada en ese trayecto, no pensaba en lo que vendría después, simplemente estaba en ese coche con esos dos faros amarillos que esculpían la noche.

Pip siguió por la autovía, pasó por el túnel y giró en una esquina. Los árboles oscuros la oprimían. Las luces iban hacia ella por el otro lado de la carretera, pasando con un ligero ruido. Había otros faros al final, pero ocurría algo. Le parpadeaban rápido, centelleando en sus ojos para que el mundo de alrededor desapareciera. El coche se acercaba cada vez más. Un claxon que sonaba con un patrón: largo-corto-largo.

Ravi.

Era su coche. Pip se dio cuenta cuando pasó por su lado, leyendo las tres últimas letras del número de la matrícula en el espejo.

Estaba frenando detrás de ella, girando peligrosamente en mitad de la carretera.

¿Qué estaba haciendo? ¿Por qué estaba allí?

Pip puso los intermitentes y salió de la carretera, a un camino que daba a una verja que le impedía entrar en una gasolinera medio destrozada. Las luces iluminaron un grafiti rojo pintado en el edificio blanco. Abrió la puerta y salió.

El coche de Ravi estaba aparcando detrás de ella. Pip se llevó un brazo a los ojos para protegerse del brillo de las luces, y para secarse las lágrimas.

Ravi apenas acababa de parar el coche cuando salió de un salto.

Estaban los dos solos, no había nadie más a su alrededor, aparte del ruido de los coches que pasaban, demasiado rápido como para fijarse en ellos. Ellos dos solos y campos y árboles, y un edificio en ruinas detrás. Cara a cara. Mirándose a los ojos.

—¿Qué estás haciendo? —gritó Pip contra el viento.

—¿Qué estás haciendo tú? —contestó Ravi, muy alto.

—Voy a la comisaría —dijo ella confusa al ver que Ravi negaba con la cabeza y se le acercaba.

—De eso ni hablar —zanjó con una voz profunda.

A Pip se le erizó el vello de los brazos.

—Sí —dijo. Se lo estaba rogando. Por favor, eso ya era bastante difícil. Aunque, al menos, lo había podido ver.

—Te estoy diciendo que no —insistió Ravi, más fuerte, negando aún con la cabeza—. Vengo de allí.

—¿Cómo que vienes de allí?

—He ido a la comisaría y he hablado con Hawkins —explicó, gritando por encima del ruido de un coche que pasaba.

—¡¿Cómo?! —Pip se quedó mirándolo y el agujero negro de su pecho se lo devolvió todo: el pánico, el terror, la amenaza, el dolor, el escalofrío por la espalda—. ¿Qué dices?

—Todo va a salir bien —le aseguró él—. No tienes que confesar. No mataste a Jason. —Tragó saliva—. Lo he arreglado.

—¿Cómo dices?

La pistola se disparó seis veces en su pecho.

—Lo he arreglado —repitió—. Le he dicho a Hawkins que fui yo... lo de los auriculares.

—No, no, no, no. —Pip dio un paso atrás—. ¡No, Ravi! ¿Qué has hecho?

—Tranquila, todo va a salir bien. —Ravi avanzó e hizo un amago de agarrarla.

Pip le apartó la mano.

—¿Qué has hecho? —Se le estaba estrechando cada vez más la garganta, apretando las palabras, partiéndolas por la mitad—. ¿Qué le has dicho exactamente?

—Le he contado que te cojo los auriculares constantemente, a veces sin permiso. Que los debía de llevar encima cuando fui a casa de los Bell para hablar con Jason hace un par de semanas. El 12, le he dicho. Y que me dejé sin querer los auriculares allí.

—Y ¿por qué narices ibas a haber ido a ver a Jason? —gritó Pip.

Su mente daba vueltas sin parar y se apartaba de él, tirándole de los pies, casi contra la puerta. No, no, no, ¿qué había hecho?

—Para comentarle una idea que había tenido: organizar una especie de beca en honor a Andie y Sal, una obra caritativa. Fui a hablar de eso con Jason, le enseñé unas impresiones que había hecho y fue cuando se me debieron de caer los auriculares de la mochila. Estábamos en el salón, sentados en el sofá.

—No, no, no —susurró Pip.

—A Jason le gustó la idea, pero dijo que no tenía tiempo para involucrarse y así se quedaron las cosas. Entonces me fui y debí de dejarme los auriculares. Supongo que Jason los encontró después y no cayó en que eran míos. Eso es lo que le he contado a Hawkins.

Pip se apretó las manos contra las orejas, como si todo dejara de ser real si no lo escuchaba.

—No —repitió en voz baja, la palabra no era más que una vibración contra sus dientes.

Ravi por fin la agarró. Le quitó los brazos de la cara y le tomó las manos. Apretó fuerte, como si intentara anclarla a él.

—No pasa nada, lo he arreglado. El plan sigue en pie. Tú no mataste a Jason, fue Max. Ya no hay ninguna conexión directa contigo. No has tenido contacto con Jason desde abril, y Hawkins no te ha pillado ninguna mentira. Fui yo. Yo me dejé tus auriculares allí. Tú no sabías nada. Me contaste hoy lo del interrogatorio, y entonces caí en que fui yo quien vio a Jason y quien se dejó los auriculares en su casa. Por eso he ido a la comisaría, para aclarar las cosas. Eso es lo que ha pasado. Hawkins me ha creído, me creerá. Me ha preguntado dónde estuve la noche del día 15 y se lo he contado: en Amersham con mi primo. Y le he enumerado todos los sitios a los que fuimos. Llegué a casa pasada la medianoche. Hermética. Irrefutable, tal como planeamos. Y sin ninguna conexión contigo. Todo va a salir bien.

—No quería que hicieras eso, Ravi —gritó ella—. No quería que hablaras con él, que tuvieras que usar tu coartada.

—Pero ahora estás a salvo. —La miró intensamente en la oscuridad—. Ya no tienes que ir allí.

—Pero ¡tú no! —exclamó ella—. ¡Te acabas de implicar directamente en todo! Antes, podías mantenerte al margen, no tenías nada que ver. Pero ahora... ¿Y si Dawn Bell estaba en casa el día 12? ¿Y si les dice que estás mintiendo?

—No puedo perderte —dijo Ravi—. No iba a permitir que te entregases. Me quedé sentado en la cama después de hablar contigo e hice lo que hago cuando estoy nervioso o asustado o inseguro sobre algo. Me pregunté: ¿qué haría Pip en esta situación? Y eso es lo que hice. Se me ocurrió un plan. ¿Ha sido una imprudencia? Probablemente. Tan valiente que es estúpido. Actué, como haces tú. —Respiró, subiendo y bajando los hombros al compás—. Es lo que tú habrías hecho, Pip, y lo habrías hecho por mí, lo sabes perfectamente. Somos un equipo, acuérdate. Tú y yo. Y nadie te va a separar de mí, ni siquiera tú misma.

—¡Joder! —gritó Pip al viento, porque él tenía razón y estaba equivocado, y ella estaba contenta y devastada al mismo tiempo.

—Todo va a salir bien. —Ravi la envolvió entre sus brazos, dentro de su chaqueta, cálido hasta cuando no tenía por qué estarlo—. Era mi elección y te he elegido a ti. No vas a ir a ningún sitio —dijo, respirando junto a su cabeza.

Pip no se movió, observando la carretera oscura por encima del hombro de Ravi. Parpadeaba despacio, el agujero negro de su pecho intentaba recuperarse. No tenía que irse. No tenía que convertirse en esa mujer cincuentona que observa la casa de su familia tras décadas sin aparecer por allí, pensando que era más pequeña de lo que la recordaba, porque la había olvidado, o la casa se había olvidado de ella. No tenía que ver cómo la gente que le importaba continuaba su vida sin ella, poniéndose al día a través de una mesa metálica cada quince días, con visitas cada vez menos y menos frecuentes porque sus quehaceres diarios se interponían en el camino y sus bordes eran cada vez más difuminados, hasta que terminaba desapareciendo, por fin.

Una vida, real, normal: todavía era posible. Ravi la había salvado, sí; y de esa forma, se había condenado.

Ahora no había elección, no podían echarse atrás.

Pip tenía que apretar los dientes y ver cómo se desarrollaba el asunto hasta el final.

Sin dudar.

Sin piedad.

La sangre en sus manos, la pistola en su pecho y el plan.

Cuatro esquinas. Ella y Ravi en una. El Asesino de la Cinta en otra. Max Hastings enfrente de ellos y el inspector Hawkins ante él.

Una última lucha, en el medio, que no podían perder. Tenían que ganar, ahora que Ravi también estaba en el punto de mira.

Pip se apretó contra él, más cerca, más fuerte, con la oreja sobre su pecho para escuchar su corazón, porque todavía estaba allí y aún podía hacerlo.

Cerró los ojos y le hizo una nueva promesa silenciosa, porque él la había elegido a ella y ella lo había elegido a él: los dos iban a salir de esa.

Cincuenta

El pueblo estaba embriagado de habladurías, lleno de conversaciones. De esas que se susurraban, pero un murmullo lo suficientemente alto para que lo escuche todo el mundo, que sonaba particularmente fuerte en los oídos de Pip.

«¿No es horrible?»

GAIL YARDLEY, PASEANDO A SU PERRO.

«En este pueblo pasa algo muy chungo. Estoy deseando largarme de aquí.»

ADAM CLARK, CERCA DE LA ESTACIÓN.

«¿Todavía no han detenido a nadie? Tu primo conoce a alguien en la policía, ¿no?»

LA SEÑORA MORGAN, A LA SALIDA DE LA BIBLIOTECA.

«La semana pasada vino Dawn Bell a la tienda y no parecía muy afectada... No creerás que tiene algo que ver, ¿no?»

LESLIE, EN EL SUPERMERCADO.

Pip había tenido dos conversaciones de ese tipo, pero no públicamente, para que las escuchara todo el mundo. A puerta cerrada, pero susurrando, igualmente.

La primera fue con Nat, el miércoles, las dos sentadas en la cama de Pip.

—Me han llamado de la policía. El inspector Hawkins. Por la investigación de la muerte de Jason Bell. Me preguntó si estuve en casa de Max Hastings la noche del 15. Y si le pegué.

—¿Y? —preguntó Pip.

—Le dije que no tenía ni idea de lo que estaba hablando, y que por qué narices insinuaba que yo había ido voluntariamente a casa de una persona que abusó de mí y me había expuesto a quedarme a solas con él.

—Muy bien.

—Le conté que estuve en casa de mi hermano desde las ocho o así. Dan ya estaba como una cuba, dormido en el sofá, así que lo verificará.

—Bien.

Estaba bien, sí. Eso significaba que Hawkins ya debía de haber interrogado a Max al menos una vez, probablemente después de extraer los datos de su teléfono móvil, y le había pedido una vez más que explicara dónde había estado la noche que había muerto Jason. Max le habría dicho que había estado solo toda la noche, se había dormido pronto y Nat da Silva había llamado a su puerta. Pero Hawkins ya tenía los datos de su teléfono, y pudo ver que Max no había estado todo el rato en su casa y que las llamadas se habían registrado en una torre de telefonía móvil cercana a la escena del crimen, por lo que ya lo había pillado mintiendo varias veces.

Había otra cosa flotando entre Nat y Pip que ninguna de las dos mencionó: la muerte de Jason Bell. Nat no podía preguntar y Pip no podía contárselo, pero seguramente Nat lo supiera, la mirada de sus ojos se lo dijo. Y, aun así, no miró hacia otro lado, sostuvo la mirada de Pip y ella sostuvo la suya y, aunque no se podía verbalizar, sí se entendió. Max había matado a Jason, no ella. Otro secreto que las unía.

La segunda conversación fue con Cara, al día siguiente, en la mesa de la cocina de las Ward, después de que Pip recibiera un mensaje: «¿Puedes venir?».

—El detective nos preguntó a Naomi y a mí dónde habíamos estado la noche del día 15, si habíamos estado contigo. Así que le dijimos que sí y las horas a las que nos fuimos y llegamos, y dónde estuvimos. Que fue una noche normal y que nos entró hambre, ya está. Le enseñé las fotos y los vídeos que grabamos. Me pidió que se los enviara.

—Gracias —dijo Pip. Las palabras sonaron débiles e inadecuadas.

Cara tenía esa misma mirada. Había debido de deducirlo cuando había saltado la noticia de Jason, ¿qué otra cosa podría haber sido, si no? Seguramente ella y Naomi se hubiesen mirado y lo hubiesen sabido, lo hubieran dicho o no en voz alta. Pero en los ojos de Cara había algo más, inamovible. Una confianza entre las dos que, por mucho que se hubiera puesto a prueba, no se había roto. Cara Ward, más una hermana que una amiga, su constante, su apoyo y la mirada familiar que le ayudaba a soltar el nudo en las entrañas. No sabía si habría soportado que la mirara de forma diferente.

Y eso también era bueno. Hawkins estaba comprobando su coartada, verificándola. Había hablado con los testigos y seguramente continuaría indagando, pidiendo las grabaciones de las cámaras de tráfico en busca de los viajes que su coche había hecho aquella noche. A lo mejor ya había visto las cintas del McDonald's y los cargos en su tarjeta de crédito y las horas a las que se hicieron. «¿Ves, Hawkins? Estaba exactamente donde te había dicho que estaba, a kilómetros de distancia de donde mataron a Jason.»

Otra conversación —que seguramente fue más una discusión—, con sus padres.

—¿Cómo que no te vas el domingo? —Su madre tenía la boca abierta.

—Pues eso, que no voy. Puedo saltarme la primera semana. Las clases no empiezan hasta la siguiente. Todavía no me puedo ir, tengo que ver cómo avanza esto. Creo que he encontrado algo.

Su padre, que casi nunca gritaba, le había gritado. Durante horas. Por lo visto, esto era lo peor que le había hecho.

—Creo que me necesitan para encontrar al asesino. ¿Me estás diciendo que una semana de borracheras es más importante que eso?

Su respuesta fue una mirada.

—Si me pierdo algo académico, me pondré al día. Como siempre he hecho. Confiad en mí, por favor. Necesito que confiéis en mí.

Igual que Ravi había confiado en ella. No podía marcharse del pueblo sin estar segura de que lo habían conseguido. Sin piedad, sin freno. Esta era la última batalla. Pip se lo había dado todo a la policía: había colocado a Max en la escena del crimen durante la hora de la muerte utilizando la torre de telefonía móvil, había dejado pelos suyos en la escena, las huellas de sus zapatos, grabaciones de las cámaras de tráfico de su coche huyendo después de quemar el edificio, sangre en la manga de su sudadera en su casa y el barro de la suela de los zapatos. A lo mejor todavía no habían encontrado todo eso, pero estaba a punto de darles otra cosa más: el episodio uno, que ataba la historia y el motivo. El historial del pueblo, lo que le había pasado a Andie, a Becca. El resentimiento entre dos hombres, un altercado confirmado por testigos, una señal de un orgullo herido en una pelea que quizá fuera demasiado lejos. Las cámaras de seguridad de la casa de ese individuo seguramente apoyarían su teoría de que no tenía nada que esconder. La entrevista con Jackie ya había salido, en cierto modo, pero Pip tenía que llevarlo un paso más allá.

Lo peor que podían hacer era decirle que lo eliminara, que dejase de interferir, pero el daño ya estaría hecho, la semilla, plantada. No podía nombrar al sospechoso, y no tendría que hacerlo; Hawkins sabría de quién estaba hablando y eso era solo para él. Él era el único espectador que importaba. Iba a construir el caso contra Max para que él no intentara crear uno contra ella.

41,29 MB de 41,29 MB subidos

Asesinato para principiantes: ¿quién mató a Jason Bell?

Temporada 3, episodio 1 subido correctamente a Sound-Cloud.

Cincuenta y uno

Otro juego, otra carrera entre su corazón y las pisadas de sus deportivas a destiempo. Pip se llenó con ese sonido, un pie delante del otro, para salir de su cabeza. A lo mejor, si corría lo bastante rápido, esa noche conseguía dormir. Tenía que haber estado en una cama nueva, en una ciudad nueva, pero Little Kilton no dejaba que se fuera todavía.

No debía haberse mirado los pies, debería haber mirado por dónde iba. No lo había considerado, no había sentido la necesidad; era una de sus rutas de siempre, su circuito. Una calle que daba a otra, y ella las seguía sin pensarlo.

Hasta que no escuchó el jaleo de voces y vehículos no levantó la mirada, y se dio cuenta de por dónde estaba corriendo. Tudor Lane, por la mitad, junto a casa de los Hastings.

Estaba ahí al lado, pero había algo nuevo que estaba fuera de lugar y que le llamaba la atención. Aparcados en mitad de la calle había tres coches de policía y dos furgonetas con grandes cuadros azules y amarillos a su alrededor.

Pip continuó. Los ojos la acercaban cada vez más y más, hasta que vio a un grupo de personas entrando y saliendo por la puerta de la casa. Vestidos con trajes blancos de plástico que los cubrían de pies a cabeza. Con máscaras en la cara y guantes azules de látex en las manos. Uno sacó de la casa una bolsa de papel marrón enorme y la metió en una de las furgonetas, y luego otro.

Un equipo forense.

Un equipo forense registrando la casa de Max.

Pip se paró. Su corazón ganó a sus pies, lanzándose contra las costillas mientras ella observaba el caos ordenado de la gente envuelta en plástico. Y no era la única. Los vecinos llenaban las aceras, con los ojos muy abiertos, murmurando cubriéndose la boca con las manos. Había una furgoneta blanca aparcada en el otro lado de la calle y, a su alrededor, más gente. Una persona hacía fotos de la escena; otra, con una cámara sobre el hombro, grababa lo que ocurría al otro lado.

Era el momento. Ese era el momento. Ella no podía sonreír, no podía llorar, no podía permitir que se le reflejara ninguna emoción en la cara que no fuera curiosidad, pero ese era el momento. El principio del final. El corazón hizo retroceder al agujero negro de su pecho mientras miraba.

Junto a uno de los coches patrulla había un agente uniformado con una chaqueta reflectante, hablando con dos personas: un hombre y una mujer. Él escupía palabras cortas y acaloradas al policía. Eran los padres de Max, que habían vuelto de Italia, ambos mostrando unos bronceados intensos y muy muy caros. Pip lo buscó, pero él no estaba allí. Tampoco el inspector Hawkins.

—¡Esto es ridículo! —ladró el padre de Max, sacando su teléfono con un movimiento brusco y enfadado.

—Señor Hastings, ya le han enseñado la orden de registro. No creo que tarden mucho más. Por favor, cálmese.

Este se dio la vuelta y se llevó el teléfono a la oreja.

—¡Epps! —gritó.

El agente de policía también se giró, sin quitarle ojo al señor Hastings. Pip se dio la vuelta antes de que la viera. El pelo le ondeó mientras sus deportivas pisaban con fuerza el asfalto.

El agente podría reconocerla, y no debían verla aquí. Tenía que mantenerse en la periferia.

Cogió ritmo y empezó a correr por donde había venido. Otro juego, otra carrera, e iba ganando.

No tardarían mucho. No podían tardar mucho. Ya habían enviado una orden de registro de la casa. Rebuscarían por todas partes y encontrarían la sudadera manchada de sangre y las deportivas con la suela en zigzag en la habitación de Max; puede que Pip hasta hubiera visto cómo los sacaban en una de esas bolsas marrones. Si tenían una orden para registrar la casa, lo más probable fuera que también fuesen a recoger muestras del ADN de Max, para ver si coincidía con los pelos rubios que Jason tenía en la mano y con los que había en el río de sangre. A lo mejor era dónde estaba Max en ese momento.

Dobló la esquina, ya no miraba sus pies, sino el cielo gris. Los resultados de las pruebas de ADN podían tardar varios días en llegar, pero confirmarían la sangre en la ropa de Max y los pelos en el cuerpo de Jason. Cuando lo hicieran, Hawkins no tendría opción. Las pruebas eran abrumadoras. Eran piezas moviéndose en un tablero, mientras los jugadores se miraban atentamente desde sus esquinas.

Pip aceleró, más rápido y más fuerte, y podía sentirlo. El final, pisándole los talones.

Asunto. ¡Tengo noticias!

Hola, Pippa:

¡Espero que sigas bien! Veo que, por el episodio que acabas de publicar, ya has encontrado un caso para la tercera temporada, o, más bien, que el caso te ha encontrado a ti. Qué tragedia, ¡pobre señor Bell! Espero de verdad que encuentres al culpable.

Entiendo perfectamente por qué este caso era más importante que investigar el de Billy y el Asesino de la Cinta, pero esta mañana he recibido noticias y he pensado que igual te interesarían. Por lo visto, ¡están revisando el caso de Billy! Han aparecido nuevas evidencias. No tengo todos los detalles todavía, pero parece que es algo de ADN nuevo o unas huellas. Por eso todo el mundo ha vuelto a interesarse de pronto. No sé si habrán conseguido por fin identificar la huella desconocida que encontraron en Melissa Denny, la segunda víctima.

Estas cosas llevan mucho tiempo, seguro, pero un abogado de Proyecto Inocente ha estado hablando con Billy y van a rellenar una petición para que la Comisión de Revisión de Casos Penales anule su condena. Así que parece que la policía cree que han encontrado al auténtico Asesino de la Cinta o, al menos, pruebas suficientes para que la condena de Billy ya no sea «segura» —es el término técnico, lo he buscado.

En fin, que estoy muy emocionada y, por supuesto, te mantendré informada. ¡Puede hasta que tenga a mi hijo en casa por Navidad, quién sabe!

Gracias por creer en mí y en Billy.

Un abrazo.

Maria Karras

Cincuenta y dos

Pip pasó el dedo por la pantalla del ordenador y se paró en la última línea del email.

«Gracias por creer en mí y en Billy.»

Había creído en ellos porque Pip iba a ser la sexta víctima del Asesino de la Cinta y, en cierto modo, siempre lo sería. Desde el momento en el que Jason la raptó, no cabía ninguna duda de que había un hombre inocente en la cárcel. Pero el plan se había olvidado de Billy. La supervivencia se había apoderado de todo, la supervivencia y la venganza, y también proteger a Ravi y a los demás. No obstante, Billy necesitaba que lo salvaran de Jason Bell tanto como ella, y Pip lo había dejado atrás, como un personaje secundario. Podía haber hecho algo, ¿no? El plan solo funcionaba si ella no sabía que Jason Bell era el Asesino de la Cinta, si no tenía nada que ver con él, pero se le podía haber ocurrido alguna idea.

Entonces tuvo una revelación. Llegó helada y dura como una piedra en sus entrañas: seguramente no hubiera ninguna prueba fehaciente de que Jason Bell fuera el Asesino de la Cinta. Lo que significaba dos cosas: Billy Karras iba a quedarse atrás; ella se salvaría y lo enterraría en lo más profundo de su mente; y la segunda: nada de esto tenía que pasar. Quizá Pip hubiera podido seguir caminando entre los árboles mientras el coche de Jason aparcaba en Green Scene. Podría haber continuado, encontrado una carretera, una casa, una persona y un teléfono. Quizá Hawkins hubiera seguido sin creerla, pero a lo mejor lo habría investigado. Tal vez hubiera encontrado las mismas pruebas que han hallado ahora para respaldar sus palabras, y habrían podido actuar antes de que Jason atacara de nuevo. Él estaría entre rejas y Billy sería libre, por la fuerza del relato en primera persona de Pip.

Pero eso no había sido lo que había pasado. Era otra bifurcación del camino, una por la que no se había metido.

Pip había tomado una decisión diferente, de pie a la sombra de aquellos árboles. No había sido un accidente, ni su instinto de pelear o huir. Vio los dos caminos y escogió volver.

Y, a lo mejor, esa otra Pip en esa otra vida diría que había tomado la decisión correcta. Había confiado en aquellos que nunca confiaron en ella y había salido bien. Se salvó para salvarse; a lo mejor ya no estaba rota, el equipo Ravi y Pip había avanzado y vivían una vida normal. Pero esta Pip también podía decir que su decisión había sido la correcta. La única forma como podía estar segura de que el Asesino de la Cinta no volviera a hacerle daño a nadie jamás era su muerte. Y en ese camino, Max Hastings también iba a caer. Dos pájaros de un tiro. Dos monstruos y un círculo de crímenes, y muchas chicas con ojos sin vida por su culpa. Uno muerto, otro encerrado entre treinta años y cadena perpetua, si todo iba bien. Esfumados. Desaparecidos, y nadie que los buscara. Puede que ese camino fuera mejor, ¿quién sabía?

De todos modos, había algo que Pip podía hacer para reescribir ese error, para desolvidar a Billy Karras. Probablemente su madre tuviera razón; cuando hubieron procesado el cuerpo de Jason y hubieron introducido sus huellas dactilares en la base de datos, debía de haber saltado aquella última incógnita del caso del Asesino de la Cinta. Quizá también otras pruebas de ADN que lo relacionaban con las escenas de los crímenes del Asesino de la Cinta anteriormente desestimadas. Y, además, estaban los trofeos. Pip ya había encontrado tres. En una vieja foto que había colgado en su tablón tiempo atrás había localizado una cadena de oro con un colgante de una moneda que había pertenecido a Phillipa Brockfield; estaba colgado en el cuello de Dawn Bell. Dos resplandores en las orejas de Becca: los pendientes de oro rosa con piedras verdes, los mismos que aún llevaba, eran de Julia Hunter. Pip deseó poder hacerle llegar a Becca un mensaje, contarle todo lo que había pasado, advertirla sobre los pendientes, porque el Asesino de la Cinta aún tenía control sobre ella mientras los llevara puestos. Reviviendo el momento en el que había matado a esas chicas cada vez que veía a su mujer y a sus hijas.

La policía había registrado la casa de Jason; si encontraron y recogieron los auriculares de Pip, puede que hubieran hallado los trofeos de las demás víctimas. El cepillo morado de Andie, la cadena que había llevado Dawn, el reloj Casio de Bethany Ingham, el llavero de Tara Yates.

Y si no habían encontrado aún los trofeos, Pip podía guiar a Hawkins hasta ellos, solo tenía que enseñarle esa foto.

No, no solo eso. También tenía la cuenta de correo secreta de Andie y el borrador sin enviar. Ese email —con las palabras de Andie, que no fueron las últimas pero lo parecían— sería el clavo definitivo en el ataúd de Jason Bell. Guiar también a la policía a la conexión de Andie con CH. Pip tendría que cambiar la contraseña a algo menos sospechoso que la temporal «asesinoCinta6». Ya lo había hecho, y en su lugar puso «EquipoAndieYBecca»; pensó que esa le habría gustado más a Andie.

Puede que la policía tuviera una huella, pero Pip era capaz de darles todo lo demás, consolidando el caso contra Jason Bell más allá de cualquier duda razonable. Cuando se anulase la condena de Billy, no lo volverían a llevar a juicio con todas esas nuevas pruebas exculpatorias, sino que desestimarían los cargos directamente. Y Billy se iría por fin a casa. Pip se lo debía.

Cuando todo el mundo supiera quién era realmente Jason Bell, Pip no tendría que seguir escuchando a la gente decir lo horrible que era que alguien lo hubiera matado.

Pip practicó en el espejo, con la voz seca y sin usar en todo el día:

—Hola, inspector Hawkins, disculpe, sé que debe de estar increíblemente ocupado. Es que..., bueno, como ya sabe, he estudiado los antecedentes de Jason Bell como parte de mi investigación sobre quién pudo haberlo matado. He estado buscando en su empresa, sus relaciones personales, etcétera. Y no sé... —Hizo una pausa, con una mirada de arrepentimiento y los dientes apretados—. He encontrado algunas conexiones perturbadoras con otro caso. No quería molestarlo, pero creo de verdad que debería echarles un vistazo.

La cinta americana y la cuerda de Green Scene, y la conexión de la empresa con los lugares en los que habían dejado los cadáveres. La grabación de su entrevista con Jess Walker en la que dice que la alarma saltó la misma noche que murieron Tara Yates y Andie. El nombre de usuario de la cuenta de correo secreta de Andie y la contraseña recién cambiada. Una foto de la agenda de Andie sobre su escritorio, con el cepillo morado al lado, y la foto familiar de los Bell, en la que están los pendientes y la cadena.

—Becca aún los lleva puestos. Lo sé porque he ido a visitarla. Quizá sea cosa mía, pero ¿no son exactamente iguales que los que el Asesino de la Cinta le quitó a Julia Hunter y se quedó como trofeo?

La voz del Ravi que vivía en su cabeza le pidió que no lo

hiciera. El de verdad seguramente estaría de acuerdo; era más aconsejable intentar no llamar la atención. Sin embargo, Pip tenía que hacerlo, por Billy, por su madre, y para que la decisión de la otra Pip en la otra realidad no fuese la acertada.

Pip cogió todo lo que necesitaba para liberar a un hombre, y se marchó.

El mismo trayecto a la comisaría de Amersham, pero esa vez lo terminó. Y ya no había ningún agujero negro en su pecho, solo determinación; rabia, miedo y determinación. Su última oportunidad para que todo estuviera en orden. Salvar a Billy, enfrentarse a Hawkins, acabar con Jason Bell y Max Hastings, salvar a Ravi y a sí misma, vivir una vida normal. El final era el principio y ambos se estaban agotando.

Aparcó en un hueco vacío del aparcamiento, se miró los ojos en el espejo retrovisor y abrió la puerta.

Pip se colgó la mochila en el hombro con todo dentro y cerró. El sonido retumbó en la tranquila tarde de jueves.

Pero no era tranquila, ya no, mientras Pip caminaba hacia el edificio de ladrillo, al lugar malo. Escuchó unos neumáticos sobre el asfalto detrás de ella, derrapando hasta pararse.

Pip se detuvo frente a las puertas automáticas y miró hacia atrás.

Acababan de llegar tres vehículos. Un coche patrulla azul y amarillo, seguido de un SUV sin identificar y otro coche de policía.

Del primer vehículo salieron dos agentes uniformados a los que Pip no conocía, uno de ellos hablándole a la radio que tenía enganchada al hombro. Se abrieron las puertas del otro coche patrulla y salieron Daniel da Silva y Soraya Bouzidi. La boca de Dan se tensó en una línea recta en cuanto vio a Pip.

La puerta del conductor del SUV sin identificar se abrió y salió el inspector Hawkins, con el abrigo verde cerrado hasta arriba. No se dio cuenta de que Pip estaba allí, a unos metros de él. Fue hasta la puerta trasera del coche, la abrió y se inclinó hacia delante.

Lo primero que vio Pip fueron sus piernas, con los pies colgando hasta el hormigón. Luego sus manos, esposadas delante mientras Hawkins tiraba de él para sacarlo del coche.

Max Hastings.

Max Hastings arrestado.

—Le repito que está cometiendo un error —le dijo a Hawkins. Le temblaba la voz y, en ese momento, Pip no sabía si era de rabia o de miedo. Esperaba que fuera lo último—. No tengo nada que ver con esto, no entiendo...

Max se calló cuando miró hacia el edificio de la comisaría y se encontró a Pip allí. Empezó a respirar más rápido y los ojos se le fueron abriendo cada vez más, oscureciéndose.

Hawkins no se dio cuenta mientras avisaba a Soraya y a otro de los agentes que se acercaran.

No lo vieron venir. Ni siquiera Pip. Con un movimiento rápido, Max se soltó de Hawkins y lo tiró al suelo. Echó a correr a toda velocidad por el aparcamiento, tan rápido que a ella no le dio tiempo ni a parpadear.

Max se chocó contra Pip, la agarró por el cuello y la empujó hacia atrás, contra la pared de ladrillo.

Había muchos gritos y empujones, pero ella solo veía una cosa: el brillo de los ojos de Max a centímetros de los suyos. Las manos apretadas alrededor de su cuello, las puntas de sus dedos abrasándole la piel.

Él apretó los dientes y ella hizo lo mismo.

—¡Has sido tú! —le gritó a la cara, escupiéndole—. ¡No sé cómo lo has hecho, pero has sido tú!

Max la empujó aún más, golpeándole la cabeza contra la pared.

Ella no lo apartó; tenía las manos libres, pero no lo empujó. Lo miró fijamente y susurró, de forma que solo Max la escuchara:

—Tienes suerte de que no te haya enterrado a ti también.

Max le gruñó, como un animal arrinconado, con la cara roja y las venas muy marcadas alrededor de los ojos.

—Pedazo de hija de puta... —gritó, zarandeándole la cabeza justo cuando Hawkins y Daniel lo agarraron por detrás y lo apartaron de ella.

Forcejearon y Max terminó en el suelo, pataleando mientras el otro agente se acercaba a ellos.

—¡Ha sido ella! —gritó Max—. ¡No he sido yo! ¡No he hecho nada! ¡Soy inocente!

Pip se tocó la cabeza por detrás: no tenía sangre. No había nada en sus manos.

—¡No he sido yo!

Lo levantaron entre todos.

Max la volvió a mirar con ira y, durante un momento fugaz, tuvo el aspecto que debía tener: los ojos entornados y violentos; la boca abierta, grande y monstruosa; la cara inflamada y deformada. Ahí estaba: el peligro, despojado de toda pretensión y disfraz.

—¡Ha sido ella! —gritó—. ¡Está como una puta cabra!

—¡Metedlo en la comisaría! —ordenó el inspector Hawkins, por encima de los berridos de Max, a Soraya y a los otros dos agentes que lo arrastraban hacia las puertas automáticas.

Antes de entrar detrás de ellos, Hawkins miró a Pip.

—¿Estás bien? —preguntó, sin aliento.

—Sí. —Ella asintió.

—De acuerdo. —Él también asintió y entró en el edificio siguiendo el sonido de los gritos salvajes de Max.

Alguien sorbió por la nariz detrás de ella, y Pip se dio la vuelta. Era Daniel da Silva, estirándose el uniforme, arrugado por la zona de la que Max había tirado.

—Lo siento —dijo—. ¿Estás bien? Parecía que te estaba agarrando con fuerza.

—Sí, no, estoy bien —aseguró ella—. Un golpe en la cabeza, nada más. Sobreviviré. De todos modos, mi padre dice que tengo demasiadas neuronas, puedo permitirme perder alguna.

—Ya. —Dan sorbió de nuevo, con una pequeña sonrisa triste.

—Max Hastings —murmuró Pip, añadiendo un tono interrogativo al nombre.

—Ya —dijo Dan.

—¿Lo van a acusar? —preguntó Pip. Los dos miraban hacia la entrada de la comisaría, que dejaba pasar amortiguada la voz de Max—. ¿De asesinato?

Daniel asintió.

Pip había sentido algo que la presionaba, una sombra pesada sobre los hombros, que le apretaba el pecho. Pero, en cuanto vio la cabeza de Daniel moviéndose de abajo arriba, por fin la soltó, la dejó libre. Iban a acusar a Max del asesinato de Jason. El corazón le latía con fuerza contra las costillas, pero esta vez no era de terror, sino de otra cosa, algo más próximo a la esperanza.

Se había acabado, había ganado. Cuatro de cuatro, y allí seguía, aún de pie.

—Menudo cabronazo —soltó Dan entre dientes, sacando a Pip de sus pensamientos, trayéndola de nuevo al lugar malo, observando aquellas puertas—. No le digas esto a nadie, pero... Jason Bell fue como un padre para mí, y... —Daniel se calló y se quedó mirando las puertas de cristal que se habían tragado a Max—. Él... —Daniel se secó los ojos y tosió tapándose la boca.

—Lo siento —dijo Pip, y no era mentira.

No lamentaba que Jason estuviera muerto, ni un poquito, ni sentía haberlo matado, pero sí le daba pena Daniel. Pip había pensado, en tres ocasiones diferentes, que era capaz de ser muy violento, convencida sin ningún tipo de duda de que él tenía que haber sido el Asesino de la Cinta. Pero no, solo era otra alma que flotaba en la zona gris, que estaba donde no debía, en los momentos menos oportunos. Y volvió a darse cuenta de una cosa más, dura y fría, tal como parecían estar llegándole últimamente: Jason Bell había usado a Daniel. Él había sido quien lo había animado a meterse a policía; Jason lo convenció y lo apoyó durante la formación. Becca se lo había contado a Pip el año pasado, y ahora comprendía lo que había sucedido en realidad. No había sido que Jason hubiese visto en Daniel al hijo que nunca había tenido. No, lo que necesitaba era conseguir información sobre el caso del Asesino de la Cinta. Un contacto con la policía y con la investigación. Y todas esas preguntas alarmantes que Daniel había formulado sobre el Asesino de la Cinta, habían provenido en realidad de Jason. Su interés en el caso a través de Daniel. Eso era a lo que Andie se refería cuando había escrito que su padre era «prácticamente uno de ellos». Lo había utilizado. Jason Bell no había sido como un padre para Daniel, al igual que no fue un padre para Andie y Becca.

Pip podía contarle todo eso a Daniel. Podía advertirle sobre la información que pronto se revelaría sobre Jason, sus conexiones con el Asesino de la Cinta, pero, al ver esa sonrisa triste en su cara y la piel enrojecida alrededor de sus ojos, no fue capaz; no quería ser quien le arrebatara eso. Ya le había quitado demasiado.

—Ya —dijo Daniel ausente, mirando la entrada del edificio mientras alguien salía.

Era el inspector Hawkins.

—Daniel —lo llamó—, ¿puedes...? —Señaló la comisaría con el pulgar.

—Claro, señor.

Daniel sacudió rápidamente la cabeza. Se recompuso y cruzó las puertas automáticas. Hawkins se acercó a ella.

—¿Estás bien? —le preguntó de nuevo—. ¿Pido una ambulancia? ¿La cabeza...? —La miró con los ojos entornados.

—No, no pasa nada. Estoy bien —aseguró ella.

—Discúlpame. —Tosió incómodo—. Ha sido culpa mía. No se había resistido hasta entonces y no esperaba que... Tendría que haber prestado atención. Lo siento.

—Tranquilo. —Pip le sonrió con la boca cerrada y tensa—. No se preocupe.

El silencio entre los dos era denso y bullicioso.

—¿Qué haces aquí? —le preguntó Hawkins.

—Ah, he venido a hablar con usted.

—¿En serio? —Él la miró.

—Ya sé que está ocupado. —Miró hacia las puertas de la comisaría—. Pero igual deberíamos hablar dentro. Tengo que enseñarle unas cosas que he descubierto durante mi investigación. Es importante. Creo.

Hawkins la miró a los ojos. Pip también a él, no sería ella quien parpadeara primero.

—Vale, de acuerdo —aceptó, echando un vistazo rápido hacia atrás—. ¿Me das diez minutos?

—Sí, sin problema —respondió ella—. Esperaré aquí.

Hawkins inclinó la cabeza y se alejó de ella.

—Entonces ¿ha sido él? —Pip dirigió la pregunta a la nuca de Hawkins—. ¿Mató Max a Jason Bell?

El inspector se detuvo y se dio la vuelta. Los zapatos pulidos chirriaron contra el hormigón.

Hizo un pequeño movimiento con la cabeza, no exactamente un asentimiento.

—Las pruebas son abrumadoras.

Volvió a mirarla a los ojos, rodeándola, como si intentara analizar su reacción. Pero ella no reaccionó, su cara siguió igual. ¿Qué esperaba que hiciera: sonreír? ¿Recordarle que había tenido razón desde el principio, que había vuelto a estar un paso por delante?

—Bueno pues... bien —comenzó ella—. Lo de las pruebas, digo. No cabe duda...

—Esta tarde habrá una rueda de prensa —la cortó él.

—Vale.

Hawkins sorbió por la nariz.

—Tengo que... —Dio un paso hacia las puertas automáticas, activando el sensor.

—Por supuesto, yo espero aquí —dijo ella.

Hawkins dio otro paso, luego se detuvo y negó con la cabeza con una ligera risa.

—Me imagino que, si hubieras estado involucrada en algo así —dijo, todavía con una sonrisa en la cara—, sabrías perfectamente cómo engañarnos.

Se quedó mirándola y algo cayó sobre el estómago de Pip, pero continuó bajando, cada vez más, arrastrándola a ella también. Se le erizaron los pelos de la nuca.

Ella también mostró una ligera sonrisa.

—Bueno —se encogió de hombros—, he escuchado muchos podcasts de crímenes reales.

—Claro. —Hawkins se rio, mirándose los zapatos—. Claro. —Asintió—. Saldré a buscarte cuando acabe.

Volvió a entrar en la comisaría y Pip lo vio marchar. ¿Ese ruido era de las puertas o venía del interior de su cabeza?

Cincuenta y tres

Su voz era lo único que Pip escuchaba por segunda noche consecutiva, mientras miraba las oscuras sombras del techo de su habitación, dándoles forma mentalmente mientras Hawkins hablaba. Con los ojos muy abiertos, para que nadie se los pudiera tapar. Y la pistola disparando en su pecho.

«Me imagino que, si hubieras estado involucrada en algo así, sabrías perfectamente cómo engañarnos.»

En su cabeza, Pip elevaba y sumergía las palabras, tal como las había dicho, con el mismo énfasis sobre las mismas sílabas.

Hawkins no había vuelto a sacar el tema cuando Pip se había sentado en la sala de interrogatorios 1 y le había enseñado lo que había descubierto investigando a Jason. Le había dado las fotos y las credenciales de la cuenta de email de Andie. Él le había dicho, indirectamente, que ya habían encontrado la conexión de Jason con el Asesino de la Cinta y que lo estaban investigando, pero que su información era de mucha ayuda, muchas gracias. Le había dado un apretón de manos antes de acompañarla a la salida. Pero ¿no había sido demasiado largo? ¿Como si intentara notar algo?

Pip volvió a repetir la frase, llenándose con su voz, analizándola desde cada ángulo, observando cada hueco y cada toma de aire.

Era una broma. A simple vista, no era más que eso. Pero él no lo había dicho con esa intención, sino más despacio, más inseguro, con la respiración entrecortada por la risa, para restarle importancia.

Hawkins lo sabía.

No, no podía saberlo. Tenían al asesino. No había ninguna prueba contra ella y su coartada estaba blindada.

Bueno, si no lo sabía, había una pequeña parte de él —diminuta, incluso minúscula, la que él debía de encerrar en el fondo de su mente— que albergaba dudas. Era ridículo, disparatado; Pip tenía una coartada irrefutable y el caso contra Max era muy fuerte. Pero ¿acaso era demasiado fuerte? ¿Un poco demasiado fácil y un poco demasiado torpe?, preguntó la voz del fondo de su mente. Una sospecha persistente en la que él no sabía si podía confiar. Por eso había analizado su mirada, estaba buscando rastros de esa duda.

Habían arrestado y acusado a Max y la policía estaba reinvestigando el caso del Asesino de la Cinta. Liberarían a Billy Karras. Pip había sobrevivido. Era libre y estaba a salvo, como todos los que le importaban. Ravi había reído, llorado y la había abrazado demasiado fuerte cuando se lo había contado. Pero si eso era ganar, ¿por qué no lo sentía? ¿Por qué seguía hundiéndose?

«Saldré a buscarte cuando acabe», le dijo el Hawkins de su cabeza. Supo lo que quería decir en aquel momento, que hablaría con ella cuando terminara de procesar a Max. Pero no era eso lo que quería decir en el eco de su cabeza. Era una promesa. Una amenaza. «Saldré a buscarte cuando acabe.»

Lo sabía o no, lo sospechaba o no, lo pensó y lo repensó y se lo quitó de la cabeza y luego lo volvió a pensar. Daba igual; en alguna parte, de alguna forma, esa idea estaba en su mente, por muy pequeña, ridícula o irracional que resultase. Estaba allí. Hawkins la había dejado entrar un segundo y ella había visto cómo la plantaba.

Hawkins y ella, los últimos supervivientes, mirándose el

uno al otro desde sus respectivas esquinas. Él no había encontrado la verdad antes, con Sal Singh y Andie Bell, ni con la desaparición de Jamie Reynolds, pero Pip había madurado y había cambiado, y quizá Hawkins también. Ese pensamiento, esa pequeña duda escondiéndose en el fondo de su cabeza, era su perdición.

Pip lloró y lloró hasta que se quedó vacía, porque lo sabía. No podía descansar, no podía recuperar su vida normal, que era lo único que quería, por encima de todo. Por lo que había hecho todo eso. Ese era el precio que tenía que pagar. Se pasó horas hablándolo consigo misma, planteando diferentes escenarios, preguntando «¿y si...?» y «¿cuándo?», y solo vio una opción para que todos estuvieran a salvo de ella. Un último plan.

Sabía qué había que hacer. Pero era posible que hacerlo la matara.

Cincuenta y cuatro

El sol iluminó sus ojos cuando le devolvió la mirada, moteada entre los árboles. «O igual era al revés —pensó Pip—, tal vez los ojos de Ravi iluminaran el sol.» Una sonrisa torcida le arrugó la cara.

—¿Sargentita? —dijo Ravi pisoteando las hojas caídas de Lodge Wood. El ruido crujiente y fresco sonaba a casa, a principios y finales.

—Perdona. —Pip lo alcanzó y caminaron los dos al mismo ritmo—. ¿Qué decías?

—Decía —arrastró la palabra, dándole un golpecito con el dedo en las costillas— que a qué hora van a llevarte tus padres mañana. —Se quedó esperando—. A Cambridge —le recordó—. ¿Hola? ¿Hay alguien ahí?

—Ah, eh, temprano, creo —respondió Pip, sacudiendo la cabeza para traerse de vuelta—. Seguramente saldremos sobre las diez.

No sabía cómo hacerlo, cómo decirlo, ni siquiera cómo empezar. No había palabras para eso, un dolor que zarandeaba cada centímetro de su ser, que se le había quedado atrapado en el pecho cuando las costillas se habían derrumbado a su alrededor. El sonido de huesos rotos y las manos llenas de sangre, y un dolor que era aún peor que todo aquello.

—Chachi —dijo Ravi—. Me pasaré antes para ayudar a tu padre a cargar el coche.

El labio de Pip amenazó con descontrolarse, pero la garganta se le estrechó y se lo impidió. Ravi no lo vio, ya que iba caminando tranquilo por el bosque, saliendo del sendero. Explorando, dijo. Ellos dos, el equipo Ravi y Pip, solos en la naturaleza.

—¿Cuándo quieres que vaya a verte? —Se agachó para pasar bajo una rama y la sujetó para que pasara ella, sin mirarla—. En un principio iba a ir el finde que viene, pero con el cambio de planes... ¿Qué te parece el siguiente? Podríamos ir a cenar o algo.

No podía. No podía hacerlo. Y no podía dar ni un paso más tras él.

Miró a su alrededor, rápido y con intensidad. Sentía un nudo en el pecho que jamás la soltaría.

—Ravi —susurró.

Él lo escuchó en su voz. Se dio la vuelta, con los ojos muy abiertos y las cejas muy bajas.

—Eh, eh. —Volvió, y la agarró por los brazos—. ¿Qué pasa? ¿Qué tienes?

Tiró de ella hacia él y la envolvió entre sus brazos. Con una mano en la nuca, sujetándola contra su pecho.

—No. —Pip se soltó y se apartó de él. Sentía como si su cuerpo se separara de ella y volviera con él. Como si lo prefiriera a él antes que a ella—. Ravi... No puedes venir mañana a ayudarnos a cargar el coche. Y no puedes venir a verme a Cambridge. No puedes, no podemos... —Se le quebró la voz, partida por la mitad por la sacudida en el pecho.

—Pip, ¿qué estás...?

—Esta es la última vez. No nos volveremos a ver.

El viento jugó entre los árboles, soplándole el pelo, pegándole los mechones a las lágrimas.

La luz había desaparecido de los ojos de Ravi, oscurecidos por el miedo.

—¿Qué dices? Claro que nos veremos —aseguró, con la voz cada vez más fuerte, luchando contra el silbido de los árboles.

—Es la única opción —dijo Pip—. La única vía para que estés a salvo de mí.

—No tienes que preocuparte por eso. Se ha terminado. Lo conseguimos. Han acusado a Max. Somos libres.

—No —lloró Pip—. Hawkins lo sabe, o lo sospecha. Recuerda lo que me dijo en la comisaría. La idea está ahí, en su cabeza.

—¿Y? —dijo Ravi enfadado—. Eso no importa. Han acusado a Max; tienen todas las pruebas. No hay nada contra ti. Hawkins puede pensar lo que le dé la gana, porque no importa.

—Sí que importa.

—¿Por qué? —gritó él con una voz desesperada y desgarrada—. ¿Por qué importa?

—Porque... —Pip también elevó la voz, densa por las lágrimas—. Porque no se ha acabado. No lo pensamos todo. Primero habrá un juicio, Ravi. Y un jurado de doce personas tiene que creer que Max es culpable sin ningún tipo de duda. Solo si lo hace se habrá acabado, de verdad, y seremos libres. Hawkins no tendrá ningún motivo para seguir investigando. Es prácticamente imposible revocar una condena una vez dictada, no hay más que fijarse en las estadísticas, o en el caso de Billy Karras. Entonces seremos libres.

—Sí, y eso es lo que va a pasar —dijo él.

—No lo sabemos. —Pip sorbió por la nariz y se secó las lágrimas con la manga—. Ya se libró una vez. Y ¿qué pasa si el jurado lo declara inocente? El caso se reabrirá. Tiene que haber un asesino. Y ¿quién crees que será la primera persona a la que Hawkins investigue? A mí, Ravi. Vendrá a por mí, y a por todos los que me ayudaron. Porque esa es la verdad y ese es su trabajo.

—No —gritó Ravi.

—Sí. —A Pip se le cortó la respiración—. Si el juicio no sale bien, caeré. Y no pienso permitir que caigas conmigo. Ni tú, ni los demás.

—¡Eso no lo eliges tú! —gritó él, con la voz entrecortada y los ojos vidriosos.

—Sí. Fuiste a hablar con Hawkins sobre los auriculares, y eso te involucra. Pero sé cómo sacarte.

—No, Pip, no pienso escucharte. —Miró al suelo.

—Si el veredicto dice que es inocente, si la policía vuelve a preguntarte sobre el tema, tienes que contarles que te obligué.

—No.

—Bajo presión. Te amenacé. Te hice asumir la culpa de los auriculares para salvarme. Sospechabas lo que le había hecho a Jason y temías por tu vida.

—No, Pip. ¡Cállate!

—Lo hiciste bajo presión, Ravi —rogó Pip—. Eso es exactamente lo que tienes que decir. Bajo presión. Temías por tu vida.

—¡No! ¡Nadie va a creerse eso!

—¡Haz que se lo traguen! —gritó ella—. Tienes que conseguir que te crean.

—No. —Las lágrimas le cayeron de los ojos y aterrizaron sobre sus labios—. No quiero. No quiero hacer eso.

—Les confesarás que no hemos vuelto a tener ningún contacto desde que me fui a Cambridge. Y será verdad. Te apartaste de mí. No hemos hablado, no nos hemos visto, no nos hemos comunicado. No obstante, seguías asustado de lo que podría pasar si acudías a la policía. De lo que yo te podría hacer.

—Cállate, Pip. Basta —gritó Ravi, llevándose las manos a la cara.

—No podemos volver a vernos. No debemos tener ningún contacto. Si no, la versión de la coerción no será válida; la policía comprobará los registros de nuestros móviles. Tiene que parecer que te doy miedo. Por eso no podemos seguir juntos —concluyó.

Lo que estaba atrapado en su pecho se resquebrajó y la cortó en mil pedazos.

—No —dijo Ravi, sollozando con las manos en la cara—. No, no puede ser. Tiene que haber algo que podamos... —Se quitó las manos de la cara y las dejó caer. En sus ojos había un destello de esperanza—. Podemos casarnos.

—¿Qué?

—Podemos casarnos —repitió, sorbiendo por la nariz y dando un paso hacia ella—. Privilegio conyugal. No nos pueden obligar a testificar contra el otro si nos acusan a los dos. Podríamos casarnos.

—No.

—Claro que sí. —La esperanza era cada vez más grande en su mirada—. Por supuesto que podemos.

—No.

—¿Por qué no? —insistió él, otra vez con voz desesperada. Se le había esfumado toda la esperanza de golpe.

—Porque tú no has matado a un hombre, Ravi. ¡Yo sí! —Pip le agarró la mano, entrelazó los dedos con los de él, en el que solía ser su sitio, y apretó con fuerza—. Eso no te salvará, simplemente te atará más a mí y a lo que me pase. Si llega a ese punto, puede que ni siquiera necesiten nuestro testimonio para encerrarnos a los dos. Y eso es inaceptable. ¿Crees que Sal habría querido que te pasase algo así? ¿Piensas que habría deseado que todo el mundo te relacionara con el asesinato de una persona, igual que le pasó a él?

—Para. —Ravi le apretó demasiado fuerte la mano—. Deja de obligarme...

—No te atañe solo a ti —continuó Pip, devolviéndole el apretón de manos—. Sino a todos. Cara, Nat, Connor... Tengo que apartarme de todas las personas que me importan, de todos los que me ayudaron. Para protegerlos. Hasta de mi familia; no puedo permitir que la policía piense que fueron cómplices de alguna forma. Debo alejarme de todos, yo sola. Cortar todas las relaciones, hasta el juicio. E incluso después, si el jurado...

—No —dijo, pero ya no quedaba lucha en su voz, y las lágrimas caían más rápido.

—Soy una bomba de relojería, Ravi. No puedo tener a la gente a la que quiero cerca si estalla. Y mucho menos a ti.

—Si estalla —hizo hincapié él.

—Si —acordó ella, acercándose para secarle una lágrima—. Hasta el juicio. Y, si sale como hemos planeado, si el jurado declara a Max culpable, entonces podré recuperarlo todo. Mi vida. Mi familia. A ti. Podremos volver a vernos, te lo prometo. Si todavía quieres.

Ravi apretó la mano de Pip contra su mejilla.

—Podrían faltar muchos meses para eso. Es un caso de asesinato, pueden pasar años hasta que lo lleven a juicio.

—Pues ese es el tiempo que tendremos que esperar. —Pip lloró—. Y si el jurado lo declara inocente, le contarás a Hawkins que actuaste bajo presión. Ni siquiera estuviste en la escena del crimen, no sabías seguro si había matado o no a Jason, pero te obligué a que le dijeras lo de los auriculares. Te obligué. Dilo, Ravi.

—Bajo presión —repitió él en voz baja, con la cara destrozada—. No quiero hacerlo. —Sollozó, y sus manos temblaron entre las de Pip—. No quiero perderte. Me da igual lo que ocurra, no quiero no volver a verte, no quiero no hablar contigo. No quiero esperar hasta el juicio. Te quiero. No puedo... No puedo. Eres mi Pip y yo soy tu Ravi. Somos un equipo. No quiero nada de esto.

Pip lo abrazó, colocando la cabeza en ese lugar al que antes pertenecía, en la base de su cuello. Su hogar. Pero no podía serlo, ya no. Ravi dejó caer la cabeza sobre el hombro de Pip y ella lo sujetó allí, acariciándole el pelo con la mano, peinándolo con los dedos.

—Yo tampoco —dijo ella, y le dolía tanto que creía que no podía respirar. Nada curaría eso. Ni el tiempo. Ni el espacio. Nada—. Te quiero muchísimo —susurró Pip—. Por eso tengo que hacer esto, por eso debo irme y no volver. Tú también lo harías por mí. Sabes que es cierto.

Un eco de las palabras de Ravi cuando la había salvado, igual que sucedió en aquel almacén, sin saberlo. Ahora Pip tenía que salvarlo a él, esa era su elección. Y sabía, no le cabía ninguna duda, que era la elección adecuada. Quizá las demás decisiones que había tomado no lo habían sido, puede que todas y cada una de las que la habían llevado hasta allí fueran erróneas, caminos sin recorrer y vidas alternativas. Esa elección era la peor de todas, la que más dolía, pero era la correcta, la buena.

Ravi gritó sobre su hombro, y Pip le acarició el pelo mientras unas lágrimas silenciosas le recorrían las mejillas.

—Tengo que irme —dijo por fin ella.

—¡No! ¡No! —Ravi la agarró más fuerte, no la dejaba marchar, con la cara enterrada en su abrigo—. No, no te vayas —le rogó—. Por favor, no me dejes. No te vayas, por favor.

Pero uno de los dos tenía que ser el primero en marcharse. El primero en lanzar la última mirada. El primero en decirlo por última vez.

Tenía que ser ella.

Pip se soltó de él, lo liberó. Se puso de puntillas y apretó la frente con la suya, como siempre hacía él. Deseó poder quitarle la mitad del dolor, la mitad de todo lo malo, y dejar algo de espacio para las cosas buenas.

—Te quiero —dijo ella, dando un paso atrás.

—Te quiero.

Ella lo miró a los ojos y él le devolvió la mirada.

Pip se dio la vuelta y se fue.

Ravi se quedó roto, llorando entre los árboles. El viento acercaba a Pip los sollozos, que intentaban tirar de ella. Pero continuó. Diez pasos. Once. Uno de los pies dudó al dar el siguiente. No podía. Era incapaz de hacerlo. Esta no podía ser la última vez. Pip miró hacia atrás, por encima del hombro, a través de los árboles. Ravi estaba de rodillas sobre las hojas, con la cara escondida, gritándole a sus manos. Verlo así dolía más que nada, y se le abrió el pecho, que quiso alcanzarlo, intentando arrastrarla de vuelta. Abrazarlo, acabar con su dolor y que él borrara el suyo.

Quería volver, salir corriendo hacia él, caer sobre él, ser el equipo Ravi y Pip y nada más. Decirle que lo quería de todas esas formas secretas que tenían, escucharlo llamarla con todos los motes que tenía para ella con su voz suave. Pero no podía, no era justo. Él no podía ser su persona, y ella no podía ser la de él en ese momento. Pip tenía que ser la fuerte, la que se alejaba cuando ninguno de los dos quería hacerlo. La que elegía.

Pip lo miró una última vez, luego giró la cabeza y miró al frente. El camino estaba borroso. Tenía los ojos llenos de lágrimas que le caían por las mejillas. A lo mejor lo volvía a ver, quizá no, pero no podía volver a mirar atrás. Si lo hacía, no tendría fuerza para irse.

Se marchó. Escuchó un aullido que podría haber sido de Ravi o de los árboles, estaba ya muy lejos como para poder saberlo. Se fue y no miró atrás.

Cincuenta y cinco

Día setenta y dos.

Pip contaba los días, todos y cada uno, y los tachaba en su cabeza.

Un día de mediados de diciembre en Cambridge, el sol ya se desvanecía en el cielo y lo teñía del rosa de la sangre lavada.

Pip se cerró el abrigo y continuó andando por las viejas calles, estrechas y serpenteantes. En tres días volvería a estar allí y habrían pasado setenta y cinco desde entonces, encaminándose con buen ritmo hacia los cien.

Todavía no había fecha para el juicio, llevaba tiempo sin escuchar nada del tema. Hasta la víspera, que se había enterado de algo ínfimo: Maria Karras le había enviado una foto de Billy muy sonriente decorando un árbol de Navidad, con un jersey rojo con un reno. Pip le devolvió la sonrisa a través de la pantalla. En el día treinta y uno lo habían liberado, habían retirado todos los cargos.

La noticia de que Jason Bell había sido el Asesino de la Cinta saltó en el día treinta y tres.

—Oye, ¿ese no es el tío ese de tu pueblo? —le había preguntado alguien en la sala común de su edificio, con las noticias de fondo en el televisor.

La mayoría de la gente no hablaba con Pip; creían que era muy reservada, pero, en realidad, simplemente estaba apartándose de todos.

—Sí —había respondido Pip, subiendo el volumen.

Jason Bell no solo había sido el Asesino de la Cinta, sino que también había sido el Acosador del Sudeste, un violador que atacaba por esa zona de Londres entre los años 1990 y 1994, por lo que habían demostrado unas pruebas de ADN. Pip lo calculó: Andie Bell había nacido en 1994. Jason paró cuando nació su primera hija y se mudaron a Little Kilton. El Asesino de la Cinta se cobró su primera víctima cuando Andie tenía quince años, cuando empezó a parecerse a la mujer en la que se habría convertido. Quizá fuera en ese momento cuando su padre había empezado. Y había parado cuando ella había muerto —bueno, casi, aunque nadie jamás se enteraría de su sexta víctima—. Toda la vida de Andie había estado marcada por el monstruo que vivía en su casa, por su violencia. Ella no había conseguido sobrevivir a él, pero Pip sí, y Andie podría acompañarla adonde fuera.

Pip dobló la esquina, los coches pasaban por su lado. Se recolocó la mochila sobre el hombro. El teléfono empezó a vibrar en su bolsillo. Pip lo sacó y miró la pantalla.

La llamaba su padre.

Se le formó un nudo en la garganta y un agujero en el pecho. Pip pulsó el botón lateral para ignorar la llamada y que siguiera sonando dentro del bolsillo. Al día siguiente le escribiría un mensaje para decirle que sentía no haberlo cogido, que había estado ocupada, igual le contaba que estaba en la biblioteca. Aumentar el espacio entre cada llamada, hasta que fueran periodos muy largos. De semanas, primero; luego de meses. Los mensajes sin leer y sin responder. El trimestre ya había terminado y Pip había pagado para quedarse en su habitación durante las vacaciones. Les había dicho a sus padres que quería terminar todos los trabajos. Tendría que pensar en algo para Navidad, algún motivo por el que no pudiera volver al pueblo. Pip sabía que les rompería el corazón, el suyo ya estaba roto, pero era la única vía. La separación. Ella era el peligro y tenía que apartarlos a todos, por si acaso los salpicaba.

Día setenta y dos. Pip solo llevaba dos meses y medio en su exilio, en su purgatorio, caminando por las viejas calles adoquinadas una y otra vez, de un lado a otro. Caminaba todos los días y hacía promesas. A eso se dedicaba. Juraba que iba a ser diferente, mejor, que iba a merecerse de nuevo su vida y a todos los que formaban parte de ella.

Jamás se volvería a quejar por llevar a Josh a los partidos de fútbol, y respondería a todas sus curiosidades, ya fueran grandes o pequeñas. Sería su hermana mayor, su mentora, su ejemplo a seguir, hasta que fuera más alto que ella y se convirtiese en el chico ejemplar.

Sería más amable con su madre, que lo único que había querido siempre había sido lo mejor para ella. Debería haberla escuchado más, debería haberla entendido. Pip no la había valorado: su fuerza, los ojos en blanco y el motivo de las tortitas, y nunca volvería a caer en el mismo error. Eran un equipo —lo habían sido desde el principio, desde su primera respiración—, y si Pip podía recuperar su vida, volverían a serlo, hasta la última respiración de su madre. Dándose la mano. Una piel vieja sobre otra aún más vieja.

Su padre. Lo que daría por volver a escuchar su risa fácil, por que la llamara Pipsicola. Le agradecería cada día que las hubiera elegido a ella y a su madre, y todo lo que le había enseñado. Le hablaría de en lo que se parecía a él y de lo orgullosa que se sentía por ello y por cómo había conseguido que ella se convirtiera en quien es. Solo tenía que volver a ser esa persona. Y si podía, si llegaba a ocurrir algún día, su padre caminaría agarrado de su brazo hacia el altar, y se detendría a mitad de camino para decirle lo orgulloso que estaba de ella.

Sus amigos. Les iba a preguntar siempre cómo estaban antes de que ellos se interesaran por ella. No permitiría que nada se entrometiera entre ellos, y no necesitaría que fueran comprensivos porque la comprensiva sería ella. Reírse con Cara hasta que le doliera el estómago en llamadas de teléfono que durarían tres horas, las bromas malas de Connor y sus abrazos incómodos, la sonrisa amable de Jamie y su corazón enorme, la fuerza de Nat, que siempre había admirado tanto; Naomi, que había sido una hermana mayor para ella cuando Pip más lo había necesitado.

Y Becca Bell. Pip se hizo una promesa: le contaría todo cuando las dos fueran libres. Pip también tuvo que apartarse de ella, faltó a visitas y no contestó llamadas de teléfono. Pero la cárcel no era la jaula de Becca; su jaula había sido su padre. Él ya se había ido, pero ella se merecía saberlo todo sobre su padre y sobre cómo había muerto, sobre Max y el papel que Pip había desempeñado. Pero, sobre todo, se merecía saber lo de Andie. Su hermana mayor, que era consciente de que en su casa había un monstruo y había hecho todo lo que había podido para salvar a Becca de él. Se merecía leer el email de Andie y saber cuánto la quería, que todas esas cosas crueles que Andie le había dicho en sus últimos momentos no habían sido más que su forma de intentar protegerla. Andie temía que su padre las matara a los dos, y quizá estuviera asustada de que eso fuese lo que lo hiciera saltar. Pip se lo contaría todo. Becca se merecía saber que, en otra vida, ella y Andie habrían escapado de su padre juntas.

Promesas y más promesas.

Pip se las volvería a merecer, si tenía la oportunidad.

No era el juicio de Max lo que estaba esperando, en realidad. Era el suyo. Su juicio final. El jurado no solo decidiría el destino del acusado, sino también el suyo, si podía o no recuperar su vida y a todas las personas que había en ella.

Sobre todo a él.

Pip seguía hablando cada día con Ravi. No con el real, sino con el que vivía en su cabeza. Conversaba con él cuando estaba asustada o insegura, le preguntaba qué haría él si estuviera allí. Él se sentaba a su lado cuando se sentía sola, que era siempre, mirando fotos en su teléfono. Le daba las buenas noches y le hacía compañía en la oscuridad mientras ella aprendía a dormir de nuevo. Pip ya no estaba segura de si el timbre de su voz era así, de si aquella era la forma exacta en la que pronunciaba las palabras, ya fueran alegres o tristes. ¿Cómo le decía «Sargentita»? ¿Tendría la voz más aguda o más grave? Necesitaba recordarlo, tenía que aguantar, conservarlo.

Pensaba en Ravi todos los días, prácticamente cada momento de cada día, setenta y dos jornadas llenas de momentos. Qué estaría pensando, qué estaría haciendo, si le habría gustado en bocadillo que se acababa de comer —la respuesta siempre era sí—, si estaba bien, si la echaba de menos tanto como ella a él. Si esa ausencia se estaba convirtiendo en resentimiento.

Esperó que, fuera lo que fuese lo que estuviera haciendo, hubiera aprendido a ser feliz de nuevo. Si eso significaba esperarla, aguardar al juicio, o si, por el contrario, significaba que deseaba encontrar otra pareja, Pip lo entendería. Le rompía el corazón pensar que le sonreiría de esa forma a otra persona, inventándose nuevos motes, nuevas formas invisibles de decir «te quiero», pero eso lo tenía que decidir él. Lo único que Pip quería era que fuera feliz, que hubiera cosas buenas en su vida de nuevo, eso era todo. Su libertad por la de él, y esa era una decisión que tomaría una y otra vez.

Y si tenía paciencia, si la esperaba y el veredicto salía como ellos querían, Pip trabajaría cada día para ser el tipo de persona que se merecía Ravi Singh.

«Serás ñoña», le susurró él en el oído. Y Pip sonrió.

Había otro sonido escondido en su respiración. Un leve quejido, agudo y enrollado, que se acercaba cada vez más.

Una sirena.

Más de una.

Gritando, arriba y abajo, chocándose.

Pip giró la cabeza. Había tres coches patrulla al final de la carretera, adelantando a los demás vehículos, corriendo a toda velocidad hacia ella.

Más fuerte.

Más fuerte.

Las luces azules girando, rompiendo el atardecer, deslumbrándola e iluminando la calle.

Pip se dio la vuelta y cerró los ojos, apretándolos muy fuerte.

Ya estaba. La habían encontrado. Hawkins lo había averiguado todo. Se había acabado. Venían a por ella.

Se quedó allí de pie y aguantó la respiración.

Más fuerte.

Más cerca.

Tres.

Dos.

Uno.

Un grito en sus oídos. Un soplo de viento que le ondeó el pelo cuando los coches pasaron de largo, uno detrás de otro. Las sirenas se desvanecían a medida que se alejaban de ella y la dejaban atrás, en la acera.

Pip abrió los ojos con cuidado, despacio.

Se habían ido. Las sirenas se habían vuelto a convertir en un quejido, luego en un murmullo, y luego en nada.

No era para ella.

Al menos de momento.

Un día tal vez sí, pero el día setenta y dos no.

Pip asintió y volvió a ponerse a andar.

«Solo tengo que seguir —le dijo a Ravi, y a todos los que vivían en su cabeza—. Seguir.»

El día de su juicio llegaría, pero, de momento, Pip caminaba y hacía promesas. Eso era todo. Un pie delante del otro, aunque tuviera que arrastrarlos, incluso cuando ese agujero en su corazón fuera demasiado grande para seguir de pie. Caminaba y hacía promesas y él estaba con ella, los dedos de Ravi entrelazados con los suyos, de la misma forma que siempre encajaban en el hueco de sus nudillos. Como quizá lo volvieran a hacer. Tan solo un pie delante del otro, eso era todo. Pip no sabía qué le esperaba al final, no veía lo que había tan lejos, y la luz estaba desapareciendo, iba cayendo la noche, pero tal vez, y solo tal vez, fuera algo bueno.

1 año, 8 meses
y 16 días después.
Día 697

3 minutos después de la lectura del veredicto en el juicio de la Corona contra Max Hastings:

Ey, Sargentita, ¿te acuerdas de mí?

AGRADECIMIENTOS

Como siempre, el primer agradecimiento va para mi agente, Sam Copeland. Gracias por ser la mejor orientadora/consejera sentimental/poli mala/poli buena del mundo. Todo esto empezó cuando te hablé sobre una chica que hace un trabajo para clase sobre un viejo caso de asesinato en 2016, y ¡mira dónde hemos llegado! Toda una puñetera trilogía, creo que ese es el término técnico. Pero no existiría ni un solo libro si tú no me hubieras dado una oportunidad y me hubieras dicho que escribiera esa idea, así que ¡gracias! (Tampoco voy a concederte TODO el mérito, aunque estoy segura de que estarías encantada de asumirlo.)

También quiero darle las gracias a los libreros, que hacen un trabajo fantástico consiguiendo que los libros lleguen a manos de los lectores y han seguido haciéndolo a pesar de los increíbles inconvenientes de este último año. Os estoy realmente agradecida por vuestro entusiasmo y dedicación constante a los libros y a la lectura, y por el enorme papel que habéis desempeñado en el éxito de la serie de *Asesinato para principiantes*. También a los blogueros, que le dedican tanto tiempo a publicar reseñas y a recomendar los libros que han disfrutado. Jamás podría agradeceros lo suficiente el amor que habéis mostrado por la serie *Asesinato para principiantes*, y estoy deseando ver vuestras reacciones acerca de *Venganza para víctimas*.

A todo el equipo de Electric Monkey, que trabaja de forma incansable para ayudarme a convertir mis documentos de Word en libros físicos de verdad. Es un currazo. Gracias a Sarah Levison por navegar de forma tan experta por este libro monstruoso conmigo, y por identificar exactamente lo que quería que hiciera. Gracias a Lindsay Heaven por todo tu trabajo duro de supervisión de toda la serie desde el principio. Gracias también a Lucy Courtnay, Melissa Hyder y Susila Baybars por ayudarme a darle forma a este manuscrito. Gracias a Laura Bird y a Janene Spencer; ver por primera vez el diseño, cuando la historia empieza de verdad a parecerse a un libro, siempre es un momento mágico. Gracias a Tom Sanderson por el increíble diseño de la portada; es tan oscuro y encaja tan bien con este final que no podría haber pedido nada mejor. Espero que todo el mundo cambie para siempre su visión de la cinta americana. Gracias, como siempre, a la estrella Jas Bansal, por todo lo que haces y por ser un genio del marketing y de las redes sociales. Una de mis partes favoritas de publicar mis libros ha sido ver el alboroto que creas, de forma tan profesional, antes de cada lanzamiento. Gracias también a Kate Jennings, Olivia Carson y Amy Dobson por aseguraros de que todo el mundo oyera hablar del libro. Gracias al equipo de ventas y derechos por que estos libros vean la luz, y un agradecimiento particular a Ingrid Gilmore, Lori Tait, Leah Woods y Brogan Furey. Quiero hacer una mención especial de Priscilla Coleman, de nuevo, por tu fantástico trabajo y por darle vida al Asesino de la Cinta con tanta destreza en el retrato robot de la policía.

Después del año que hemos tenido, sería una omisión evidente si no expreso mi más inmensa gratitud y admiración a todos los trabajadores del Servicio Nacional de Salud. El heroísmo y valentía que habéis demostrado día a día durante la pandemia de la Covid-19 en ocasiones me hizo sentir que mi contribución a la sociedad (teclear sin descanso historias inventadas sobre personas inventadas) era muy pequeña. Quiero daros las gracias por ser tan inspiradores y compasivos, y por cuidarnos durante este año tan horrible. Sois auténticos héroes y la sanidad pública es un privilegio increíble que deberíamos proteger, cueste lo que cueste.

Gracias a mis amigos escritores, como siempre, por ayudarme a navegar por las aguas turbulentas de la edición, sobre todo con las publicaciones durante el confinamiento. Y por los juegos por Zoom para que pudiera escapar virtualmente de mi apartamento y mis fechas de entrega (durante unas horas). Gracias a mis Flower Huns por mantenerme cuerda (a distancia) durante la pandemia. Guardo con mucho cariño esos concursos semanales. Me muero de ganas de jugar un poco en la vida real ese año, aunque mejor sin concursos, ¿vale?

Gracias a mi madre y a mi padre, como siempre, por su apoyo incondicional y por creer en mí cuando nadie más lo hizo. Creo que vosotros supisteis que iba a ser escritora desde que era muy joven, gracias por alimentar mi amor por las historias regalándome una infancia llena de libros, videojuegos, programas de televisión y películas. No desperdicié ni un solo segundo de todo aquello. Y, papá, gracias por tus comentarios cuando leíste por primera vez el libro, y por entenderlo a la perfección. Gracias, mamá, por decirle a papá que sentías «náuseas» mientras lo leías, porque fue cuando supe que estaba haciendo exactamente lo que pretendía.

Gracias a mis hermanas, Amy y Olivia, por su apoyo constante, y por enseñarme lo importantes que son las hermanas. Pip ha tenido que encontrar las suyas (Cara, Naomi, Nat y Becca), pero yo he tenido mucha suerte de haber tenido dos desde el principio. Estoy segura de que vuestra influencia estará en todos y cada uno de los ejemplos de bromas / discusiones entre hermanos que escriba, así que ¡muchas gracias!

A mi sobrino, George, que dice que soy su escritora favorita a pesar de tener, como mínimo, diez años menos de la edad recomendada para leer mis libros, ¡máxima puntuación para ti! A mi nueva sobrina, Kaci, por abastecerme de la ternura necesaria para continuar durante un espantoso año de fechas de entrega, y también por ser un rudo bebé de pandemia. Y, especialmente, gracias a mi sobrina Danielle, que ya casi es lo bastante mayor para leer estos libros. Hace tiempo, cuando ella tenía unos nueve años y estudiaba escritura creativa en el colegio, me dijo que las mejores historias terminaban en puntos suspensivos... Bueno, Danielle, he terminado mi primera trilogía con puntos suspensivos; espero que estés orgullosa (¡y que tengas razón!).

Gracias a Peter, Gaye y Katie Collis, como es habitual, por ser mis primeros lectores y por ser la mejor segunda familia que una pudiera pedir.

A Ben, mi piedra angular, mi cómplice para siempre. Sin ti, nada de esto habría sido posible y Pip jamás habría visto la luz, ¡y ni hablemos de llegar hasta el final del tercer libro! Gracias.

Después de escribir una saga tan influenciada por los crímenes reales, sería extraño que terminara sin comentar nada del sistema judicial y dónde falla. Siento una profunda desesperación cuando leo las estadísticas de violaciones y abusos sexuales en este país, y la tasa abismal de denuncias y condenas. Hay algo que no funciona. Espero que los libros hablen por mí en este aspecto, y creo que queda claro que algunas partes de estas historias nacen de la ira, por las veces que me han acosado y no me han creído, y de la frustración, por un sistema judicial que, a veces, no parece ser demasiado justo.

Pero, por último, y para terminar con algo menos intenso, quiero daros las gracias a todos vosotros, los que me habéis seguido por todas las páginas hasta el remate del tercer libro. Gracias por confiar en mí, y espero que hayáis encontrado el final que os esperabais. Yo, desde luego, sí.